复合分布式

陈柏宇　刘桂林　王莉萍　著

中国海洋大学出版社

·青岛·

图书在版编目(CIP)数据

复合分布式/陈柏宇,刘桂林,王莉萍著. — 青岛:中国海洋大学出版社,2018.4

ISBN 978-7-5636-1841-9

Ⅰ.①复… Ⅱ.①陈… ②刘… ③王… Ⅲ.①多元函数②多元分布 Ⅳ.①O174.1②O211.1

中国版本图书馆 CIP 数据核字(2018)第 147414 号

出版发行	中国海洋大学出版社
社　　址	青岛市香港东路 23 号
邮政编码	266071
出 版 人	杨立敏
网　　址	http://pub.ouc.edu.cn
电子邮箱	2586345806@qq.com
订购电话	0532-82032573(传真)
责任编辑	矫恒鹏
电　　话	0532-85902349
印　　制	蓬莱利华印刷有限公司
版　　次	2018 年 4 月第 1 版
印　　次	2018 年 4 月第 1 次印刷
成品尺寸	170 mm×230 mm
印　　张	15.25
字　　数	316 千
印　　数	1～1000
定　　价	46.00 元

前 言

数理统计于平常之中见异常，在揭示海水运动、环境演变及其造成灾害的统计规律等方面具有独特的优势。运用数理统计知识通过对随机海浪的观测、实验、计算及分析的实践，可以精细定义随机水文事件，描述其统计规律。

目前，在海洋波浪极值统计分析、海浪破碎、近海污染扩散等具体问题的研究中，或者考虑离散概率分布模式，或者考虑连续概率分布模式，很少将离散概率分布模式和连续概率分布模式同时考虑。事实上，在研究中如果能同时考虑离散随机向量和连续随机向量，则更符合实际情况。

本书介绍一个既包含离散概率分布模式，同时包含连续概率分布模式的概率分布新模式——多维复合极值分布模式。在实际应用中，新模式中的离散型随机变量可以为不同海区每年台风、飓风、寒潮、大风出现的各不相同的频次，也可以是由于海洋环境条件的随机性而构成的各年(或过阈)不同的最大荷载取样个数，连续型随机变量为台风(飓风)影响或不同取样条件下所产生的灾害性海洋环境要素，即台风导致的各种极端海洋环境要素。新模式涵盖了原有的一维复合极值分布模式，为便于工程界应用，书中给出了复合极值分布模式的特定显示表达式。它是一个既考虑台风出现的频次或资料选取的随机性，又考虑多种极值环境要素联合作用、利用资料信息更充分的概率分布模式。

本书导出的多维复合极值分布模式，可应用于防洪工程、水库调度，气象灾害、沿岸输沙的长期概率分析，海冰的联合概率分析，洪水频率分析中洪峰和洪量、历时的概率分析，以及结构可靠度分析。

任何数学模型都是对现实问题的简化和抽象，是对现实数量关系和空间形式的展示，是工程具体问题的概念抽象，基于严密的逻辑，可构成完整的体系，针对具体海洋工程问题得到的研究结论具有应用的广泛性。书中建立的理论分布模型，不仅可以应用于极端海况下的波高增水分析，台风暴潮的预报预警，还可以应用于金融等其他研究领域。具体应用例子可参看书中相应章节。

在本书成稿并出版的过程中，得到了各位朋友和家人的鼓励和支持，在此谨表真诚的谢意。

目 录

理论篇

工程领域应用篇

金融领域应用篇

理论篇

第1章 绪论

1.1 研究背景

随着地球上人口的急剧膨胀，人类经济活动的迅猛发展，陆上资源和空间已难以满足或充分满足社会发展的需求，各国都把经济发展的重点转移到海洋。21世纪将是人类全面向海洋进军的时代，这是因为面积约占占地球表面积70%的浩瀚海洋里，除了丰富的水资源与生物资源外，还有极其丰富的海水化学资源、海底矿产资源、海洋动力资源等，像海洋石油及其他矿物资源等不仅种类可与陆地上的各类资源相媲美，而且数量巨大。海洋开发将形成如海洋油气工业、海洋化学工业、深海采矿业等一批新兴产业，这种开发利用和防护将是全方位的，而面临的国际竞争也将是空前激烈的。从目前人类的需求来看，这种开发利用和防护主要集中在以下几个方面：① 海底油气和天然气水合物的开发利用；② 海洋水产资源的开发利用；③ 海水及其所含物质资源的开发利用；④ 海洋作为交通、通信通道的利用；⑤ 海底矿物资源的开发利用；⑥ 海洋能源（包括波浪能、潮汐能及温差能等）的开发利用；⑦ 海洋空间的开发利用；⑧ 海洋及海岸带的环境保护及防灾措施。海洋将成为人类发展经济并从事相应科学技术开发的重点领域。

我国东部和南部大陆海角岸线为1.8万多千米；内海和边海水域面积约470多万平方千米；海域分布有大小岛屿11000多个，其中面积大于500平方米的海岛超过6500个。中国要解决好人口、资源和环境问题，在21世纪中叶进入中等发达国家水平的一条重要途径就是走向海洋。但是，海洋既是人类在地球上生存、发展的最后领域，同时也是引发各种灾害的温床，如台风、风暴潮、巨浪、海冰、海底地震及海啸、赤潮、海上溢油、海岸侵蚀、海平面上升等。

所有海上开发利用及防护都离不开海上工程设施，由于开发利用的内涵与目的差异巨大，其所采用的工程设施和技术装备也千差万别。同时，由于海洋环境条件十分复杂，有时还极为恶劣，海洋工程设施及相关技术装备的造价又十分昂贵，尤其当这些设施愈来愈向深海及大洋推进、工程设施的规模日趋庞大而导致所需投资剧增时，就要求人类加强防灾抗灾能力，以期在保证工程设施安全可靠的前提下节约投资、缩短建设工期、减少维修工作和延长使用年限。因而，人类为了生存及发展，在开发和利用海洋的同时，必须强化其对海洋环境条件的认识，加强海洋环境保护和加强海洋防灾抗灾能力的研究[1]-[15]。

目前，国际海洋工程界正在掀起研究海岸和近海工程安全的热潮

1. 海上工程建筑[16]-[25]

随着时代科技、经济和社会的迅猛发展，世界各国对石油、天然气等能源的需求越来越大；相应地，世界范围内的油气勘探与开发从陆上转向广阔的海洋，目前更是从近海浅水区域向更为复杂、危险的深海区域发展，并逐渐形成投资大、风险高、高新技术密集的能源工业新领域。伴随着海洋资源与空间的开发利用，各类海上工程建筑物数量不断增多、规模日益复杂和庞大，保证这些海上工程设施的安全运行及采取海洋工程防灾减灾措施将越来越重要。海洋工程结构的投资费用很高，一旦被损坏，将会造成重大的人员伤亡和巨额财产损失。（例如，1965 年英国北海"Diamond"号钻井平台支柱拉杆脆性断裂导致平台沉没、1968 年"Rowlandhorn"号钻井平台事故、1969 年中国渤海 2 号平台被海冰推倒等都造成严重的经济损失；1980 年英国北海 Ekofisk 油田"Alexander L. Kielland"号五腿钻井平台发生倾覆，不仅造成经济损失，还导致 122 人死亡。海岸带和近岸海域是各种动力因素最复杂的地区，但同时又是经济活动最为发达的地区，海上工程建设如果考虑不当，将会在一定程度上引发环境灾害。工程设施可能破坏原有海岸带的动态平衡，影响岸滩的冲淤变化；海上回填和疏浚会改变海岸的形态，破坏某些海洋生物赖以生存的栖息地，若对含有污染物的疏浚污泥倾抛处理不当则会造成二次污染；海上石油生产中的溢油事故将对海洋环境造成极其严重的污染；日益增多的海上退役工程设施如果不及时处理，也会成为海上障碍物以致引起公害。海洋工程抗灾减灾的任务一方面要保证最大限度地减少自然海洋灾害损失，另一方面又要避免人为海洋环境灾害。

近几年，国际海洋工程界掀起了研究超大型浮式结构物（Very Large Floating Structures，简称 VLFS）的热潮。所谓超大型浮式结构物（VLFS）是指那些尺度以千米计的浮式海洋结构物，以区别于目前尺度以百米计的船舶和海洋工程结构物，如海洋平台等。一般而言，VLFS 可以以沿海岛屿或岛屿群为依托，带有永久性或半永久性，具有综合性、多用途的功能。它的设置将对某一区域的社会、经济活动乃至政治、军事格局发挥决定性的影响。在设计和建造超大型浮式海洋结构物的时候，人们首先关心的是当该浮式结构物在海洋环境条件主要是风、浪、流的作用下能否正常运营的问题。通常的大型船舶或海洋结构轫，其尺

度以 hm 计，而超大型浮式海洋结构韧的尺度以 km 计。由于结构的超大化，其所处的环境将更复杂，风、浪、流条件恶劣；特别是超大型浮式海洋结构物不像船只那样，在飓风或恶劣海况来临前可驶入港口避风，它们将长年暴露于海洋环境中，经历诸如台风、台风浪等破坏性极强的气候和海况条件，其弹性结构物受力运动响应以及结构的可靠性等都面临着严重挑战，包括有强烈的非线性存在。在这方面，超大型浮式海洋结构物对力学和海洋科学提出了新的要求。

海洋平台作为海洋资源开发的基础性设施，是海上生产和生活的基地。为避免海洋平台事故的发生，造成重大的经济损失和不良的社会影响，必须对海洋环境的复杂性和随机性以及平台结构的损伤积累和服役安全度有充分的认识。自 20 世纪 40 年代后期第一座海洋石油钻采平台在墨西哥湾建成投产以来，在世界不同海域已建成不同形式的海洋平台 10 000 余座。海洋平台结构复杂、体积庞大、造价昂贵，特别是与陆地结构相比，它们所处的海洋环境十分复杂和恶劣，承受着多种随时间和空间变化的随机载荷，包括风、海浪、海流、海冰和潮汐的作用，同时还受到地震作用的威胁。在此恶劣的环境条件下，环境腐蚀、海生物附着、地基土冲刷和基础动力软化、材料老化、构件缺陷和机械损伤以及疲劳和裂纹扩展的损伤积累等不利因素，都将导致平台结构构件和整体抗力的衰减、影响结构的服役安全度和耐久性。处于各种海区的海洋工程，随时会受到海浪的直接威胁。海浪的威力十分巨大，可以把海洋平台推倒，将万吨大船推翻。有时波高虽不大，但当波浪周期与构筑物的固有周期相近时，因共振作用，对构筑物造成毁坏；即使轻微的波浪，因长年累月地连续作用，波浪力也会使构筑物疲劳或固冲刷而使之被损坏。在极端波浪力作用下，波浪将冲击平台甲板上部结构而引起结构的损坏，波浪作用力的增加会导致海洋平台结构出现超载而发生倒塌。因此，随着海洋石油产业从近海浅水区域向更为复杂、危险的深海区域发展，为了保证现有工程的安全，必须了解与研究波浪作用下的海洋平台动力响应；对海洋环境条件的分析也要求更为细化、准确和综合，用于设计深水海洋平台结构的结构分析程序也变得更为复杂，对输入的周边海况的分析也要求更为准确，极端波浪作用问题已成为海洋平台结构承载能力极限状态分析的重要问题。

2. 强风过程引发的致灾海况[26]-[34]

我国是世界上海洋灾害最严重的国家之一，海洋灾害给沿海经济发展和人民生命财产安全带来巨大威胁。2001 年，我国沿海共发生 6 次风暴潮，其中“飞燕”和“尤特”两次风暴潮酿成巨大灾害，福建、广东两省受灾严重，福建省经济损失约 57.9 亿元，广东省经济损失约 29.1 亿元。2001 年，海上巨浪给浙江、山东等省造成了较为严重的损失，损坏船只618艘，死亡、失踪265人，直接经济损失3.1亿元。

海洋灾害主要包括风暴潮、海浪、海冰、海啸、赤潮及海岸侵蚀等。20世纪90年代以来，我国海洋灾害所造成的损失每年达上百亿元人民币，是世界上海洋灾害最严重的国家之一。当前，我国海洋能源开发与海洋空间利用的绝大部分活动是在近海和极浅海海域，为了保证在这些海域所建造的工程设施能够安全服役、免遭破坏，面临的首要问题是弄清这一海域中严酷和复杂多变的环境因素。我国东临西北太平洋，每年出现的台风数目占全球的38%，其中对我国可能造成灾害的台风每年有7～8个。每当台风在我国登陆或接近我国沿海通过时，都会在沿岸局部地区造成风暴潮灾害。在我国北方海域(渤海和北黄海)，冬季由于受寒潮影响，沿岸地区每年都有结冰现象，结冰严重的年份则出现冰害，若对这些海洋灾害估计不足，将会带来巨大的损失。

自然灾害给人类带来了重大的创伤和巨额的经济损失。国内外的统计资料表明，在所有的自然灾害中，风灾损失几乎与地震损失相当。风灾中引起损失最多的是热带气旋灾害，其中以台风最为严重。中国是世界上台风最集中的地区之一。影响中国的台风的登陆地点集中在广东、海南、台湾、福建和浙江等省，这些地区的台风占台风总数的90%。同时，这些东南沿海地区也是中国人口最密集、经济最发达的区域。特别是20世纪90年代以来，随着经济的快速发展，灾害损失也日益严重。近年来，随着中国沿海地区城市化速度的加快、人口增长及社会财富密集度的快速增长，台风灾害极大地增大了沿海城市和建筑物的灾害易损性与灾害链的易发性。

由于强风过程引发的巨浪、暴潮对于海洋沿岸堤坝、海港工程建筑与各类设施有着巨大的破坏作用，各种类型的海上石油工程建筑物，如钻井船、平台、储油设备等，以及海中各类军事设施都是直接处在强风的作用之下，而一次强大的风暴过程引发的巨浪以及它本身的巨大的破坏作用往往是导致海上建筑物毁于一旦的主要原因。历史上强风给人类带来的巨大灾难是屡见不鲜的，在英国约克郡，有三个高达百米的冷却塔在大风中倒塌，引起工程界很大震动，据分析，倒塌的原因是设计中风压取值较英国风荷载规范中的规定低24%，此后，英国风压计算中风速的取值也由原来的1 min平均风速改为3s平均风速。在我国，热带气旋、爆发性温带气旋等强风过程引发的巨浪、风暴潮和速度惊人的阵性大风，往往会造成沿岸堤坝、海港工程设施的严重损坏，以至于造成生命财产的巨大的损失，如1993年15号台风在广东登陆造成的直接经济损失就达18.9亿元。

基于上述种种严酷的事实，为减少灾害造成的损失，对处于台风多发区的东南沿海重点城市进行详细的风危险性分析显得愈加重要。因此，在海洋工程设计中以及环境评估和预测分析中，人们越来越重视台风、飓风、寒潮大风出现的频次以及与其伴随的各种海洋环境荷载，同时对各种资料科学地进行分析也具有十分重要的科学意义与实用价值。

3. 远洋船舶航行遭遇的极端海况[36]-[38]

远洋船舶航行中的运动与荷载是船舶设计阶段令人关注的主要课题之一，计算海况的确定又是从事船舶运动与荷载计算的关键。同近海船舶相比，远洋船舶遭遇的海况更为恶劣，而且难以规避。现有对于船舶运动与荷载的确定性分析方法中，只注重入射波的周期与波高的计算。以往，曾把波高等于 1/20～1/25 船长的波浪的静压力作为极端波浪荷载，进一步，对波型与在波浪中船舶运动引起的吃水变化的静压力计算，取波高为 $1.25\lambda^{\frac{1}{3}}$，其中 λ 为波长。目前，对于大型远洋船舶的设计，必须计入波浪动荷载的影响。波浪运动是平稳的各态历经的随机过程，确定船舶遭遇特定海况的波浪参数只能建立在统计学意义的基础上。波浪短期子样统计特征的长期积累构成的子样，是从事波浪参数长期分布统计方法的基础。概率分布函数的确定，实质上可以认为是对波浪参数长期分布子样的数值拟合。而极端海况，则涉及该现象出现的概率问题；应用超越概率的概念，则认为超过极端海况的波浪参数的概率为一小概率事件。如海洋工程设计中，常用五十年或百年一遇的概念。在船舶工程设计中，通常直接规定一系列的概率值，如 10^{-4}、10^{-6}、10^{-8} 等，相应地计算在这些概率下的波浪参数作用引起的船舶运动与荷载。

为此，必须研究有关波浪周期与波高两种现象的联合概率分布，而所得的极端海况中的极端波高的概率为在特定周期下的一个条件概率。

4. 洪水灾害[39]-[44]

在我国，洪水灾害是众多自然灾害中造成损失最大的一种，建立防洪工程是减少洪灾损失的主要措施。防洪工程不能直接创造财富，而是消除灾害，修建工程后减少的洪灾损失称作防洪效益。只有当工程遇到原来不可防御的洪水时，这种效益才能浮现出来。虽然遇上特大洪水时效益很大，但这种洪水出现的机会少，如果工程修建后，几十年内遇不到稀遇洪水，防洪效益就长期得不到体现，不但会造成投资的积压，每年还得支付利息和运行管理费。防洪效益的正确计算，往往成为防洪工程兴建与否的关键。

目前，在规划设计一个防洪工程时，由于工程尚未建设。国内外主要用以下两种方法来计算防洪效益。① 频率法。对不同频率的洪水调查计算，绘制出有工程及无工程情况下洪灾损失的频率曲线。两条线所包围的面积即为洪灾损失值。② 实际年系列法。在长系列水文资料中,选取洪水资料较全、有代表性的实际资料,逐年计算每次发水的洪灾损失,以系列洪灾损失的算术平均值作为多年平均洪灾损失。此法所选系列的代表性对计算成果有较大的影响。若实际年份中大洪水年份较多,则计算出的多年平均损失就偏大;若枯水年集中,多年平均损失就偏小。总之,以上两种方法只是平均洪灾损失的计算,且计算结果偏差大、不可靠。

水利工程的安全不单纯取决于洪峰流量,还与洪水总量、历时密切相关,河口海岸城市的洪水设防标准则应考虑天文潮、风暴增水、上游洪峰下泄、海面波高等。随着对多维荷载因素综合作用的认识逐渐深化,综合环境荷载设计标准的研究越来越得到广泛关注。例如,对海岸带防护工程,根据海岸带不同的功能区划,分别选用以波高最大和以潮位最大相应的其他因素组合系列,进行随机模拟,从而获得以防浪为主和以防潮为主的工程防灾设防标准。对河口城市防护工程,针对天文潮、风暴增水、上游洪水三者进行随机模拟,根据三者的长期统计特征,可得到河口城市防灾设防水位最不利组合的设计标准。同时,如何充分利用有限的资料,使之全面地反映环境荷载的实质性规律,从而合理地推算极值环境荷载,也是非常值得探讨的。尤其在实测资料较少的情况下,对数据的合理分析利用显得尤为重要。实际上,就是考虑资金的时间价值,将防洪工程在整个使用期内的效益值总和统一换算到工程的使用初期,以此可产生多个防洪效益值,求出防洪工程的效益分布。

综上所述,每一场灾害性台风、飓风或特大洪水都可能包含同时出现的各种动力环境因素,如海上的风、浪、潮、流,河口海岸的风暴潮、天文潮、上游洪水等等。这些因素的综合作用将可能对相应的海洋工程、海岸工程、沿江城市的防护工程带来灾害性破坏。

因此,如何在资料较少的情况下增加资料的信息量,意义尤为突出。如果既考虑灾害性环境条件出现的频次又考虑其多种诱发因素的环境荷载,使用先进的现代化手段及日趋完善的数理统计理论,合理地采用风、浪、流等极端环境条件组合用于工程设计,解决海岸型城市和河口型城市对天文大潮、风暴增水、波浪、上游洪水的设防标准问题,使近海和海岸工程设计标准得以安全、合理的确定,那么,对海岸防灾设防标准的确定、海洋灾害的精确预报及抗灾减灾工程措施的实施将是非常有益的,而且可带来巨大经济效益(每降低 1 米设计波高可节约投资 20%);同时对于我国有关设计规范的编制将具有重大作用。

正是在这样一个大的世界性海岸和近海工程研究的背景下,本书介绍了多维复合极值分布理论,建立了对抗灾减灾工程、近海和海岸工程设计标准的安全性、合理性有一定参考价值的多维复合极值分布模型,从数学基础理论、测度论的角度给出此模型建立的理论基础、模型不同侧重的概率特性和实际应用中的误差尺度，并结合多个具有实际工程背景的实例，进一步介绍此模型的实际工程应用方法。

1.2 海洋环境设计标准推算方法研究现状

随着我国海洋油气资源开发事业的进展，在各海区设计和建造了。一大批海洋平台。一方面，平台造价昂贵，稍有损坏，不仅造成巨大经济损失，而且会带来溢油污染等灾害性后果；另一方面，我国有一大部分油田属于边际油田（Marginal oil field），不合理地选择风、浪、流、潮等海洋环境条件的设计标准，将会造成投资增大，使一些边际油田失去开发价值。因此，为使平台结构在使用期内能正常发挥其预定的功能，在结构设计时必须合理地考虑复杂海洋环境要素的极值条件。海洋工程结构物在使用过程中常常同时受到多种载荷如风、浪及海流等的作用，风、浪、流等海洋环境要素之间存在一定程度的相关性。合理选择风、浪、流联合作用下各类平台的设计标准，直接影响到近海工程的安全性和经济性。当前，我国的海洋石油天然气标准“海上固定平台规划、设计和建造的推荐做法——荷载和抗力系数设计法”，是国际标准化组织（ISO）确认的规范 API RP2A-LRFD（1995，美国石油协会），是行业规范，但是美国 API 规范[45]有关环境资料统计方法，是建立在美国墨西哥湾、大西洋及太平洋美国沿岸等资料基础之上的，而在我国推广使用时，须对其统计方法、统计特征、概率模式进行验证，提出适合我国海域的具体建议。设计法中有些要素的提法，如“极端浪和与之相应的风、流”，不同的设计者有不同理解，从而得到完全不同的结果，因此要用实测资料，使用联合概率理论和分析方法，确定“设计法”中各种做法的明确意义和在联合概率中的相应特征值[46]-[51]。

目前，国内外学者对极端海况设计标准的研究主要集中在以下几个方面。

1.2.1 传统方法

推算环境要素设计标准的传统方法是对小概率事件的极值估算法，即通过对各种环境要素如风、浪、海流分别进行概率统计分析，获得与某具体工程有关的每种环境要素在某一频率下的极值，如：将百年一遇的波高、百年一遇的风速和百年一遇的流速联合起来作为设计标准，即上述规范 API “定义”3 建议的方法。归纳起来大致可分为两种途径。其中，一种偏经验性，如利用全部观测资料建立经验频率曲线或采用 P—Ⅲ型曲线等；另一种则以一元极值理论为基础，选用日、月、年观测时段中的最大值，采用 Gumbel、Weibull 等极值分布或根据短期

资料由原始分布推求极值分布。年极值分布形式为

$$\frac{1}{T}=1-\exp(-e^{-y}) \tag{1-1}$$

式中：T 为重现期。Gumbel 采用了 $y=\frac{x-\mu}{\sigma}$，则式(1-1)相当于极值Ⅰ形分布。其分布函数形式为：

$$G(x)=\exp\{-\exp[-(x-\mu)/\sigma)]\} \tag{1-2}$$

Mises(1954)和 Jenkinson(1955)给出极值分布的一般表达式

$$G(x)=\exp\left\{-\left[1+\xi\left(\frac{x-\mu}{\sigma}\right)\right]_{+}^{-\frac{1}{\xi}}\right\} \tag{1-3}$$

这里要求 $\{x:1+\xi(x-\mu)/\sigma>0\}$，$y_{+}=\max(0,y)$，$\xi$、$\mu$、$\sigma$ 分别为形状参数、位置参数和尺度参数。若形状参数 $\xi>0$，则表示极值Ⅱ型分布，即 Fréchet 分布：

$$G(x)=\begin{cases}0 & x<0\\ \exp(-x^{-\alpha}) & x>0,\alpha>0\end{cases} \tag{1-4}$$

若 $\xi\to 0$，则表示极值Ⅰ型分布，即 Gumbel 分布：

$$G(x)=\exp\{-\exp(-x)\} \quad -\infty<x<\infty \tag{1-5}$$

若 $\xi<0$，则表示极值Ⅲ型分布，即 Weibull 分布：

$$G(x)=\begin{cases}\exp\{-(-x)^{\alpha}\} & x<0,\alpha>0\\ 1 & x\geqslant 0\end{cases} \tag{1-6}$$

式(1-3)为广义极值分布(GEV)。GEV 分布广泛应用于海洋、水利、金融、经济等各个领域的概率统计计算。我国《港工规范》中建议采用 Gumbel 分布，计算五十年一遇水位作为海港工程建筑物的设计标准。

上述方法在工程设计各类规范中广为采用，成功地为各种工程提供了可靠的设计依据。但我们知道，尽管产生风、浪、流的大气和海洋条件存在着联系，但这些环境要素并不是完全相关的，因而在结构的使用期内，它们的最大值并不必然同时出现。

风、浪、潮、流等近岸带灾害性海洋动力环境直接引起近海、海岸工程、河口海岸城市的灾害性损坏以及人员伤亡，从而造成巨大的经济损失，给近岸带和河口海岸城市的可持续发展带来不可估量的障碍。对近岸带灾害动力环境的优化评估方法，首先必须考虑它“同时出现”于近岸带，“同时作用”于近海和海岸工程。因为一场台风(或风暴)过程，其最大的危害就是各种灾害性动力环境同时出现所引起的后果。但是，如何考虑“同时出现”的特点以及相应的评估方法，国内外有关研究成果甚至在海岸和近海工程设计规范的具体规定上差别都是很大的。

国内外传统的评估方法都是在分别对各种灾害动力环境进行概率分析，选用不同重现期的动力因素，再把它们叠加起来，作为近海和海岸工程极端海况的评估方法，并用作“设计标准”。例如，在海岸工程设计中分别采用五十年一遇的波高和五十年一遇的潮位作为设计标准，而在近海工程设计中则分别采用百年一遇波高，百年一遇风速和百年一遇海流作为设计标准。很明显，近岸带灾害动力环境各因素的某种概率条件下的极值组合在一起同时出现的事件是一个小概率事件，分别取各自设计基准期的最大值进行设计将导致过高的投资，造成不必要的浪费，用以作为设计标准是非常保守的。例如，对于某些固定式海洋平台结构，在风、浪、海流都取五十年、一百年和二百年一遇最大值时，结构基底倾覆力矩要比考虑它们之间极值发生的非同时性得出的力矩高出 17%～20%[52]。尤其当这些环境要素之间相互依存关系薄弱的情况下，传统方法将更加高估设计值，从而不必要地增加了平台造价。特别是对“边际油田”，采用过高的灾害性动力环境作为设计标准导致过高的经济投入，将会使很多油田失去开发的价值。因此，传统的评估方法是不可取的。同样，对于河口海岸的防灾设防标准在国内也无合理的防灾设防标准可依据，有些城市采用千年一遇水位作为防灾设防标准(如上海)，而不去分析灾害性的随机组合问题(如天文大潮，台风、风暴潮和上游洪水的联合出现概率)也是有待商讨的。

1.2.2 变量构造法

变量构造法是指在计算前首先分析并确定各环境要素对某工程结构的影响机制，并以明确的函数形式使多元观测值转化为一元变量(多取结构荷载效应)，然后采用一元极值理论来分析问题。例如，对固定式平台结构取基底倾覆力矩(Overturn Moment)作为结构控制效应，则平台在风、浪、海流作用下的基底倾覆力矩的概率分布就代替了它们的联合分布。变量构造法直接计算结构内力概率分布，避免了直接计算多元环境要素的联合概率分布，给工程设计带来了极大的方便。Coles 和 Tawn[53](1994)总结了几种荷载失效边界函数形式，举例如下。

(1) 近海工程。

Cavanie[54](1985)建议在近海工程中荷载函数的表示形式为：

$$b(x_1, x_2; a_1, a_2; \upsilon) = a_1 x_1^i + a_2 x_2^2 - \upsilon \tag{1-7}$$

式中：x_1, x_2 为波浪和风的观测值，一般用以指波高和风速；a_1, a_2, υ 均为设计参数，根据当地情况而定；$i=1$ 表示惯性力存在且一直作用在结构上，$i=2$ 表示惯性力不考虑。

(2) 区域降雨。

$$b(x; \upsilon) = \sum_{j=1}^{d} m_j x_j - \upsilon \tag{1-8}$$

式中：m_j为与某 j 地有关的权值；υ 为设计参数，与当地的水库蓄水能力有关；$x=(x_1,\cdots,x_d)$中 $x_j(j=1,\cdots,d)$代表各地区的降雨量（Coles，Tawn[55]）。

（3）河岸工程。

$$b(x;\upsilon)=\max_{j=1,\cdots,d}(x_j-\upsilon_j) \tag{1-9}$$

沿河流域将河岸分成 d 个地段，其中 x_j，υ_j分别为第 j 个地段的河水水位和设计高度（Coles，Tawn[56][57]）。

（4）海岸工程。

$$b(x;\upsilon)=ax_1+x_3-\upsilon \tag{1-10}$$

其中，根据护岸坡度 1∶5 得到 $a=1/8$，x_1 为波高，x_3 为增水，υ 为护岸高度。如给定了荷载函数形式，可确定出各种情况的失效域为

$$A_\upsilon=\{x\in R^d:b(x;\upsilon)>0\} \tag{1-11}$$

边界函数为 $b:R^d\times V\to R$，V 为设计参数 υ 的定义域。通过开发关系式

$$P_r\{x_i\notin A_\upsilon;i=1,\cdots,n\}=P_r\{\max\{b(x_i;\upsilon)\}<0\} \tag{1-12}$$

得到解决上面介绍的几种情况的方法。主要以 $b(x_1,\upsilon),\cdots,b(x_n,\upsilon)$的计算结果作为变量来进行单变量广义极值分布的研究，这就是变量构造法。令 $p=P_r\{x\in A_\upsilon\}$，即在工程界中往往给定重现期 $1/p$，确定 υ，作为结构设计的依据。

但变量构造法也存在着缺点：一是根据具体结构得到的荷载效应概率分布与特定结构型式和参数有关(structure specific)，不具有普遍性；二是不能给出最大荷载效应相应的各环境要素极值；三是在进行分析问题的前期，必须先确定某所需研究结构的荷载函数形式，不仅需要大量数据资料，而且是一项长期而又复杂的工作，各个结构乃至每一课题均需单独研究，重新建立其独特的荷载函数形式，这对于结构的优化设计是十分不利的。所以，即使该方法可以将多变量转换为单变量进行概率分析，仍很少被采用。

目前，随着世界经济与科学的发展，面临 21 世纪的中国建设正一日千里突飞猛进，各项海岸工程、近海设施投资巨大、规模宏伟，这就对广大的科学工作者提出了新的课题。面对浩大的工程，必须有与之相应的设计标准，对工程设计水平的要求也必然远远高出以往的水平。这些问题的解决依赖于更新、更完善的数理统计理论。

20 世纪 90 年代以后，国际国内有关专家、学者致力于寻求多元极值联合概率问题的解，归纳起来有以下几种方法。

1.2.3 多变量联合概率方法

自然环境复杂多变且包罗万象，随着对自然认识的加深，人们普遍认识到多数工程结构失效乃至被破坏往往不取决于某一项环境荷载超值，而同时作用的

几种环境的整体荷载是否达到或超过某一极限水平才是决定因素。显而易见，海洋石油平台倾覆大多数情况下不仅与波高有关，而且与海面风速有关；水库安全与汇水区域内所有各点的降雨量与加权总和有关；河岸工程失效则与沿河流域若干重要地点的实际水位及当地河岸高程之差有关，而此时的水位包括天文潮、风暴增水及海面波高三者的组合。20 世纪 80 年代以后，海洋工程界普遍认可了基于联合概率的设计标准。美国石油协会(API)、挪威船级社(DNV)、国家石油公司(Statoil)都在其规范中，推荐使用基于联合概率的方法确定石油平台的设计水平。

多变量联合概率的基本方法是以风暴或台风过程中同时出现的风、浪、流等环境条件作为随机分析的基本系列，从而得到某组风、浪、流组合及相应的概率水平，用以取代传统的设计标准。

近年来，国际上在海洋工程设计中正在大力开展风、浪、流等环境因素综合作用的研究，国内外诸多研究者针对如何给出合理可行的具体做法也开展了许多研究工作。用联合概率估算多变量分布是较直观的方法。设环境因素各变量为 $x_i, i=1,\cdots,n$。多维联合概率的推求，实际上就是求解下式

$$P_f = \iiint\limits_{g(x)<0} \cdots \int f(x_1, x_2, \cdots, x_n) \mathrm{d}x_1 \mathrm{d}x_2 \cdots \mathrm{d}x_n \tag{1-13}$$

式中：P_f 为失效概率；$g(x)$为极限状态方程，小于零表示失效域。

在上式中，只有 $f(x_1),\cdots,f(x_n)$均属正态分布或对数正态分布，其联合概率密度函数 $f(x_1,\cdots,x_n)$才会有显式函数表达式。而实际上这种多元正态联合分布预示了各个变量近似独立的概念 Resnick[58]，而对于环境要素分析中的各种非高斯模型均很难得出非独立变量间的联合分布显式模式。20 世纪 80 年代初期，人们基于实测资料的某些特征和假定，不得不通过计算机模拟技术求其数值解。

1. 随机模拟法简介

随机模拟方法又称蒙特卡洛法，是基于现实资料的某些特征和假定，通过计算机重现某些过程的方法。其基本思想是：设随机变量的概率密度函数为$f(x)$，功能函数为 $Z=g(x)$，当 $Z>0$ 时表示结构可靠，$Z<0$ 表示结构失效。根据 $x=(x_1,x_2,\cdots x_n)$的边缘概率特征及相关性，对 $x=(x_1,x_2,\cdots x_n)$随机抽样，并将抽取的随机样本代入失效边界函数 $Z=g(x)$，记录总模拟次数 N 及样本点落入区域 Ω，即 $Z<0$ 的次数 n_f，则失效概率 p_f 的估计值为

$$\hat{p}_f = \frac{n_f}{N} \tag{1-14}$$

根据大数定理，当模拟次数 N 趋于无穷大时，估计值以概率 1 趋于 p_f。模

拟技术的精确解在求解小失效概率(设计值、失效概率等均属此)时,计算需要极大的机时。数值方法求积分虽然机时稍少,但仅限一维及二维情况且计算误差较大,结果精度不高属于近似解,因此联合概率的应用受到很大的限制。

2. **重点抽样法**

前面曾提及,求解多维联合概率分布,就是求解可靠性分析中的失效概率。但多维联合概率分布中,只有正态分布才能求得解析解,而对非高斯、很难求得解析解,因此用模拟技术求解是行之有效的。常用的模拟求解法是蒙特卡洛法(Monte-Carlo Method),但 M-C 求解较小失效概率时耗时巨大,且结果精度不高。

为了在不过度增加模拟次数的前提下显著提高其精度,出现了多种改进的抽样方法,如分层抽样法、相关抽样法等。20 世纪 80 年代,Schueller 和 Bucher[59] 首先提出"重点抽样法(Importance Sampling Method)",达到了减少机时、降低方差的效果。重点抽样法的基本原理是事先确定模拟域,集中对分布的最重要的区域抽样,即对失效概率做出主要贡献的部分抽样,将原始分布转换成正态分布进行抽样,而不是扩展到整个定义域内均匀抽样。为了说明重点抽样法的特点,图 1-1 以二维情况示意。图 1—1 中贯穿 x_1x_2 平面的曲线代表模拟联合概率状态的联合概率曲面。曲面右边是超过联合概率的分布,左边为低于联合概率的分布。曲面上可找到一个距离原点最近的点,称为"设计点",x_1^D、x_2^D 为其坐标。

重点抽样法的一个特点在于围绕设计点附近抽样;另一个特点是引入了权密度函数 $h_y(x)$,通过它将模拟引向以设计点为中心的区域,这样才能达到降低模拟结果方差的目的。公式(1-13)的计算公式为

$$P_f = \iiint \cdots \int I[g(x) \leqslant 0] \frac{f_x(x)}{h_y(x)} h_y(x) \mathrm{d}x \tag{1-15}$$

式中:

$$I[g(x) \leqslant 0] = \begin{cases} 1 & \text{对于 } x \in F\text{(超过联合概率部分)} \\ 0 & \text{其他情况} \end{cases} \tag{1-16}$$

概率密度函数 $f_x(x)$ 代表 $h_y(x)$ 为权密度函数特殊情况下真正的联合概率密度。由式(1-15)可见,权密度并不重要,因为求解式(1-15)时它将被消去。因此,联合概率的期望值可写为

$$P_f = \frac{1}{N} \sum_{i=1}^{N} I[g(x_i) \leqslant 0] \frac{f_x(x_i)}{h_y(x_i)} \tag{1-17}$$

式中:N 为模拟次数;x_i 第 i 次模拟向量。

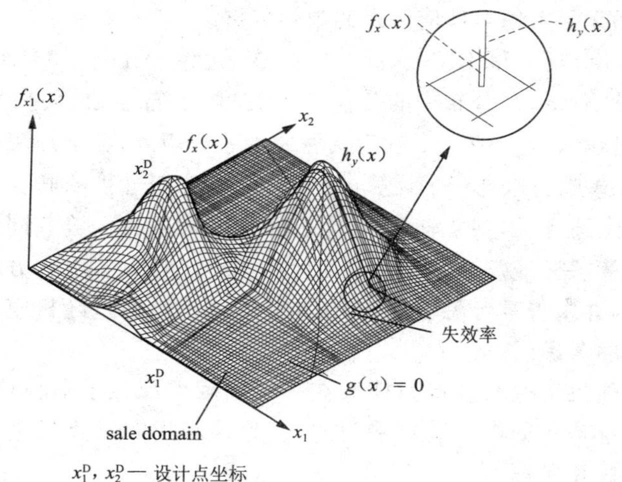

图 1-1 二维联合概率示意图

重点抽样法的优点是在计算小概率事件时误差较小且机时短，无须考虑基本随机变量的分布类型而适用于原始空间。对具有相关关系的随机变量，把基本随机变量转为独立的标准正态变量是比较困难的。但是任何非高斯分布是不会影响到加权样本的，因为实际上失效概率的计算是使用原始分布，因此在使用任何非高斯分布的随机变量时，要进行变换：

$$Z_i=\Phi^{-1}[F_{xi}(x_i)],i=1,2,\cdots,n \tag{1-18}$$

式中：$F_{xi}(x_i)$是基本变量 X 的原始累积分布函数；$\Phi^{-1}(\cdot)$是标准高斯累积分布函数的反函数；假定 Z 为标准正态，则联合概率密度函数可写为

$$f_x(X)=f_{x_1}(x_1)f_{x_2}(x_2)\cdots f_{x_n}(x_n)\frac{\varphi_n(Z,R')}{\varphi(Z_1)\varphi(Z_2)\cdots\varphi(Z_n)} \tag{1-19}$$

式中：Z_i为式(1-13)的计算结果；$\varphi(\cdot)$为标准正态密度函数；$\varphi_n(Z,R')$ 为均值 0、标准差为 1 的多维标准高斯密度函数；R' 为 $\varphi'_{i,j}$ 构成的修正相关矩阵；$\varphi'_{i,j}$ 是由相关系数 $\varphi_{i,j}$ 系列定义的值。

$$\varphi_{ij}=\int_{-\infty}^{+\infty}\int_{-\infty}^{+\infty}\left(\left(\frac{x_i-\mu_i}{\sigma_i}\right)\frac{x_j-\mu_j}{\sigma_j}\right)f_{X_i}(x_i)f_{X_j}(x_j)\frac{\varphi_2(Z_i,Z_j,\varphi'_{ij})}{\varphi(Z_i)\varphi(Z_j)}\mathrm{d}x_i\mathrm{d}x_j \tag{1-20}$$

对每对边缘分布，式(1-13)可迭代求解。

应该指出，边缘分布密度和协方差对非高斯随机变量的联合密度并非为单一定义，然而对大多数情况可利用的信息仅仅局限于边缘分布和协方差。因此，任何适合的模式，只要不与资料矛盾，都是可采用的，其使用范围依据变量之间

的相关系数，而无须考虑对任何模式的数学依据。

应用此理论，Liu 和 Kiureghian[60] 在 X_i 边缘分布已知且符合 Gumbel、Weibull、Log-Normal、Γ 分布中的任何一种类型、分布参数（均值、均方差）已知的条件下，通过输入 $X_1, \cdots, X_n$ 确定两两相关系数矩阵，考虑环境因素之间的相关性，对(1-13)式成功地进行了计算，使非高斯非独立过程的联合分布得以突破性解决。采用上述方法，刘德辅等[61]及王超等[62]对风、浪、流共同作用下海洋石油平台的设计荷载标准及渤海海冰设计标准进行了计算。上述方法虽属一般性质的联合分布，并未着重考虑极值，但在抽样方法上已通过随机模拟重点抽样法加强了对极值的考虑。

虽然通过随机模拟的重点抽样法在一定程度上加强了对极值的考虑，但随机模拟技术本身是在资料欠缺时采用的，较直接利用实测资料进行计算额外地增加了不确定性和误差。

对风、浪、潮、流联合出现的极端海况，国际上广泛使用的美国 API 规范、DNV（挪威船级社）规范等都做了相应的规定。我国的海洋石油开发工程也将规范作为行业标准。美国 API 规范（American Petroleum Institute）1995 年提出关于处理固定式平台设计荷载的三种不同情况：

① 采用百年一遇的波高以及与此伴生的风速和流速；

② 采用风速、波高和海流速度的任何“合理”组合

③ 分别采用百年一遇的风速、百年一遇的波高和百年一遇的海流速度作为设计标准。

然而，它还是不够完善，对于风、浪、流极端荷载设计标准的建议，连 API 规范本身也承认有的提法是“含糊不清”的，按照此种规范进行设计会带有明显不利后果。多年以来，国内外诸多研究者针对如何给出合理可行的具体做法开展了许多研究工作[63]-[70]

对应定义 1：一般取百年一遇波高的条件期望值，所推荐的方法具有普遍性，无须事先建立响应函数；缺点是未结合平台响应，也未考虑响应对各个环境荷载的敏感性。例如：流荷载对某类型平台影响最大，这时就应取百年一遇的流速和“相应”的风速和波高。APl 规范也指出此时“至少要用 100 年重现期海流与其相应的波高的组合荷载进行核算，但同时又在规范中指出与百年一遇波高伴生的风、流值的“伴生”这一词是含混不清的。对此，可以理解为与波高数据同时出现的风速和海流，也可以理解为同一过程或期限中出现的风速或海流，而且该期限的长短可能从数秒变化为数日、数月等，故含有较多的任意性。S. Zachary[69] 等认为，风速（或海流）的条件概率密度（以波高取百年一遇为条件）的重值即为“最可能”与百年一遇波高同时出现的风速（或海流），因而可以作为设计风速（或

海流)。Y. K. Wen[63]等则建议,模拟大量风暴过程,将最大风速(海流)与最大波高同时发生的比率作为“削减系数”,乘以其百年一遇值即为设计风速(海流)。

对应于定义2,导致百年一遇响应的环境要素“合理”组合也有一些问题,此情况中唯一确定的条件是联合概率为百年一遇。首先,导致百年一遇响应的环境要素有多种组合,即联合概率是非单一解,因此须将多解单一化,寻求一组“合理”的组合。该方法使用起来有不少困难,但“合理组合”原则上可以有无数多种,不仅对工程结构及不同工程环境不尽相同,即使对同一地点的同一工程也难以确定在众多可能组合中哪一种是合理的、其他则属于不合理的或不太合理的,因此该方法存在着明显的不确定性。其次定义2推荐的方法,以百年一遇的平台响应为设计目标是合理的,但必须先确定结构的响应函数形式,不仅需要大量数据资料,而且是一项长期而又复杂的工作,各个结构均须单独研究,建立其独特的响应函数形式。Coles 和 Tawn[71]提出了3种失效边界函数型式:$\Delta(x,y)=x+y-\nu$,$\Delta(x,y)=\max(x/v_x,y/v_y)$,$\Delta(x,y)=\delta(x,y)-v$ 。

其中,$\delta(x,y)$为越浪率函数,分别适用于以下三种情况。① 在近海工程中,同时考虑波高X和水位Y,当$X+Y$超过甲板标高v时,平台失效。② 海岸管理中,仅当同位于海岸线的两个城市水位X和Y分别低于各自设防水位v_x和v_y时,才能保证不发生洪水。③ 海岸工程中,同时考虑波高X和水位Y,当越浪率$\delta(x,y)$超过临界值v,发生漫溢。又如,Cavanie[72]建议,在近海工程中响应函数的表示形式为$b(x_1,x_2;a_1,a_2;\upsilon)=a_1x_1^i+a_2x_2^2-\upsilon$。式中,$x_1$,$x_2$为波浪和风的观测值,一般用以指波高和风速,$a_1$,$a_2$,$\upsilon$均为设计参数,根据当地情况而定;$i=1$表示惯性力存在且一直作用在结构上,$i=2$表示不考虑惯性力。建立响应函数后,通常以某种响应(如倾覆力矩)的百年一遇值为设计目标,推求可能导致目标响应的多元环境要素的“合理”组合。例如,I. D. Morton 和 J. Bowers 通过分析波高和风速的联合概率,并以锚固力为控制响应,求得五十年一遇响应对应的风浪设计值等值线同时给出一组“最可能”出现的风浪组合。

另外,由于未考虑平台的抗力及其不确定性,因而不能反映平台可靠度。Y. K. Wen[63]等曾提出一种基于可靠度的设计标准确定方法,其原则是使全体平台可靠度指标与目标可靠度指标之间的差最小,即基于过去平台可靠度研究的经验,使目标可靠度大致适合与所有已存在平台。但这种方法完全建立在已有平台经验的基础上,目标可靠度指标是与前两种方法结果比较后确定的,因而适合做比较和验证。

对应于定义3,这种标准曾在20世纪90年代以前广泛应用于海洋工程,但新的API规范已明确指出这种设计标准是保守的。传统的海洋工程设计标准中,采用各种环境条件分别进行概率分析,然后选取每种环境条件在某一概率下的极值作为设计标准。很显然，该方法实质上是将风、浪、流视为互相独立的随机变量，各自采用百年一遇值的概率作为三者概率的乘积，往往过高地估计环境条件设计标准，造成不必要的浪费。以此标准设计出的建筑物是过于保守的，同时基于海洋环境条件的复杂性、随机性和多变性，这也是不合理的。

目前建立各海洋极值环境要素的联合概率模型是一种考虑各海洋极值环境要素之间相关性的合理方法，是进行各种海洋极值环境要素荷载科学组合的有效途径。极值环境要素联合概率的分析主要采用荷载效应法和多变量极值分析方法。其中，荷载效应法直接用结构内力概率分布表示环境要素极值的联合概率分布，给结构可靠度分析和荷载组合带来了极大的方便；但是，这种方法也存在三个明显的缺点，一是根据具体结构得到的荷载效应概率分布与特定结构型式和参数有关，不具有普遍性，二是不能给出产生最大荷载效应相伴随的环境要素极值，三是在把多变量问题转化为单变量问题的过程中丢掉了一部分极值环境要素的相关信息。

多元极值理论从理论上探讨多个相关极值变量的联合分布的方法，使上述三种情况得到一定程度的澄清和明确。

3. 多元极值理论

长期以来，由于概率统计理论和方法上的限制，在近海工程结构、海洋平台及河口城市防护的设计施工中，考虑恶劣环境条件下多种荷载组合作用的问题尚未得到妥善解决。由于我国城建部门目前尚未规定城市防洪标准，工程界大多参照《水利水电工程水利动能设计规则》中关于防护对象的防洪标准，即以某重现期的洪水量作为防洪设计标准，如重大工业区采用设计洪水流量的1%～0.3%(即百年一遇到三百三十年一遇)。而《港口工程规范》中则建议采用年极值水位，以 Gumbel 分布为模型，取五十年一遇水位作为海港工程建筑物的设计标准；目前，许多城市根据各自条件及需要，纷纷制定当地的防洪设计标准；虽然方法各异，但多数情况下仍以加大一元概率分析的重现期、提高设计标准的方法来代替，大都采用年极值理论，即以年极值法为样本，以一元极值分布为模型，如上海市防洪墙取千年一遇设计水位 5.86 m，或有时取各荷载最大值作为假定它们同时出现条件下的极端情况的上限，少数关于联合概率的探讨亦未能针对极值分布的特性。例如，设计水位多数仍停留在对实测水位多年最大值概率分布分析的基础上，即取实测水位年最大值为样本，假定年最大值服从某种分布(Gumbel，Weibull 或 P-Ⅲ型分布等)，从而估计不同重现期对应的设计水位(重现水平)。该方法需要资料系列时间跨度长，至少数十年或近百年才能较有效地估算相当于千年一遇的重现水平(从另一角度讲亦形成资料使用上的浪费——

每年只取一个值)，同时难以预料荷载在严重不利遭遇情况下的组合；而事实上我国沿海近年来发生的不利组合引起的严重高水位却给沿岸人们带来巨大灾难。如 1996 年 8 号强台风在福建沿岸登陆时恰逢该海域天文大潮期，造成福建沿岸损坏海堤 425 km，受淹农田 36.986 公顷，直接经济损失 40.25 亿元；1981 年 9 月 1 日上海市沿岸水位高达 5.74 m(吴淞站附近)，成为历史最高水位，亦是天文大潮与较大风暴增水同时作用引起的。上述事实说明，它们既不宜以年极值(一元变量)为代表，也不宜简单地以“天文大潮＋最大风暴增水”来估算，而必须以多元联合概率分析为基础估算其各种可能的组合。

多元极值理论是 20 世纪 90 年代后期有关数学家研究发展的新成果。50 年代末期，Gumbel 初次提出多元极值理论时，因其复杂性未能引起足够的重视。至 90 年代以前，非正态多元概率密度模型一直较为少见，仅限于各边缘分布同类的一些模型，如边缘分布均为冈贝尔分布的混合冈贝尔模型(Gumbel Mixed Distribution Model)和边缘分布均为威布尔分布的二维威布尔分布(Bi-variate Weibull Distribution)等。90 年代以后由于近代工程规模日趋巨大的需要，充实发展多元极值理论，简化其计算，并使之真正具有实际上的应用价值，已变成理论界及工程界普遍关心的课题之一。因此，多元极值理论得到了迅速发展，其中以 S. G. Coles 和 J. A. Tawn 等人的研究尤为突出，他们一直从各个不同的角度研究多种最不利荷载组合理论—多元极值理论，其研究一直受到海洋工程界的广泛关注。

多元极值理论旨在研究多个相关总体极值联合分布的问题。多变量极值分析建立在多变量随机点过程理论基础上，通过分别建立各变量的边缘分布和建立描述各变量之间相关性的相关性模型将它们联系起来，得到多变量极值的联合概率分布。在直观地反映变量间相关关系的基础上求解多元极值联合分布的问题，是目前在理论界和工程界都很活跃的课题。海洋环境要素极值联合概率分布给出了它们之间极值发生随机性和相关性的最完整的概率信息，是结构可靠度分析和设计最合理的荷载概率模型，特别在短时间的连续观测资料情况下也能给出较为合理的海洋环境极值要素的估计结果。

但由于多元极值之间相关结构的复杂性，多元极值模型的表达式多为隐式形式，只能经过复杂的迭代求解，因此不便于工程应用。对此问题，许多研究工作者提出了不同的方法[73]-[84]。这些方法可以归纳为两大类，即参数方法和非参数方法，详细内容将于第 2 章介绍。

多元极值问题可用于以下几种情况：

(1) 许多不同的过程同时发生在同一个地点，如上海市天文潮、风暴增水及径流增水“碰头”形成的极端水位，以及由风、浪、流同时作用产生的倾覆力矩

(DTM)、底部切力(BSF)及其导致的海岸或海洋工程事故等。

(2) 一种过程在几个地点发生,如英国东部沿海若干个观测站实测水位的相关性分析,Coles 和 Tawn 采用多元极值模型分析了英国东海岸三个观测站(两两成一组)极值水位的相关程度,用以说明不同地点因同一天气过程(如台风影响)同时造成极值高水位的可能性。

(3) 对于一个时间序列变量的滞后现象,如极值数据的时间序列以马尔科夫链表示,其两个相继变量的分布可以确定整个序列的联合密度分布函数,用多元极值模型描述该分布函数,从而描述该时间序列变量的相关结构。

显然,以上三种情况均涉及相关的概念。

4. 一维复合极值理论

在海洋工程的设计中,需要正确地掌握波高的多年分布规律,从而合理地确定多年一遇的设计波高数值。现有的方法,不外是两种类型:一种为对年最大波高组成的系列选取一条适合的理论频率曲线,外延推求多年一遇设计波高;另一种为使用全部实测波高资料,利用某种坐标转换,再直线外延求多年一遇设计波高。第一种方法的主要问题在于波高实测资料的年限太短,由十余个经验点选配一条理论频率曲线,其任意性是比较大的。第二种方法,系经验性质的直线外延,不同的定线方法,对计算结果影响较大。由于较长年限的实测波浪资料往往很难取得,因此,上述各方法往往难于满足工程设计的要求。

自 1972 年我国海港水文规范编制组成立以来,在设计波高概率分布模式的选择方面,我国科学家发现国内外常用的几种概率模式都难于满足台风波浪的统计规律—— 台风影响不同海区的频次为包括零在内的离散型随机变量,给各种模式的应用带来理论依据不足和应用上的困难。由于每年台风的路径、次数都不相同,影响到某一海域或海岸带某点的台风次数每年也各不相同。常用的极值分布模式是无法考虑这一特点的,可验证影响到某海域或海岸附近某点的台风次数可构成一种离散型分布,而台风影响下的波高,又可构成一种连续型分布,经过多年的理论探讨和实例计算,Liu. D. F and Ma. F. S[85] 于 1979 年首次在《科学通报》,并于 1980 年在美国《*Journal of Waterway Port Coastal and Ocean Engineering*》发表了 Poisson-Gumbel 复合极值分布理论及其对台风波高、风速极值预测上的应用,

一维复合极值分布的理论如下:对于某一海域(或海上某点),台风每年在其附近经过(一般可将台风中心与计算点相距 2～3 个纬距的台风包括在内)的频次 n 是一种离散型随机变量,构成一种离散型分布,即 n 可能取值为 $0,1,2,\cdots,n$。而台风影响下形成的波高,又可构成一种连续型分布,此两种分布可构成“复

合极值分布”。随着 n 取不同的离散型分布以及不同的海洋工程应用，可得到具体的复合极值分布形式

(1) 适用于台风影响海域的 Poisson-Gumbel 复合极值分布[85]。

$$F(x)=\sum_{k=0}^{\infty}e^{-\lambda}\frac{\lambda^{k}}{K!}[g(x)]^{k}=e^{-\lambda[1-G(x)]}=R \tag{1-21}$$

$G(x)$为标准 Gumbel 分布，台风影响下多年一遇设计波高可按下式推算。

$$H_R=u+X_R\cdot\alpha \tag{1-22}$$

式中：X_R 可根据设计频率 $p(R=1-p)$和 λ 值，按以下公式求得。

$$X_R=-\ln\left[-\ln\left(1+\frac{\ln R}{\lambda}\right)\right] \tag{1-23}$$

(2) 适用于美国墨西哥湾、大西洋沿岸飓风海域的 Poisson-Weibull 复合极值分布[86]相应于设计频率 p 的极值计算公式如下。

$$H_p=\left\{-\ln\left[-\frac{1}{\lambda}\ln(1-p)\right]\right\}^{\frac{1}{r}}\cdot b+a \tag{1-24}$$

式中：r,a,b 为 Weibull 分布参数。

式(1－24)用于飓风风速、波高、风暴增水、中心气压差等的长期极值预测。

(3) 适用于无常期实测资料的日最大波高系列的二项－对数正态复合极值分布[87]。T 年重现期设计波高推算公式

$$H_T=H_0+\exp(a+\sigma X_R) \tag{1-25}$$

此外，自国外引文可知，在尼罗河三角洲及地中海、新加坡等国有关的波候、波况研究以及阵风、风况研究中，复合极值分布理论都得到应用。第 2 章将详细介绍模型的建立过程。

一维复合极值分布的提出，在工程界得到了普遍重视，但当时由于概率统计理论和方法上的限制，仅适用于单变量概率分析，并不能推算多维环境要素联合设计值。

以上是对目前国内外关于海洋环境设计标准研究状况的简介和综述。本章将在现有研究成果的基础上，进一步对多因素的极端海况进行讨论，对普遍存在的数据资料选取及“极端环境”出现频次的问题，提出一种新型的多元概率模式，推导出物理内涵更加清楚的多维复合极值分布的理论函数表达式，对海洋工程设计标准的计算给出一种新的解决途径。

1.3 本书的主要内容及意义

1.3.1 存在的问题

当前，国内外学术界和海洋工程界对风、浪、流联合概率出现的极端海况及

相应工程对策的研究非常重视，1996 年召开的国际造船和海洋工程常设组织国际拖曳水池委员会(International Towing Tank Congress ,ITTC)的总结报告中也将风、浪、流联合作用研究作为国际上主攻方向之一。此后，在挪威还召开了本课题的专门学术讨论会。世界各国的海洋工程技术规范如 API，ABS，DNV 等，都针对风、浪、流联合作用问题做了具体建议，而这些建议又随着国际上研究工作的进展在各年不同版本的规范中体现出来。例如，API 规范为了定义极端风、波浪和海流的组合荷载，给出的定义 2 如下：风速、波高和海流速度的任何“合理”组合，其结果是得到百年重现期的组合平台响应，如基底剪力或倾覆力矩。这个响应是根据环境参数的联合统计确定性地计算的，它不包括由于拖曳和惯性系数的分散，以及实际海浪波形与用于设计的理论波形的偏差等所造成的荷载不确定性。

根据美国 API 规范最新版本的建议，极端海况采用“百年一遇的波高和相应的风速、流速”，而 API 规范也明确指出“相应”一词是“含混不清”的(Ambiguous)。此外，决定海洋工程遭受灾害性风、浪、流联合作用的影响因素，除去波高、风速流速外，还必须考虑波周期、波向、风向、流向等[88]问题，因为不同方向的风浪流组合所带来的综合荷载可以相差很大的数量级，因此，国内外当前进展情况还远远不能满足工程安全的具体要求。至于如何在极端海况的条件下根据工程结构寿命期、安全度做出经济投入最低的决策技术评估，国内外尚只停留在学术论文讨论阶段，生产实践迫切要求建立一个综合风险经济评估技术，这已成为海洋开发非常迫切的需求。

(1) 当前国内外普遍采用的极值一、二、三型分布、P-Ⅲ型分布、对数正态型分布等类分布，无法考虑台风(飓风)路径变动而引起的灾害性环境条件分布特征的变化。而台风(飓风)影响下产生的灾害性环境条件统计规律变化与台风路径变化而引起的该海区台风频次直接相关。因此，考虑台风出现频次和强度的单变量复合极值分布理论较单一因素的概率分布，更能真实地反映事物的内涵特色，符合其概率统计特性。我国科学家 LiuD. F. 和 MaF. S 针对台风特征，提出了适用于台风(飓风)影响海区的风速、波高、风暴增水、中心气压差、洪水、暴雨等各种环境因素的新型概率分布模式——复合极值分布理论。新理论推导出一组离散型分布(台风影响频次)和连续分布(环境因素)可构成不同的复合极值分布，如适用于台风海区的泊松—冈贝尔复合极值分布、适用于飓风海区的泊松—威布尔复合极值分布以及适用于日最大波高系列的二项—对数正态复合极值分布。

复合极值分布理论公开发表后，在工程界引起很大反响，以 Poisson-Gumbel 复合极值分布为例，在国际上 SCI 收录的论文中就查出九篇论文和一部权威性著作引用。据不完全统计，在我国核电站、码头、防波堤、机场防护结构、跨海峡工程、轮渡工程、石化工程、围垦工程，以及各类军事工程中，使用复合极值分布理论推算各种重现期波浪的工程项目多达 35 项。其中包括我国援外工程毛里塔尼亚努瓦克肖特港口的设计波高推求。复合极值分布理论在尼罗河三角洲波候研究、地中海有关波况研究中都得到应用。加拿大海洋工程规范制定单位 Langley R. M.，A. H. El-Shaarawi[89] 对比了包括本模式在内的世界上广泛应用的六种概率分布模式，认为本模式具有与实测资料符合好、预测结果合理的优点。美国在 1987 年洪水研究总结中[90]，将本模式列为美国近 50 年中在洪水频率分析的贡献之一。我国高等学校全国统编教材《工程水文学》《海洋工程环境》，普通高等教育“九五”交通部重点教材《工程水文学》以及《海洋石油工程环境》等书将复合极值分布理论全部列为教材内容。

以上事实说明，应用复合极值分布模型，可以安全、合理地确定近海和海岸工程设计标准，可带来巨大经济效益；同时，对于我国有关设计规范的编制，也将具有重大的作用。但是，虽然复合极值分布模型由于具有合理的工程背景而得到工程界重视，但当时由于概率统计理论的限制，该方法仅限于一维复合极值分布模型，无法对风、浪、潮、流等灾害性海洋环境条件及其工程应用问题进行联合概率分析，因而无法确定海洋环境条件的联合设计标准。

(2) 联合概率理论针对国际通用的海洋规范(API 规范)以及我国的海洋石油工程行业规范，对确定风、浪、流极值荷载存在的含混不清的问题给予了一定的澄清，并提出了求解方法，此即求解“非高斯过程、具有不同相关性的多维随机变量联合概率问题”。对比蒙特卡洛法、多维联合极值分布解析法和重点抽样法，发现重点抽样法具有省机时和误差小的特点。所开发的重点抽样法的软件，只须输入各种灾害性环境条件的概率分布模式、均值、方差和变量间的相关系数矩阵以及相应的状态方程，即可模拟出各种随机变量组合的联合概率。迄今为止，实际工程中应用风、浪、潮、流联合概率理论完成了如下工作。

① 把风、浪、潮、流视为非高斯、具有相关性的多维随机变量，求解其联合概率问题；

② 解决风、浪、潮、流联合概率中的非单一解问题。

③ 针对不同工程目标(即不同响应特征)，分别采用每次大风(或台风)过程中不同的取样方法，即：a. 最大波高及相应同时出现的风速、流速，选取以浪为主；b. 最大风速及相应同时出现的波高、流速，选取以风为主；c. 最大流速及相应同时出现的波高、风速，选取以流为主；d. 最大增水(风暴水位)及相应同时出现的波高、流速(或风速)；e. 最大增水(风暴水位)及相应同时出现的天文大潮、上游洪峰。

④ 对海岸带城市和河口城市提出了分别考虑天文大潮、风暴增水、上游洪水、波浪等因素组合的防灾设防标准。这是在各国的城市防灾规范中尚未涉及的课题。对于河口海岸城市选用本方法作为设计标准，较之国内外规范建议采用单因素概率分析，以城市人口数决定其重现期的做法明显更具有科学性。

在上述四种工作中，针对不同的工程特征（结构响应特征），有针对性地对导管架平台、自升式平台和立管应用联合概率理论进行风、浪、流联合概率计算，从而解决了多维联合概率的非单一解问题，并且提出了以浪为主的风、浪、流联合概率作为导管架平台设计标准；以风为主的风、浪、流联合概率作为自升式平台设计标准，以流和浪为主的风、浪、流联合概率作为平台立管设计标准的建议。对海岸带防护工程，根据海岸带不同的功能区划，分别选用以波高最大和以潮位最大相应的其他因素组合系列进行随机模拟，从而获得以防浪为主和以防潮为主的工程防灾设防标准。对河口城市防护工程，针对天文潮、风暴增水、上游洪水三者进行随机模拟，根据三者的长期统计特征，可得到河口城市防灾设防水位最不利组合的设计标准。

虽然联合概率理论较当前国外较为流行的单变量极值响应法更能真实反映各种极值海况联合出现的概率特征，但联合概率法只讨论了一般变量的联合，没有突出工程敏感的恶劣环境——极值的联合分布，不涉及相关及层次的模型概念，其计算方法"重点抽样法"较蒙特卡洛法有所改进，主要集中在设计点附近抽样，但仍需将有相依关系的各变量转换为正态分布，再一次利用了正态联合分布的独立性而有悖于变量"相关""层次"的初衷。此外，有关随机拟合抽样的计算方法至今研究不多，对上述问题的讨论和改进尚未形成。

(3) 多元极值理论是 20 世纪 90 年代后期有关数学家研究发展的新成果。英国学者 Coles 和 Tawn 从不同的角度研究与所讨论的实际问题密切相关的多种最不利荷载组合理论——多元极值理论[91]-[101]，为工程界解决实际问题提供了理论依据，同时对联合概率理论中存在的一些不尽人意处进行了符合工程设计要求的补充。

在工程应用中，多元极值理论起初直接进行多变量极值的联合概率分析，即对称的 Logistic 多元极值模型显式参数求解法。该模型比较简明易于掌握，但因模型中仅有一个相关参数 α，故该式要求各边缘分布间的相关关系对称一致，这一点在工程界很难满足。近几年，随着对多元极值统计理论研究的深入，科学家们建立了一种更灵活、更具广泛性的、具有分层相关结构的参数模型——三元 Nested-Logistic 模型。首先，它是第一个三维显式极值变量联合概率模型。其次，当边缘分布为广义极值分布时，模型的相关参数 α，β 均为显式形式。第三，多元极值理论突出分析了变量之间的相关关系，模型中包括两个相关参数 α 和

β,打破了对称相关性的限制,使联合分布式更具有灵活性,能与真实自然环境条件更为接近。此外,该模型亦可以通过随机数模拟法求其精确解。由于三元Nested-Logistic模型自身的优越性,它的应用必将越来越引起更多人的关注,但目前国内外对它的具体应用还鲜有报道。

(4) 对于工程设计,若进行的概率分析为极值分析,则环境观测资料(随机变量)中数值较大的部分具有更为重要的意义,如长期观测资料年最大值及过程最大值取样法、短期观测资料的日最大值取样法等,均以最大值样本作为估算工程设计标准的依据。目前港口、海岸及海洋工程领域仍沿用这种办法,以上述数值较大的部分数据组成样本,假定它们符合某一概率分布(如Gumbel分布、Weibull分布等),采用极大似然估计或矩估计确定分布参数,用于重现水平的预测,得出某重现期对应的水文要素作为设计标准,因此如何选定样本是概率分析的前提。显而易见,资料年限较短,年极值数据较少,往往给估算带来误差较大、结果不稳定的遗憾。近年来在国内外,阈值取样法被广泛采用,即凡达到或超过某一固定较大值(阈值)的各个资料均可被选入作为概率分析的样本。此方法既扩充了样本容量又比较灵活,故颇受欢迎。使用阈值方法的关键是如何选定"阈"。目前绝大多数使用者均凭经验,任意性很大。由于选定的阈值不同,同一原始资料系列将出现不同的样本,并影响分布参数的估算、概率模型的选取及重现水平的确定,因此将出现不分优劣的多种标准。

1.3.2 本书的主要内容及意义

针对国际海洋工程界关于海岸和近海工程的热点问题,参考了现有国内外关于海洋环境设计标准的各种推算方法,综合其优点,避开存在的问题,并在国内外科学工作者大量研究的基础上,本章建立了一种既考虑在不同海区每年台风、飓风、寒潮大风出现的各不相同的频次或由于海洋环境条件的随机性而构成的各年(或过阈)不同的最大荷载取样个数,又考虑台风、飓风、寒潮大风出现影响下诱发的多种极端海况(风、浪、暴、潮、流)等因素的新的模型。此模型中,前者既可构成一种离散型分布,台风、飓风、寒潮大风出现影响下诱发的多种极端海况(风、浪、暴、潮、流等因素),又可用不同的多维极值分布表示,将两者综合考虑,得到一种由离散型分布和不同的多维极值分布构成的一种新型的理论分布模型——多维复合极值分布模型。

$$F_0(x_1,\cdots,x_n)=p_0+\sum_{i=1}^{\infty}p_i\cdot i\cdot\int_{-\infty}^{x_n}\cdots\int_{-\infty}^{x_1}G_1^{i-1}(u)g(u_1,\cdots,u_n)\mathrm{d}u_1\cdots\mathrm{d}u_n$$

当离散型随机变量是最常见的Poisson分布,而对应多种极端海况的多维连续型随机变量是Nested-Logistic分布时,即构成Poisson- Nested-Logistic复合分布模型。

当 $n=3$ 时多维复合极值分布模型为

$$F_0(x_1,x_2,x_3)=\mathrm{e}^{-\lambda}\left(1+\lambda\int_{-\infty}^{x3}\int_{-\infty}^{x2}\int_{-\infty}^{x1}e^{\lambda\cdot G_1(u)}g(u,v,w)\mathrm{d}u\mathrm{d}v\mathrm{d}w\right)$$

式中：$g(x_1,x_2,x_3)$ 是三维 Nested - Logistic 分布的概率密度函数。

本书不仅从数学理论上严密地给出了此模型建立的理论基础，而且针对具体的工程应用给出了模型运算方法所引起的误差估计；同时，涵盖了已有模型不能解决的问题，对新模型进行简化后即为原有的一维复合极值模型。

如果模型的离散型随机变量是不同海区每年台风、飓风、寒潮大风出现的各不相同的频次，则在工程应用中数据样本可采用每次台风过程中的极值组合，避免了一般的多元极值分析中所需要的判断样本时间间隔的烦琐过程；同时，也克服了阈值取样法中的一些缺陷，避免了主观判断阈值所带来的不确定性的影响。

如果模型的离散型随机变量是由于海洋环境条件的随机性而构成的各年（或过阈）不同的最大荷载取样个数，通过此模型建立的推导过程可看出，本章中根据极值分布理论的某些特性及超阈值的数学规律，从理论上阐述了选阈的理论基础，并推出一系列图表作为确定及检验阈值的具体方法，进一步确定阈值并检验其合理性。此模型给出了一种阈值选取的较理性的方法，避免了多年来工程中阈值选取的经验性。同时，由于此模型是两种不同概率分布的复合，模型中考虑了阈值选取的随机性，故一定程度上有效地克服了以往阈值选取时过多的人为因素，从而使结果具有一定的独立性。另外，在连续观测资料较短的情况下，可通过适当的选取阈值来扩充样本资料，以便于更有效地利用昂贵的实测资料。

本模型用于多变量极端海洋环境要素讨论的，是既能反映相关结构又能反映分层结构的 Nested-Logistic 模型，且模型以显示表达式给出，因此，它涵盖了海洋环境条件内部如相关、分层等的诸多信息，较以往的单纯多维极值概率模型更完整地描述了极端海洋环境要素的概率特征，是利用信息更加充分的新的概率分布模型。

为了将模型更好地应用于工程，本章对多维复合极值分布模型的基本性质从不同侧面进行了几何描述，同时用算例说明在只有短期资料的海域，其复合极值分布模型的计算结果更接近长期资料的推算结果，说明了本模型具有较好的稳定性。

本模型不仅考虑了不同海区每年大风出现的各不相同的频次或海洋资料取样的随机性，又考虑了大风诱发的多种极端海况（风、浪、暴、潮、流）的联合作用，同时用于多变量极端海洋环境要素讨论的是具有许多优点的三元 Nested-Logistic 多维极值函数，且模型以显示表达式给出。因此，此模型在考虑各种随机信息的同时，又通过海洋环境要素极值的联合概率分布给出了各种海洋环境要素之间极值发生随机性和相关性的最完整的概率信息，可将它看作结构可靠度分析和设计较合理的荷载概率模型；特别是在连续观测资料较短的情况下，该模型也能给出较为合理的海洋环境极值要素的估计结果。

特别值得指出的是，对于本模型，随着工程需要的不同，离散型随机变量可以是不同海区每年台风、飓风、寒潮大风出现的频次或考虑海洋资料取样的随机性，实际上可根据具体的工程设计要求、根据需要设定变量的含义、而多元连续型概率分布也可以是根据需要选定的具有不同海洋背景的海洋环境要素；也就是说，虽然本书中的三维复合极值分布模型是由大风出现的各不相同的频次或海洋资料取样的随机性和海洋环境要素极值的联合概率分布推导出的，但此模型并不仅仅应用于此，随着工程建设和发展的需要，多元极值理论的完善，此模型的工程应用空间将会非常巨大。

1.3.3 本书研究的基本思路

(1) 对国内外现有的海洋环境设计标准的各种推算方法进行分析和研究，分别分析各种方法的优点和在工程应用中存在的问题，并介绍当今国际上多元极值理论最前沿的科研成果。

(2) 介绍了一元复合极值分布模型的理论以及建立三维复合极值分布模型所需要的前期理论知识，给出了多维复合极值分布模型的理论推导，并根据不同工程将采取不同的计算方法，推导出不同的计算方法所引起的误差估计。

(3) 对从理论上推导的三维复合极值分布模型，根据离散型随机变量和连续型随机变量分布函数的不同，建立不同的多维极值分布模型的显示表达式。

(4) 对三维复合极值分布模型的实际工程应用做前期的准备，包括边缘分布参数的估计、参数误差的估计、分布函数拟和检验、边缘分布样本阈值的选取和检验、联合分布数据的选取及本书样本的选定、自变量的相关分析和分层位置的确定。

(5) 给出多维复合极值分布模型的三个工程应用实例，即：在河口城市——上海，考虑风暴潮、天文大潮和长江上游洪水到达时“三碰头”联合重现期的应用；对一定周期条件下风、浪联合重现期推算的应用；在风浪联合设计值推算中的应用。

(6) 一个新模型的建立，必须优于现有的各种相关模型，因此，对多维复合极值分布模型进行了稳定性的检验，并用实例说明了多维复合极值分布模型的稳定性确实好于已有的模型，并对多维复合极值分布模型的性质进行了空间描述。

(7) 对本书内容进行总结，并给出多维复合极值分布模型(海洋灾害性模型)

的进一步讨论和研究的方向。

本书的理论和方法，还可分别用于沿岸输沙的长期概率分析，海冰的联合概率分析，洪水频率分析中洪峰和洪量、历时的概率分析，这些应用在国内外尚未见报道。将多维复合极值分布模型的理论与综合经济分析法相结合，将会对城市防灾工程带来巨大的经济和社会效益，故该模型必有广泛的应用前景。

参考文献

[1] Qiu Dahong, Wang Yongxue. Developing tendency of coastal and offshore engineering In the 21st century[J] Prog in Nat sci, 2000, 10(6):425-431.

[2] Sun Zhaochen, Qiu Dahon, Zhu Zhihai . Seabed responds to waves[A]. Proceeding of Korea-China Conference on Port and Coastal Engineer[C]. Seoul:Korean Society of Coastal and Ocean Engineers. 2000. 227-238.

[3] Kiyoshi I. Mega Float:Achievements to Date and Ongoing Plan of Research[A]. Proceeding of the 9th International Offshore and Polar Engineering Conference [C]. Golden:International Society of Offshore and Polar Engineers, 1999,1:1-9.

[4] 张登义. 海洋——人类未来的希望[J]. 海洋开发与管理，1998(2):10-13.

[5] 张家成，周魁一，杨华庭，等. 中国气象洪涝海洋灾害[M]. 长沙:湖南人民出版社，1998.

[6] Harib K. Smart Technology Application in Offshore Structure Systems [A]. Proceeding of the 9th International Offshore and Polar Engineering Conference [C]. Golden:International Society of Offshore and Polar Engineers, 1999,1: 231-236.

[7] 谢礼立. 数字减灾系统[J]. 自然灾害学报，2000,9(2):1-9.

[8] Soong T T, Dargush G F. Passive Energy Dissipation System in Structural Engineering [M]. West Sussex: Wiley . 1997.

[9] Kubo K. Kafagama T. Ohashi A. Present State of Life Line Earthquake Engineering in Japan[A]. Proceeding of Current State of Knowledge of Lifeline Earthquake Conference[C]. San Francisco:ASCE. 1997:118-133.

[10] 陆儒德. 海洋·国家·海权[M]. 北京:海潮出版社，2000.

[11] 陈惠明. 加快技术创新，促进我国海洋工程开发[J]. 中国海洋平台，1999(3):4-7.

[12] 李玉成，缪国平，孙昭晨. 海岸和近海工程研究述评[J]. 国际学术动态，

1997(l):73-78.
[13] 李玉成. 海洋工程技术的新发展[J]. 中国海洋平台,1998(1):9-12.
[14] 李玉成,缪国平,孙昭晨. 海洋和近海工程研究进展[J]. 港工技术,1998(2):6-12.
[15] 王永学. 海洋资源可持续开发与环境[J]. 国际学术动态,1998(l):77-78.
[16] 王永学. 海洋资源可持续开发与环境[J]. 国际学术动态,1998(l):77-78.
[17] 李玉成. 海洋工程技术进展与对发展我国海洋经济的思考[J]. 大连理工大学学报,2002,42(1):1-5.
[18] Bjerager P, et al. Reliability Methods for Marine Structures under Multiple Environmental Load Processes. 5th International Conference on Behaviour of Offshore Structures, the Norwegian Institute of Technology, Throdheim,Norway,1988.
[19] 吴有生,杜双兴. 极大型海洋浮体结构的流固耦合分析[J]. 舰艇船科学技术,1995,139(1):1-9.
[20] 桑国光,张圣坤. 结构可靠性原理及其应用[M]. 上海:上海交通大学出版社,1986.
[21] 中国船级社. 海上固定平台入级与建造规范[M]. 北京:人民交通出版社,1992.
[22] 崔维成,吴有生,李润培. 超大型海洋浮式结构物开发过程中需要解决的关键技术问题[J]. 海洋工程,2000,18(3):1—8.
[23] 奏权,刘西拉. 大型工程结构的可靠性[A]. 工程结构可靠性全国第四届学术交流会议论文集[C]. 1995,9-14.
[24] 刘志宇. 近海平台结构的振动检测技术[J]. 振动与冲击,1982,l(3):47-52.
[25] 刘学东,欧进萍. 海洋平台结构极限承载能力近似分析[J]. 工程力学,1995(增刊).
[26] 王润,姜彤,Lorenz King. 20 世纪重大自然灾害评析[J]. 自然灾害学报,2000,9(4):9-15.
[27] 中国灾害防御协会. 论沿海地区减灾与发展[M]. 北京:地震出版社,1991.
[28] 伍荣生. 现代天气学原理[M]. 北京:高等教育出版社,1999 174-175.
[29] 樊运晓,陈庆寿,罗云. 区域减灾与可持续发展[J].灾害学,1999,14(3).
[30] 章在塘. 风危险性分析[A]. 城市与工程减灾基础研究论文集[C]. 北京:中国科学技术出版社,1995.

[31] Russell L R Probability distribution for hurricane effects[J]Journal of the waterways. Harbors and Coastal Engineering Division. I971, 97 (WWI):139-154.

[32] yphoon and hurricane wind climates . BL WTL Report Http://blwtl. uwo. ca/climate/cliamte3. htm.

[33] Vickery PJ. Twisdale L A Wind field and filling models for hurricane wind— speed prediction[J]. Journal of struct. Engineering. 1995. 12 (11):1700-1709.

[34] Koo Elaine. Some characteristics of winds related to the building code in Hong Kong[A]. Wind Engineering seminar[C]. Hong Kong. 1988.

[35] 欧进萍,段忠东,常亮. 中国东南沿海重点城市台风危险性分析[J]. 自然灾害学报,2002, 11(4):10-17.

[36] 王言英,钱昆,朱仁传. 远洋船舶遭遇极端海况波浪参数计算[J]. 海洋工程, 1998, 16(2):29-33.

[37] Wang Y . Investigation Of Design Wave Parameters for Chinese Coastal Areas. China OceanEngneering. 1988. 2(4):71-78.

[38] Hachmann D. Calculation Of Pressures on a Ship's Hull in Waves . schiffstechnik. 1991. 38(l):111-133.

[39] 长江水利委员会水文局. 1998 年长江洪水及水文监测预报[M]. 北京:水利水电出版社,2000.

[40] 骆承政,乐嘉祥. 中国大洪水[M]. 北京:中国书店出版社,1996.

[41] 潘庆幸,卢伞友. 长江中游近期河道演变分析[J]. 人民长江,1999(2):32-33.

[42] 韩其为. 江湖关系及其变化[R]. 北京:中国水利水电科学研究院,1996.

[43] Bryan E H. 美国防洪减灾总报告及研究规划[M]. 潭徐刚,等,译. 北京:中国科学技术出版社,1997.

[44] 美国 21 世纪泛洪区管理[M]. 陆德福,等,译. 郑州:黄河水利出版社. 2000.

[45] API RP2A-LRFD:Planning, Designing and Constructing for Fixed Offshore Platforms Load and Resistance Factor Design. *ISO* 13819-2:-1995 (E),127.

[46] S. G. Coles and J. A. Tawn. "Modelling Extremes of The Areal Rainfall Process" [R]. Technical Report 92-12. Nottingham University, Nottingham,1992.

[47] G. Coles and J. ATawn. "Statistics of Coastal Flood Prevention" [J]. *Phil. Trans. R, Soc. A*, 1990, 332:457-476.

[48] S. G Coles and J. ATawn. "Modelling Extreme Multivariate Events" [J]. *J. R. Statist. Soc. B*, 1991, 53(2):377-392.

[49] J. ATawn. Modelling "Multivariate Extreme Value Distributions" [J]. *Biometrika*, 1990, 77(2):245-253.

[50] R. L Smith, J. ATawn, Yuen H K. "Statistics of Multivariate Extremes" [J]. Int. Statist. Inst. Rev., 1990,58(1): 47-58.

[51] ShiDaoji. Multivariate" Extreme Value Distribution and its Fisher Information Matrix" [J]. Acta mathematical application Sinica, Oct.,1995a, 11(4):421-428.

[52] Y. K. Wen., H. Banon. (1991). " Development of Environmental Combination Design Criteria for Fixed Platforms in the Gulf of Mexico", OTC 6540, The 23rd Annual Offshor Technology Conference in Houston, Texas, 365-375.

[53] Stuart G Coles and Jonathan ATawn. Statistical methods for multivariate extremes: an application to structural design[J]. Appl. Statist., 1994, 43(1): 1-48.

[54] Cavanié A. Joint occurrence of extreme wave heights and wind gusts during severe storms on the Frigg Field [R]. Exploration and Production Forum Wkshp Application of Joint Probability of Metocean Phenomena in the Oil Industry's Structural Design Work, London, 1985.

[55] Stuart G Coles and Jonathan ATawn. Modelling extremes of the areal rainfall process[R]. Technical Report 92-12. Nottingham University, Nottingham,1992.

[56] Stuart G Coles and Jonathan ATawn. Statistics of coastal flood prevention[J]. Phil. Trans. R, Soc. A, 1990, 332:457-476.

[57] Stuart G Coles and Jonathan ATawn. Modelling extreme multivariate events[J]. J. R. Statist. Soc. B,1991, 53(2):377-392.

[58] Resnick S I. Extreme values, regular variation, and point processes [M]. New York: Springer,1987.

[59] Bourgund U, C G Bucher. Importance sampling procedure using design point (ISPUD) [R]. Research Report of University of Innsburch, 1986, 1-158.

[60] Liu P-L, DerKiureghian A. Multivariate distribution models with prescribed marginals and covariances [J]. Probabilitic Engineering Mechanics, 1986, 1(2): 105-112.

[61] 刘德辅,王铮,施建刚. 海洋环境条件联合设计标准[J]. 海洋学报,1994,16(2):116-123.

[62] 刘德辅,杨永春,王超. 海洋设计标准的不确定性及联合分布概率分析[J]. 海洋学报,1996,18(5):110-116.

[63] Y. K. Wen., H. Banon. (1991). " Development of Environmental Combination Design Criteria for Fixed Platforms in the Gulf of Mexico", OTC 6540, The 23rd Annual Offshor Technology Conference in Houston, Texas, 365-375.

[64] S. G Coles and J. ATawn. "Statistical Methods for Multivariate Extremes: An Application to Structural Design" [J]. Appl. Statist., 1994, 43(1): 1-48.

[65] 刘德辅,王铮,施建刚. 海洋环境条件联合设计标准[J]. 海洋学报,1994,16(2):116-123.

[66] 刘德辅,杨永春,王超. 海洋设计标准的不确定性及联合分布概率分析[J]. 海洋学报,1996,18(5):110-116.

[67] G. Z. ForⅡstall, R. D. Larrabee, R. S. Mercier. (1991)"Combined Oceanographic Criteria for Deepwater Structures in the Gulf of Mexico", OTC 6541, The 23rd Annual Offshore Technology Conference, Houston, Texas, 377-390.

[68] I. D. Morton, J. Bowers. (1997). "Extreme Value Analysis in A Multivariate Offshore Environment",Applied Ocean Research 18, 303-317.

[69] S. Zachary, G. Feld, G. Ward, J. Wofram. (1998). " Multivariate Extrapolation in The Offshore Environment", Applied Ocean Research 20, 273-295.

[70] M. N. Tsimplis and D. Blackman, (1997). "Extreme Sea-level Distribution and Return Periods in the Aegean an Ionian Seas", Estuarine, Coastal and shelf Science 44:79-89.

[71] S. G Coles and J. ATawn. "Statistical methods for extreme values" [A]. A course presented at the 1998 RSS conference. Strathdyde, September, 1998.

[72] ACavanié. "Joint Occurrence of Extreme Wave Heights and Wind Gusts

During Severe Storms on The Frigg Field" [R]. Exploration and Production Forum Wkshp Application of Joint Probability of Metocean Phenomena in the Oil Industry's Structural Design Work, London, 1985.

[73] Jonathan ATawn. Modelling multivariate extreme value distributions[J]. Biometrika, 1990, 77(2):245-253.

[74] Gumbel E J. Distributions devaleurs extrêmes en plusieurs dimensions [J]. Publ. Inst. Statist. Paris,1960, 9:171-173.

[75] Joe H. Families of min-stable multivariate exponential and multivariate extreme value distributions [J]. Statist. Probab. Lett., 1989,9:75-82.

[76] R L Smith, Tawn J A, Yuen H K. Statistics of multivariate extremes [J]. Int. Statist. Inst. Rev., 1990,58(1): 47-58.

[77] McFadden D. Modelling the choice of residential location[R]. In Spatial Interaction Theory and Planning Models, Amsterdam: North-Holland. 1978:75-96.

[78] Stuart G Coles and Jonathan ATawn. Statistical methods for extreme values[A]. A course presented at the 1998 RSS conference. Strathdyde, September, 1998.

[79] M Isabel Barão and Jonathan ATawn. Extremal analysis of short series with outliers: sea-levels and athletics records[J]. Appl. Statist., 1999, 48(4):469-187.

[80] ShiDaoji. Multivariate extreme value distribution and its Fisher information matrix[J]. Acta mathematical application Sinica, Oct., 1995a, 11 (4):421-428.

[81] ShiDaoji. Moment estimation for multivariate extreme value distribution [J]. Appl. Math. -JCU,1995b, 10B:61-68.

[82] ShiDaoji. Fisher information for a multivariate extreme value distribution [J]. Biometrika, 1995c, 82(3): 644-649.

[83] 史道济，阮明恕，王毓娥. 多元极值分布随机向量的抽样方法[J]. 应用概率统计. 1997. 2, 13(1):75-80.

[84] Shi Dao-ji. Moment estimation for multivariate value distribution in a nested Logistic model [J]. Ann. Inst. Statist. Math, 1999, 51(2):253-264.

[85] Liu T. F. and Ma, F. S., (1980). "Prediction ofExtreme Wave Heights and Wind Velocities", Journal of the Waterway Port Coastal and Ocean

Division, ASCE, 106, No. WW4, 469-479.

[86] T. F. Liu (1982) "Long Ter Distributions ofHurrican Characteristics" Pro. Offshore Technology Conference OTC 4325, 305-313.

[87] R. M. Langley, A. H. El-Shaarawi (1986). "On The Calculation of Extreme Wave Heights: A Review", Ocean Engineering Vol. 13. No. 1, 93-118.

[88] KennethJohannessen, Trond Stokka Meling and Sverre Haver Statoil. Joint Distribution for Wind and Waves in the Northern North Sea. Proceedings of the Eleventh(2001) International Offshore and Polar Engineering Conference Stavanger,Norway,June 17-22,2001:19-28.

[89] R. M. Langley, A. H. El-Shaarawi (1986). "On The Calculation of Extreme Wave Heights: A Review", Ocean Engineering Vol. 13. No. 1, 93-118.

[90] W. H. Kirby, M. E. Moss (1987). "Summary of Flood-Frequency Analysis in TheUnited States", Journal of Hydrology, 96, 5-14.

[91] J. ATawn., Bivariate extreme value theory: models and estimation. Biometric, 1988, Vol. 75, No. 3, pp397- 415.

[92] S. G Coles and J. ATawn. Modelling Extreme Multivariate Events. J. R. Statist. Soc. B, 1991, Vol. 53, No. 2, pp377-392.

[93] J. ATawn. Modelling Multivariate Extreme Value Distributions. Biometrika, 1990, Vol. 77, No. 2, pp245-253.

[94] R. L Smith, J. ATawn, Yuen H K. Statistics of Multivariate Extremes. Int. Statist. Inst. Rev., 1990, Vol. 58, No. 1, pp 47-58.

[95] Stuart Coles, An Introduction to Statistical Modeling of Extreme Values, Springer, 2001.

[96] S. G Coles and J. ATawn. Statistical methods for extreme values. A Course Presented at the 1998 RSS conference. Strathdyde, September, 1998.

[97] SNadarajah, C W Anderson and J. A Tawn. Ordered Multivariate Extremes. J. R. Statist. Soc. B, 1998, Vol. 60, No. 2, pp473-496.

[98] S. G Coles and J. ATawn. Modelling Extremes of the Areal Rainfall Process. J. R. Statist. B, 1996, Vol. 58, No. 2, pp329-347.

[99] S. G. Coles and J. ATawn., Statistics of Coastal Flood Prevention. Phil. Trans. R, Soc. A, 1990, Vol. 332, pp457-476.

[100] Shi Daoji, Multivariate Extreme Value Distribution and Its Fisher Information Matrix, Acta Mathematical Application Sinica, 1995, Vol. 11, No. 4, 421-428.

[101] Shi Daoji, Fisher Information for a Multivariate Extreme Value Distribution, Biometrika, 1995, Vol. 82, No. 3, pp644-649.

第2章　多维复合极值分布理论模型

2.1　一维复合极值分布理论

水文频率计算主要包括两个问题:第一是选择合适的线型,第二是估计其中的参数。国内水文界研究较多的分布曲线有以下几种:极值Ⅰ型分布曲线(或称耿贝尔曲线)、对数正态分布曲线、P-Ⅲ型分布曲线及克-闵分布曲线。某一地区的水文特征系列究竟服从哪一种分布,是由该地区的水文特性决定的。由于各地区气候地理条件的不同,形成水文系列特征的差异,以至于适合于各地区水文系列的分布曲线是不统一的。我国水文计算规范规定,水文频率曲线线型采用P-Ⅲ型分布。

很多研究认为,P-Ⅲ型分布能较好地拟合我国各河流水文资料系列[1]-[5],特别是南方地区。事实上,应用P-Ⅲ型分布于水文变量,只是根据它对水文资料拟合的优劣而确定的。从现有的文献看,我国过去研究P-Ⅲ型分布的适应性时,所使用的都是观测年代较长的实测资料,然而我国水文资料大多不长,最长的宜昌站也不过百年。众所周知,在概率格纸上实测资料的点据都分布在频率曲线的中段,对水文上最重要的稀遇洪水(即曲线的上段)很少或几乎没有点据,据此,只能根据实测点据部分拟合的优劣来确定,但无法确定频率曲线上、下两端拟合的优劣。然而,这两端(尤其是上端)拟合的优劣恰恰是最重要的。可见,由此而做出的关于P-Ⅲ型分布适应性依据还是不足的。

如何充分利用有限的资料,使之全面地反映环境荷载的实质性规律,从而合理地推算极值环境荷载,一直是工程上非常关心的问题;尤其在实测资料较少的情况下,对数据的合理分析利用显得尤为重要。在上述关于多元变量联合概率计算方法的研究中,数据资料的选取多数采用年极值法和阈值法。然而,我们应该注意到,这两种方法均未考虑环境极值出现频次的概率特性:在推求多年一遇环境要素极值时,年极值法每年取一组极值,阈值法则多数利用每天或每小时资料，并利用阈值以上的环境极值出现频次 N_y 的年平均值 $\overline{N_y}$ 将次频换算成年频，没有考虑到 N_y 是变化的[6]。

事实上，风、浪、风暴潮等环境要素的极大值经常出现在台风、飓风、寒潮等特殊天气，而这些过程对工程所在海区的影响频次是变化的，极端海况频次本身也是一随机变量。如 Heideman[7] 的研究认为，墨西哥湾飓风的发生可用 Poisson 点过程来模拟；Liu T. F[8] 对美国大西洋沿岸及墨西哥湾的飓风次数进行了概率统计分析，结果表明几个海区每年的飓风次数均很好地符合 Poisson 分布。同时，年极值法每年取一组极值作为样本点，只适用于有长期数据资料（15 年以上）的海区。在拟建海洋工程的新海区，长期的风、浪、海流的数据资料往往很难得到，这时由于样本容量不足，用年极值样本点拟和任何概率模型或利用随机模拟，都不能为设计提供可靠依据。在这种只有短期资料的情况下，取样也带有一定的主观性，不能表达海况的成因内涵。因此，1976 年，在对国内外普遍采用的 P-Ⅲ型、FT-1、2、3 型，Weibull 型分布、对数-正态分布在我国波高统计分布的应用情况进行分析后，Liu T. F. 等学者认识到台风对我国的影响频次各年也是不同的，这是波高统计分析中必须考虑的因素，从而导致 Liu T. F. 和 Ma F. S.[34] 继 Feller[9] 提出复合分布（Compound Distribution）的概念之后，推导了复合极值分布（Compound Extreme Distribution，CED）的显性表达式[8][10][11] 并成功地应用于波高统计分析中。

定义　有一种一维离散型随机变量的概率分布律

$$\begin{pmatrix} 0 & 1 & 2 & \cdots & k & \cdots \\ p_0 & p_1 & p_2 & \cdots & p_k & \cdots \end{pmatrix}$$

有一种连续型随机变量的联合分布 $G(x)$，记

$$F_0(x) = \sum_{k=0}^{\infty} p_k \left[G(x)\right]^k \tag{2-1}$$

称 $F_0(x)$ 为这两种分布构成的复合极值分布。

例如，Poisson 和 Gumbel 分布可以构成 Poisson-Gumbel 复合极值分布。对于复合极值分布 $F_0(x)$，$F_0(-\infty)=P_0$，故当 $p_0>0$ 时，它不再是一个完整的概率分布。对于这个问题，从理论上讲，总是可以在适当小的区域上“补”上概率 p_0，从而将 $F_0(x,y)$ 化为普通的分布函数。实际上，由于我们只关心 $F_0(x,y)$ 接近于 1 时的性状，对于“补”上概率的区域位于何处并不感兴趣，故不必深究。

定理 1　设 ξ,η 为连续型随机向量，其分布函数分别为 $G(x)$，$Q(x)$。记 ξ_i 为 ξ 的第 i 次观测值，设 n 为与 ξ,η 皆独立的取值为非负整数的随机变量，记

$$P\{n=k\}=p_k, \quad k=0,1,\cdots$$

定义随机变量 ζ

$$\zeta=\begin{cases}\eta & n=0\\ \underset{1\leqslant i\leqslant n}{\mathrm{Max}}(\xi_i) & n\geqslant 1\end{cases}$$

则 ζ 的分布函数为

$$F(x)=\sum_{k=0}^{\infty}p_k\,[G(x)]^k-p_0[1-Q(x)] \tag{2-2}$$

证明

$$\begin{aligned}F(x)&=P\{\zeta<x\}=P\{\zeta<x,n=0\}+\sum_{k=1}^{\infty}P\{\zeta<x,n=k\}\\&=P\{\zeta<x\mid n=0\}P\{n=0\}+\sum_{k=1}^{\infty}P\{\zeta<x\mid n=k\}P\{n=k\}\\&=P\{\eta<x\}p_0+\sum_{k=1}^{\infty}P\{\underset{1\leqslant i\leqslant n}{\mathrm{Max}}\{\xi_i\}<x\}p_k\\&=p_0Q(x)+\sum_{k=1}^{\infty}[G(x)]^kp_k\\&=\sum_{k=0}^{\infty}p_k\,[G(x)]^k-p_0[1-Q(x)]\end{aligned}$$

证毕。

如果非台风波浪是有上限的，也就是说，可以假定非台风波浪总是小于某一重现期的台风波浪数值，如小于十年一遇的台风波浪，这样，在大于十年一遇的情况下，研究台风波浪最大值分布函数的特性时，由于已超过了非台风波浪的上限，所以非台风波浪的分布函数 $Q(x)=1$，因此，台风波浪复合极值分布函数 $F(x)$可化简为

$$F_0(x)=\sum_{k=0}^{\infty}p_k\,[G(x)]^k \tag{2-3}$$

$F_0(x)$正是由 n 的分布和 ξ 的分布构成的复合极值分布。

实际问题中，求解 $F(x)=R$ 时，可以换成 $F_0(x)=R$，而不必过问 $Q(x)$的具体情况，从而使问题得到简化。下面给出几个复合极值分布具体形式。

(1) n 为单点分布

$$P_k=\left.\begin{cases}1 & k=k_0\neq 0\\ 0 & k=k_0\end{cases}\right\}$$

则

$$F_0(x)=\sum_{k=0}^{\infty}p_k\,[G(x)]^k=[G(x)]^{k_0} \tag{2-4}$$

(2) n 为泊松分布

$$P_k=\frac{\mathrm{e}^{-\lambda}\lambda^k}{k\,!}$$

则

$$F_0(x)=\sum_{k=0}^{\infty}p_k\,[G(x)]^k=\sum_{k=0}^{\infty}\mathrm{e}^{-\lambda}\cdot\frac{\lambda^k}{k!}[G(x)]^k=\mathrm{e}^{-\lambda[1-G(x)]} \tag{2-5}$$

(3) n 为二项分布

$$P_k=\binom{m}{k}\bar{P}^k\,(1-\bar{P})^{m-k}$$

则

$$F_0(x)=\sum_{k=0}^{\infty}p_k\,[G(x)]^k=\sum_{k=0}^{\infty}\binom{m}{k}\bar{P}^k\,(1-\bar{P})^{m-k}\,[G(x)]^k$$

$$=[\bar{P}G(x)+1-\bar{P}]^m \tag{2-6}$$

以上三种类型中的 $G(x)$ 可以是任何一种连续型分布，实际应用时可以代入求得具体结果。

以上是一维的复合极值模型的理论基础，而当时一维复合极值分布由于概率统计理论和方法上的限制，仅适用于单变量概率分析，并不能推算多维环境要素联合设计值。本书提出的模型是单变量复合极值理论和多元极值理论的进一步深入。

2.2　多元极值理论

到目前为止，处理联合分布时大多假定各变量相互独立，服从正态分布或对数正态分布，应用最简单的多元正态联合分布进行讨论，突出通过数值计算而得到模拟的结果，但不涉及相关关系的模型概念。不过，这样处理存在明显缺点。一是各个变量之间存在相关性，且有时十分明显(如风、浪、流等)，不容忽视。二是我们经常考虑的自然环境因素选样均与正态分布相去甚远，而与极值分布符合良好。上述这些问题在多元极值理论中得到了较好的解决。

在研究几个相关总体的极值问题时，多元极值分布应运而生。例如，考察沿着某河流设置的几个观测站的洪水规律，某地区内不同城市的年最大降雨量分布等问题，都将导致对多元极值分布的研究。大量文章出现在国内外各种刊物上，得到了许多部门的广泛重视。在可靠性及极端自然现象的研究中，极值理论已成为不可缺少的工具，同时也提出了许多更进一步的问题。另一方面，对多元极值理论的研究和应用受到更多的关注，Galambos[12](1987)以及 Leadbetter[13]等(1983)、Resnick[14](1987)总结了有关研究成果，分别从概率论、随机过程方面描述多元极值理论；但只在最近几年，才有文章考虑多元极值分布的统计理论，如 Tawo(1988)[15]、(1990)[16]、Smith (1990)[17]等。

2.2.1 随机点过程理论

多元极值理论来自随机点过程理论的核心——Poisson 过程[18]-[28]。

定义 $\widetilde{X}_1,\cdots,\widetilde{X}_n$ 为一 d 维正实数轴上随机的独立同分布的矢量序列，且其分布落入某一联合极值分布的吸引域内，为简化问题，选择除数 n，令其边缘分布为标准的 Fréchet 分布，即

$$\widetilde{X}_i=(\widetilde{x}_{i1},\cdots,\widetilde{x}_{id})$$

$i=1,\cdots,n$，并且

$$F(\widetilde{x}_{ij})=\exp\left(-\frac{1}{\widetilde{x}_{ij}}\right)$$

$i=1,\cdots,n,j=1,\cdots,d$. 考虑在 d 维欧式空间上的点过程 P_n

$$P_n=\left\{\frac{\widetilde{X}_i}{n};i=1,\cdots,n\right\} \tag{2-7}$$

为清楚地描述该过程，定义径向分量和角分量为

$$\begin{cases} r_i=\dfrac{\widetilde{x}_{i1}+\cdots+\widetilde{x}_{id}}{n} \\ w_{ij}=\dfrac{\widetilde{x}_{ij}}{nr} \end{cases} \tag{2-8}$$

$i=1,\cdots,n;j=1,\cdots,d$。式中：$X_{i,j}$ 是 X_i 的第 j 个分量，这样径向分量 r_i 表示为第 i 个矢量的强度；w_{ij} 表示第 j 个分量的相对强度。为后面讨论问题简洁，改写为

$$\begin{cases} r=\dfrac{\widetilde{x}_1+\cdots+\widetilde{x}_d}{n} \\ w_j=\dfrac{\widetilde{x}_j}{nr} \end{cases} \tag{2-9}$$

$j=1,\cdots,d$。显然 r 显示了同步发生的联合的幅值，w_j 则表明各个边缘总体的相关特性。设极限过程 P 的强度测度 Λ 满足

$$\Lambda(\mathrm{d}r,\mathrm{d}w)=\frac{\mathrm{d}r}{r^2}\mathrm{d}H(w) \tag{2-10}$$

其中，H 是 d-1 维单纯形(unit simplex)

$$S_d=\left\{(w_1,\cdots,w_d);\sum_{j=1}^{d}w_j=1,w_j\geqslant 0,j=1,\cdots,d\right\} \tag{2-11}$$

或

$$S_d = \left\{ w \in R_+^d : \sum_{j=1}^{d} w_j = 1 \right\} \tag{2-12}$$

的正有限测度函数，也即依赖函数（dependence function）。因为 $w_j \in [0,1]$，所以 H 具有非负性和标准化形式。分量最大值极限分布的表达式由 Poisson 过程 P 的强度测度 Λ 确定，令

$$A = R_+^d \setminus \{(0,x_1) \times \cdots \times (0,x_d)\}$$

则

$$\begin{aligned} &P_r(n^{-1}X_i \notin A, i=1,\cdots,n) = P_r(n^{-1}M_{n,j} \leqslant X_j, j=1,\cdots,p) \\ &\to \exp(-\Lambda(A)),\text{当 } n \to \infty \end{aligned} \tag{2-13}$$

其中，$M_{n,j} = \max(X_{i,j}), i=1,\cdots,n, j=1,\cdots,d$

$$\Lambda(A) = \int_A \frac{\mathrm{d}r}{r^2} \mathrm{d}H(w) = \int_{S_d} \int^{\infty} \frac{\mathrm{d}r}{r^2} \mathrm{d}H(w) = \int_{S_d} \max_{1 \leqslant j \leqslant d} \left(\frac{w_j}{x_j} \right) \mathrm{d}H(w) \tag{2-14}$$

即当 $n \to \infty$，时，P_n 渐进于 $R_+^d \setminus \{0\}$ 空间上的非齐次 Poisson 分布，$H(w)$ 包含着多元极值相关结构的概念。由密度函数 $f(x)$ 和累积分布函数 $F(x)$ 的特点，对 $H(w)$ 没有其他限制，仅需满足正则化限制条件

$$\int_{S_d} w_j \mathrm{d}H(w) = 1 \tag{2-15}$$

$j=1,\cdots,d$，即可假定 $H(w)$ 的形式，进而确定多元极值联合分布相关结构的表达式。

通过选择适当的径向分量 r_0，当 $r > r_0$ 时，保证 r、w 相互独立。根据 $H(w)$ 的表达形式，依（2-15）式进行非参数估计，当其边缘分布为 Fréchet 分布时，即可确定任意正则分量最大值的极限分布，得到多元极值的分布函数

$$G(\tilde{x}_{i1}, \cdots, \tilde{x}_{nd}) = \exp[-\Lambda(A)] \tag{2-16}$$

Coles 和 Tawn 依概率测度 $H(w)$ 的不同概括了多种相关模型。尽管模型种类繁多，但是相关函数结构复杂，多为隐式形式，在实际应用中受到了限制。对（2-15）式的 $H(w)$ 进行人为假定，因此得到多元极值理论的两种计算方法：参数法和非参数法。

数学家们已提出了多种表达极值变量之间依赖关系的数学模型。尽管各种模型的复杂性程度不同，但对变量之间相关关系的描述程度都相差无几；将各种变量之间的相关关系代入，就得到了多变量极值联合概率分布函数。

2.2.2　多变量极值分布

多变量极值分布的数学定义与多元次序概念有密切联系。Barnett（1976）综述了多元次序的不同定义，其中应用最广泛的是所谓分量次序，即设（X_{i1}，⋯，

X_{id}),$i=1,\cdots,n$ 是独立同分布的随机向量,定义 $M_{nj}=max(x_{j1},\cdots,x_{jn})$ 为第 j 个分量的最大值,$j=1,\cdots,d$。如果存在正则化常数

$$a_n=(a_{n1},\cdots,a_{nd}),\quad b_n=(b_{n1},\cdots,b_{nd})\text{ 且 } a_{nj}>0$$

则当 $n\to\infty$ 时,有

$$\lim_{n\to\infty}P\left(\frac{M_{nj}-b_{nj}}{a_{nj}}<x_j,j=1,\cdots,d\right)=G(x_1,\cdots,x_d)\tag{2-17}$$

其中,G 为一个分布函数,且在每个边缘上非退化,称 G 为多元极值分布。多元极值分布的定义(2-17)为许多作者所采用。例如,de Haan(1985)[29]、Galambos(1987)[12]、Resnick(1987)[14]、Tawn(1988,1990)[15][16] 以及 Smith(1990)[17] 等(1990),在定义(2-17)下,由一元极值理论知,多元极值分布每个边缘分布必为一元广义极值分布(GEV),广义极值分布包括了极值分布所有可能的三种类型,即第 1 章式(1-4)、式(1-5)和式(1-6)。由于边缘分布之间可以通过变量变换而相互转化,因此不同作者对边缘分布有不同的假定。例如,Tiago de Oliveira(1984)[30] 假定边缘为 Gumbel 分布。在本书讨论中,我们对边缘分布未加规定,而是由形状参数来确定广义极值分布的类型。

Pickands(1981)[31] 给出了多元极值分布的表示定理:$G(x_1,\cdots,x_d)$ 是多元极值分布,当且仅当

$$G(x_1,\cdots,x_d)=\exp\left\{-\int_{s_d}\left[\max_{1\leqslant i\leqslant d}(q_ie^{-x_i})dU(q_1,\cdots,q_d)\right]\right\}\tag{2-18}$$

其中,$U(q_1,\cdots,q_d)$ 是 d-1 维单纯形

$$s_d=\left\{(q_1\cdots,q_d):0\leqslant q_i\leqslant 1,i=1,\cdots,d,\sum_{i=1}^{d}q_i=1\right\}\tag{2-19}$$

上任意正有限测度,只需满足正则化约束

$$\int_{s_d}q_i\,\mathrm{d}U(q_1,\cdots,q_d)=1,i=1,\cdots,d\tag{2-20}$$

由定理看出:$G(x_1,\cdots,x_d)$ 是依赖于一个 d-1 维单纯形上的任意有限正测度,记

$$A(x_1\cdots,x_d)=\int_{s_d}\left[\max_{1\leqslant i\leqslant d}(q_ie^{-x_i})dU(q_1,\cdots,q_d)\right]\tag{2-21}$$

称为相关函数。相关函数有很大自由度,文献[19],[31] 证明了不存在有限参数族来描述多元极值分布。虽有学者曾提出过用非参数方法建立模型,但这种模型不可微,而且不能同时考虑边缘参数与相关结构的估计。目前,在各种文献中见到的参数模型已有许多,它们大都是从数学上考虑而提出的,真正在实际中得到应用的主要还是本节讨论的 Logistic 模型。最简单的参数模型为 Logistic 模型

$$A(x_1\cdots,x_d)=\left(\sum_{i=1}^{d}\mathrm{e}^{-x_i/\alpha}\right)^{\alpha}\tag{2-22}$$

在此模型下，多元极值分布函数的表示为

$$G(x_1,\cdots,x_d)=\exp\left\{-\left[\sum_{j=1}^{d}\exp\left(-\frac{x_j-\mu_j}{\alpha\sigma_j}\right)\right]^{\alpha}\right\} \tag{2-23}$$

式中：$0\leqslant\alpha\leqslant1$ 称为相关参数，$\mu_j,\sigma_j,j=1,\cdots,d$ 分别为边缘分布的位置参数和尺度参数。

2.2.3　非参数法

非参数法的基本思想是无固定的参数模型，避开联合分布表达式、参数估算及相关结构表达式，依具体数据直接计算相关结构的方法。

S. Zachary 等[32]利用了北海北部风浪同步资料推算百年一遇的波浪及“相应”的风速及周期，在进行二元变量联合分析时采用了非参数方法：角分量 w 的分布以图形表达，从分布图中取值进行计算，因此避开了相关结构表达式，继而避开了联合分布表达式其中的参数估算，直接以各变量的具体数据通过下面的步骤计算出结果。其基本的应用步骤如下。

第一步，首先实现边缘分布参数估计，确定各个变量极值的边缘分布函数（广义极值分布），得到单个变量不同重现期的重现水平及相应置信区间（对于极值数据的选择方法有多种，像年最大值法、r 个最大的次序统计量法以及阈值法…等）。

第二步，确定各个变量间的相关性。S. Zachary（1998），Pickands（1981）在上述多元极值理论的基础上，绘制了多种不同径向分量（r 取值不同）时角分量 w 的密度分布图。角分量涵盖了极值变量之间的相关性。由于径向分量与角分量分布的独立性，它们的联合分布为

$$f(r,w)=f_r(r)f_w(w) \tag{2-24}$$

由密度分布图选取 $f_r(r)$，$f_w(w)$ 值代入式（2-24），再乘以适当的 Jacobian 矩阵，即可以得到原始数据的联合分布 $f(x,y)$ 的数值。为方便计算，先将各边缘分布中变量值转换为服从标准 Fréchet 分布的新变量，再将转换后的新值重新定义为径向分量 r 和角分量 w。由于角分量 w 的分布形式能直接反映各变量之间的统计相关性，引入相关测度 $H(w)$ 的概念，以此确定 w 的表示形式，即不同形式的相关测度 $H(w)$ 对应于不同相关结构，亦即不同的多元极值模型。

第三步，实现上述变换的逆变换，从而确定初始变量的多元极值联合分布。

S. Zachary 等人虽然以非参数法来估计极值领域的相关结构及联合概率模型，但由于他们在处理相关问题时采用的是非参数的思想，数据表示无固定的参数模型；虽然考虑了波高、风速及波周期不同频率组合问题，但极大的数据计算工作量及最终简化归并为二元情况的讨论，使该问题求解多元极值模型方式缺

乏推广价值。所以,具有明确函数表达式的参数模型—多元极值分布函数就有较为明显的优越性。

2.2.4 参数法

参数方法则与上述非参数的思想不同。依相关测度 $H(w)$的不同,它明确给出多元极值联合函数的最终表达式——多元极值参数模型,亦即多元极值的分布函数表达式(模型),包括各参数及相关结构表达式,直观地体现出几个相关总体极值联合分布的性质和特点,令人一目了然,易为使用者接受,因此更具有推广价值。但是由于大自然的复杂性,工程环境荷载的不同组合,使其间的相关结构变幻多端,故建立适用于所有情况的多元极值模型非常困难,或者即使有通用模型,就具体数据而言,它也是超参数不可解的(Tawn,1990a、b[33])。

目前,Coles 和 Tawn(1991[34],1994[35])依概率测度 $H(w)$的不同概括了如下几种相关模型:对称 Logistic 模型(Gumbel,1960[36])、非对称 Logistic 模型(Tawn,1990[33])、负非对称 Logistic 模型(Joe.,1989[37])、Dirichlet 模型(Coles & Tawn,1991[34])、Bilogistic 模型(Smith,1990[38])、嵌套 Logistic 模型(Mc Fadden,1978[39];Tawn,1990[33];Coles and Tawn[34],1991;R. L. Smith et al,1990[38])。

尽管模型种类繁多,但是由于模型相关结构复杂,在实际应用中还是受到了限制,因而只得将变量个数限制在二元情况,如 I. D. Morton,J. Bowers 采用了 Logistic 模型直接计算(2-23)式分析波高和风速的联合概率。Coles,Tawn1994[35]采用负 Bilogistic 模型考虑了英格兰东海岸某站波高、波周期及风暴增水三种极值在恶劣条件下的联合分布,虽然貌似研究三元参数模型,但实际上仅限于二元计算,即将变量两两组合进行相关分析,而未直接计算相关三元变量的联合分布。其他为数不多的研究,如 Coles,Tawn[40],Barão,Tawn[41]等亦均为二元分析。

对于多元情况,目前应用较多的还是计算较简单的对称 Logistic(Coles,Tawn,1998)及一种具有分层相关结构的模型。其中,Logistic 模型是较简单而且有广泛应用的一种。在此模型下 d 元极值分布的分布函数为

$$G(x_1,\cdots,x_d)=\exp\left\{-\left[\sum_{j=1}^{d}\left(1+\xi_j\,\frac{x_j-\mu_j}{\sigma_j}\right)^{-\frac{1}{\alpha\xi_j}}\right]^{\alpha}\right\} \qquad (2\text{-}25)$$

其中,$\xi_j,\mu_j,\sigma_j,j=1,2,3$ 分别为边缘分布的形状参数、位置参数和尺度参数,$0\leqslant\alpha\leqslant1$ 为相关参数。$\alpha=1$ 时,表示各个变量之间相互独立,即各边缘分布相互独立。当 $\alpha\to0$,时,则表示他们彼此间完全函数相依。当 $d=1$ 时,即为 Gumbel 分布,此时的参数估计有较多的讨论,但有关多元情况的估计方法并不

多见。

史道济(1995)[42]给出了矩估计、极大似然估计及分布估计等计算方法,并将分布估计这种较简单的方法与极大似然估计法做了比较,给出了 α 的矩估计结果

$$\hat{\alpha}=\frac{2}{d(d-1)}\sum_{i<j}\sqrt{1-r_{ij}} \tag{2-26}$$

$i,j=1,\cdots,d$,d 为变量维数,r_{ij} 为 x_i,x_j 的线性相关系数。当 $d=2$ 时,即二元 Logistic 相关模型,模型表达式为

$$G_{ij}(x_i,x_j)=\exp\left\{-\left[\left(1+\xi_i\frac{x_i-\mu_i}{\sigma_i}\right)^{-\frac{1}{\alpha_{ij}\xi_i}}+\left(1+\xi_j\frac{x_j-\mu_j}{\sigma_j}\right)^{-\frac{1}{\alpha_{ij}\xi_j}}\right]^{\alpha_{ij}}\right\} \tag{2-27}$$

其相关参数 α_{ij} 由式(2-26)简化得到。有

$$\hat{\alpha}_{ij}=\sqrt{1-r_{ij}} \tag{2-28}$$

Logistic 模型形式简单,便于运用,但它仅含有一个相关参数 α,故模型要求各个变量之间相关性要完全对称。这在许多应用中难以满足,因此必须考虑一种更灵活、更具广泛性的相关结构的模型,以满足工程界的需要,Nested-Logistic 模型就是其中之一。

2.3 三元 Nested-Logistic 模型及其优越性

McFadden D. (1978)给出了 Nested-Logistic 模型的表达式,其三元情况为

$$G(x_1,x_2,x_3)=\exp\{-[(x_1^{-\frac{1}{\alpha\beta}}+x_2^{-\frac{1}{\alpha\beta}})^{\alpha\beta}+x_3^{-\frac{1}{\beta}}]^{\beta}\} \tag{2-29}$$

其中,$0\leqslant\alpha,\beta\leqslant1$,此时边缘分布为 Fréchet 分布。

Tawn,J. A. (1990)应用该模型处理了英格兰东南沿岸三个地点的水位相关关系问题,分析了三个海洋观测站的年最高水位分布。假定这三个观测站中每两个可用二元 Logistic 模型拟合,并估计它们的相关系数。由于这些观测站的地理位置有二个比较接近,因此有理由认为它们之间的相关性也许比较强,而其他二个观测站之间的相关性没有显著差别,所用模型是合适的。文献[40]给出了这个模型的相关结构,正是这种结构才有可能给出有关矩的数学表达式,并得到各个参数的矩估计。史道济[43]-[47]给出边缘为标准 Gumbel 分布的三元嵌套 Logistic 模型

$$G(x_1,x_2,x_3)=\exp\left\{-\left[\left(\exp\left(-\frac{x_1}{\alpha\beta}\right)+\exp\left(-\frac{x_2}{\alpha\beta}\right)\right)^{\beta}+\exp\left(-\frac{x_3}{\alpha}\right)\right]^{\alpha}\right\} \tag{2-30}$$

并通过矩估计法，给出了相关参数 α，β 的显式表达式

$$\begin{aligned} \hat{\alpha} &= \frac{\sqrt{1-r_{13}}+\sqrt{1-r_{23}}}{2} \\ \hat{\beta} &= \frac{\sqrt{1-r_{12}}}{\hat{\alpha}} \end{aligned} \tag{2-31}$$

式中：$r_{i,j}$ 为一般的线性相关系数，$i<j$，i，$j=1,2,3$。

更为一般的 Nested-Logistic 模型表达式为

$$G(x_1,x_2,x_3)=\exp\left[-\left\{\left[\left(1+\xi_1\frac{x_1-\mu_1}{\sigma_1}\right)^{-\frac{1}{(\alpha\beta\xi 1)}}+\left(1+\xi_2\frac{x_2-\mu_2}{\sigma_2}\right)^{-\frac{1}{(\alpha\beta\xi 2)}}\right]^{\beta}+\left(1+\xi_3\frac{x_3-\mu_3}{\sigma_3}\right)^{-\frac{1}{(\alpha\xi 3)}}\right\}^{\alpha}\right] \tag{2-32}$$

其中，ξ_j，μ_j，σ_j 分别为 $x_j(j=1,2,3)$ 的边缘分布的形状参数、位置参数和尺度参数，$0\leqslant\alpha$，$\beta\leqslant 1$ 为相关参数；$\alpha=1$，式（2－32）即化为 Logistic 模型下的二元极值分布函数形式（2-27）；$\beta=1$，Nested-Logistic 模型就成为普通的三元 Logistic 模型；α，β 均为 0 时，x_1，x_2，x_3 完全相关；α，β 均为 1 时，x_1，x_2，x_3 相互独立。

史道济通过矩估计法，给出了与式（2-31）相同的相关参数 α，β 的显式表达式。通过表达式（2-31），简化了复杂的相关函数，为工程界应用 Nested-Logistic 模型提供了很好的计算方法。注意，若将 $\hat{\alpha}$，$\hat{\beta}$ 应用于此模型，则必须将相关分析的数据转换为服从标准 Gumbel 分布，而此转换比较容易实现（Flood Sdudies Report，1975）。

由于 Logistic 模型（2-25）是 Nested-Logistic 模型（2-32）的特殊情况，因此以下的讨论主要集中于模型（2-32），所得结论自然适用于模型（2-25）。

在多元分布模型中，虽然相关参数的作用有时也许比边缘参数更重要，但绝不意味着可以不必考虑边缘参数的估计。在实际应用中，常常采用相关参数与边缘参数分别估计的方法，即首先仅仅利用各个分量的信息估计边缘参数（这可以利用一元分布的参数估计方法），然后将它们作为已知值代入分布函数；此时只剩下相关参数是未知的，对它的估计就比较容易了。另外一种方法是同时估计所有未知参数。我们把前一种方法称为分步估计，后一方法称为联合估计。一般地，分步估计或多或少地要丢失某些信息，分步估计相对于最大似然估计的效率，读者可查阅相关书籍。本书采用的是多元极值分布 Logistic 模型的联合估计。

由前面讨论知多元分布模型包含了边缘分布及变量间的相关结构，因此比

一元模型能提供更多的信息；或者说，对一个统计问题，如果我们可以利用合适的多元模型来拟合现有的数据，并在此模型基础上进行统计推断，那么应该比基于一元模型的结果要好。例如在边缘参数相等时，一个自然的想法就是如何利用合并样本来估计公共参数，这在一元模型中是不可能的，因为边缘分布之间的相关性，使合并样本不具有独立性，但在多元模型中可以这样做。

注：① $\tilde{X}_1,\cdots,\tilde{X}_n$ 是为了区别边缘分布不是标准的 Fréchet 分布，如果不是标准的 Fréchet 分布，则上面没有波纹。

② 文中 $\tilde{X}_1,\cdots,\tilde{X}_n$ 有时是矢量序列，有时是此矢量的取值。

2.4 多维复合极值分布模型的理论推导及其误差估计

1980 年，Liu T. F. 和 Ma F. S. 建立了考虑台风频次及其影响下产生的飓风波高、风速、暴潮、增水、中心气压差等的复合极值分布(Compound Extreme Distribution，简称：CED)的显性表达式并成功地应用于波高统计分析中。此模型的计算结果与曲线大致相近；尤其是在资料年限较短、无法使用的情况下，本方法具有计算结果较稳定的优点，很适合我国海洋工程规划和设计的需要。

近几年，国内外科学工作者如 Coles 和 Tawn Smith(1991，1994)、史道济等针对多元极值分布的统计理论，做了大量研究工作。通过分别建立各变量的边缘分布和建立描述各变量之间相关性的相关模型将它们联系起来，得到多变量极值的联合概率分布。

特别地，1997 年史道济采用随机数模拟法进行了较为精确的求解，较为系统地探讨了多元极值理论，提出 Logistic 模型及嵌套 Logistic 模型的参数简化解法；又于 1999 年推导出该模型相关参数的显示表达式，使得模型的应用得以简化。

正是在 Liu T. F.、Coles 和 Tawn 以及史道济(1997，1999)等国内外科学工作者研究的基础上，本书建立了一个新的模型。此模型既考虑了在不同海区每年台风、飓风、寒潮大风出现的各不相同的频次，或由于海洋环境条件的随机性而构成的各年(或过阈)不同的最大荷载取样个数；又考虑了台风、飓风、寒潮大风出现影响下诱发的多种极端海况(风、浪、暴、潮、流)等因素。前者可构成一种离散型分布，后者又可用不同的多维极值分布表示，从而离散型分布和不同的多维极值分布可以构成一种新型的理论分布模型——三维复合极值分布模型。

由于本模型的离散型随机变量不仅是不同海区每年台风、飓风、寒潮大风出现的各不相同的频次，而且可以是海洋资料随机取样的资料数；而表示大风诱发的多种极端海况(风、浪、暴、潮、流)的连续型随机变量是即能反映相关结构，又能反映分层结构的 Nested-Logistic 模型，因此，它不单是单变量复合极值分布和多维极值概率模型的简单拓展，而是较以往的模型更完整地描述了极端海洋环境要素的概率特征，是既考虑海洋资料取样的随机性或大风出现的频次又考虑多种极值环境要素的联合作用、利用信息更充分的新的概率分布模型

本书将不同海区每年台风、飓风、寒潮大风出现的频次或海洋资料符合要求的随机取样的资料数与海洋环境极值要素二者综合考虑，应用测度论和随机点过程理论，推导出三维复合极值分布模型的显式表达式。

本书将在第 6 章分别给出离散型随机变量为由于海洋环境条件的随机性而构成的过阈最大荷载资料个数和为不同海区每年台风、飓风、寒潮大风出现的频次的几个工程应用算例，以便于更深的理解此模型的工程应用。

为建立模型时便于说明问题，下面赋予变量实际的工程含义。由于海洋资料获取的困难，针对本书后面的工程实例，在模型建立过程中，暂时将 ξ^* 或 ξ 取作波高，将 η^*,ζ^* 或 η,ζ 取作与波高“伴随”(Concomitant)的另外两个环境要素，例如，此处为风速和波周期，在实际问题应用中，ξ^*,η^*,ζ^* 或 ξ,η,ζ 取何变量，可根据具体的要求和数据资料来确定。至于三者在实际模型中的分层情况，可根据实测分析以及相应的函数表达式，通过其间的线性相关参数 r_{ij} $(i=1,2,3;j=1,2,3)$ 来判断各个变量之间的相关程度。具体的应用看后面章节的实际例子。

2.4.1 多维复合极值分布模型的理论推导

由于波浪本身的特点(如冰期、无浪的天气或波高大于某一阈值的天数，每年都不一样)，每年所选取的某海洋环境要素(如波高)的日过阈最大资料数或台风、飓风、寒潮大风在不同海区每年出现的频次不是一个常量而是一个离散型随机变量，设为 n。而在台风影响下形成的多种极端海况，如波高及其“伴随”的其他环境要素像风速和波周期等，又构成一种三元连续型概率分布。不妨设(ξ^*,η^*,ζ^*)为无台风年的过阈波高以及与之“伴随”的风速和波周期，(ξ,η,ζ)为在每次台风过程中出现的过阈波高及其伴随的风速及波周期，(X,Y,Z)为所选资料的最大波高及其“伴随”的风速及波周期。

定理 1 设随机向量$(\xi_1^*,\cdots,\xi_n^*)$及$(\xi,\cdots,\xi_n)$的分布函数分别为 $Q(x_1,\cdots,x_n)$及 $G(x_1,\cdots,x_n)$，$G(x_1,\cdots,x_n)$的联合概率密度函数存在，且为 $g(x_1,\cdots,x_n)$，将随机变量 ξ_1 的第 i 次独立观测值及其伴随的其余随机变量 ξ_i 记为$(\xi_{1i},\cdots,\xi_{ni})$，$i=1,2,\cdots$独立同分布，$N$ 为与ξ_{1i}^*,ξ_{1i}，$i=1,2,\cdots$皆独立的取值范围为非负整数的随机变量，其概率分布率记作

$$\begin{pmatrix} 0 & 1 & 2 & \cdots & i & \cdots \\ p_0 & p_1 & p_2 & \cdots & p_i & \cdots \end{pmatrix}$$

定义随机向量$(X_1,\cdots,X_n)$

$$(X_1,\cdots,X_n)=\begin{cases}(\xi_{1i}^*,\cdots,\xi_{ni}^*) & N=0\\ (\xi_{1i},\cdots,\xi_{ni}) \mid \xi_{1i}=\max\limits_{1\leqslant j\leqslant N}\xi_{1j} & N=1,2,\cdots\end{cases}$$

则$(X_1,\cdots,X_n)$的联合分布

$$F(x_1,\cdots,x_n)=p_0Q(x_1,\cdots x_n)+\sum_{i=1}^{\infty}p_i\cdot i\cdot\int_{-\infty}^{z}\int_{-\infty}^{y}\int_{-\infty}^{x}G_1^{i-1}(u)g(u,v,w)\mathrm{d}u\mathrm{d}v\mathrm{d}w \tag{2-33}$$

式中：$G_1(u_1)$是$G(x_1,\cdots,x_n)$的边际分布，即

$$G_1(u_1)=G(u_1,+\infty\cdots,+\infty)$$

证明

$$\begin{aligned}F(x_1,\cdots,x_n)&=P(X_1<x_1,\cdots,X_n<x_n)\\&=P(\bigcup_{i=0}^{\infty}\{X_1<x_1,\cdots,X_n<x_n\}\cap\{N=i\})\\&=\sum_{i=0}^{\infty}P(X_1<x_1,\cdots,X_n<x_n\mid N=i)\cdot P(N=i)\\&=\sum_{i=0}^{\infty}p_iP(X_1<x_1,\cdots,X_n<x_n\mid N=i)\\&=p_0\cdot Q(x_1,\cdots,x_n)+\sum_{i=1}^{\infty}p_i\cdot P(X_1<x_1,\cdots,X_n<x_n\mid N=i)\end{aligned}$$

其中：

$$\begin{aligned}&P(X_1<x_1,\cdots,X_n<x_n\mid N=i)\\&=P(\bigcup_{k=1}^{i}\{X_1<x_1,\cdots,X_n<x_n\}\cap\{\mathrm{Max}_{1\leqslant j\leqslant i}\xi_{1j}=\xi_{1k}\}\mid N=i)\\&=\sum_{k=1}^{i}P(\{X_1<x_1,\cdots,X_n<x_n\}\cap\{\mathrm{Max}_{1\leqslant j\leqslant i}\xi_{1j}=\xi_{1k}\}\mid N=i)\end{aligned}$$

$\xi_{1k}=\xi_{11}$，则有

$$\begin{aligned}&P(X_1<x_1,\cdots,X_n<x_n\mid N=i)\\&=iP(\{X_1<x_1,\cdots,X_n<x_n\}\cap\{\mathrm{Max}_{1\leqslant j\leqslant i}\xi_{1j}=\xi_{11}\}\mid N=i)\\&=i\cdot P(\xi_{11}<x_1,\cdots,\xi_{n1}<x_n,\xi_{11}>\xi_{1j},j=2,3,\cdots i\mid N=i)\\&=iE\left\{\prod_{K=1}^{n}I_{\{\xi_{1k}<x_k\}}(\omega)I_{\{\xi_{11}>\xi_{1j},j=2,3,\cdots i\}}(\omega)\,\middle|\,N=i\right\}\\&=iE\left\{E\left\{\prod_{K=1}^{n}I_{\{\xi_{1k}<x_k\}}(\omega)I_{\{\xi_{11}>\xi_{1j},j=2,3,\cdots i\}}(\omega)\right\}\,\middle|\,(\xi_{11}=U_1,\cdots,\xi_{n1}=U_n)\right\}\end{aligned}$$

$(U_1,\cdots,U_n)$与$(\xi_{11},\cdots,\xi_{n1})$独立同分布，其分布函数为$G(x_1,\cdots,x_n)$，则

$$P(X_1 < x_1, \cdots, X_n < x_n \mid N = i)$$
$$= iE\left\{\prod_{k=1}^{n} I_{\{U_k < x_k\}}(\omega) E\{I_{\{U_1 > \xi_{1j}, j=2,3,\cdots i\}}(\omega)\} \mid (\xi_{11} = U_1, \cdots, \xi_{n1} = U_n)\right\}$$
$$= iE\left\{\prod_{k=1}^{n} I_{\{U_k < x_k\}}(\omega) G_1^{i-1}(u)\right\}$$
$$= i \cdot \int_{-\infty}^{x_n} \cdots \int_{-\infty}^{x_1} G_1^{i-1}(u) \mathrm{d}G(u_1, \cdots, u_n)$$
$$= i \cdot \int_{-\infty}^{x_n} \cdots \int_{-\infty}^{x_1} G_1^{i-1}(u) g(u_1, \cdots, u_n) \mathrm{d}u_1 \cdots \mathrm{d}u_n$$

其中：

$$I_A = \begin{cases} 1, x \in A \\ 0, x \notin A \end{cases}$$

为 A 上的示性函数

$$F(x_1, \cdots, x_n) = p_0 Q(x_1, \cdots, x_n) + \sum_{i=1}^{\infty} p_i \cdot i \cdot \int_{-\infty}^{x_n} \cdots \int_{-\infty}^{x_1} G_1{}^{i-1}(u) g(u_1, \cdots, u_n) \mathrm{d}u_1 \cdots \mathrm{d}u_n$$

$$= F_0(x_1, \cdots, x_n) - p_0[1 - Q(x_1, \cdots, x_n)]$$
$$= F_0(x_1, \cdots, x_n) - \varepsilon(x_1, \cdots, x_n) \tag{2-34}$$

其中

$$F_0(x_1, \cdots, x_n) = p_0 + \sum_{i=1}^{\infty} p_i \cdot i \cdot \int_{-\infty}^{x_n} \cdots \int_{-\infty}^{x_1} G_1^{i-1}(u) g(u_1, \cdots, u_n) \mathrm{d}u_1 \cdots \mathrm{d}u_n$$
$$\varepsilon(x_1, \cdots, x_n) = p_0[1 - Q(x_1, \cdots, x_n)] \tag{2-35}$$

定理证毕。

定义 有一种一维离散型随机变量的概率分布律

$$\begin{pmatrix} 0 & 1 & 2 & \cdots & i & \cdots \\ p_0 & p_1 & p_2 & \cdots & p_i & \cdots \end{pmatrix}$$

有一种多维连续型随机变量的分布函数 $G(x_1, \cdots, x_n)$，其联合概率密度函数存在且为 $g(x_1, \cdots, x_n)$，$G_1(u)$ 是 $G(x_1, \cdots, x_n)$ 的边际分布，记

$$F_0(x_1, \cdots, x_n) = p_0 + \sum_{i=1}^{\infty} p_i \cdot i \cdot \int_{-\infty}^{x_n} \cdots \int_{-\infty}^{x_1} G_1^{i-1}(u) g(u_1, \cdots, u_n) \mathrm{d}u_1 \cdots \mathrm{d}u_n \tag{2-36}$$

称 $F_0(x_1, \cdots, x_n)$ 为这两种分布构成的多维复合极值分布。

一个好的模型必须具有以下两个特点。首先含概了已有模型不能解决的问题，其次对新模型进行简化后所得必为原有的基本模型。显然，(2-36)式在一维情况下简化为 Liu T. F. 和 Ma F. S. (1980)建立的考虑台风频次及其影响下产

生的波高的单变量的复合极值分布(Compound Extreme Distribution)的显性表达式

$$F_0(x)=\sum_{i=0}^{\infty}P_i\cdot i\cdot\int_{-\infty}^{x}G_x^{i-1}(u)g(u)\mathrm{d}u=\sum_{i=0}^{\infty}P_iG^i(x)_x \tag{2-37}$$

在二维情况下简化为已应用于我国东海嵊泗海区，进行风速和波高联合极值概率分析以及已应用于甲板标高设计的二维复合极值分布

$$F_0(x_1,x_2)=p_0+\sum_{i=1}^{\infty}p_i\cdot i\cdot\int_{-\infty}^{x2}\int_{-\infty}^{x1}G_1^{i-1}(u)g(u,v)\mathrm{d}u\mathrm{d}v \tag{2-38}$$

此时，离散型随机变量 n 为极端海况每年出现的次数，(ξ,η)为在每次极端海况中出现的某一环境要素最大值（如波高）以及与之“伴随”(Concomitant，即同时出现)的另一环境要素（如风速）。当离散型随机变量 n 和连续型随机变量 (ξ,η)确定以后，即可应用上述定理求解两环境要素（如风速和波高）的联合概率，从而推求出某一重现期的风速、波高联合设计值。另外，二维复合分布模型也可以用于洪水频率分析中洪峰和洪量以及洪量和洪水过程历时的二维分析。此时，n 为洪水频次，即每年洪峰超过某阈值的洪水过程发生的次数。

对于多维复合极值分布 $F_0(x_1,\cdots,x_n)$，可以看出它满足单调不减和右连续两个条件，而且 $F_0(+\infty,\cdots,+\infty)=1$，但 $F_0(-\infty,\cdots,-\infty)=p_0$，因而当 $P_0>0$ 时，它不再是一个完整的概率分布。但结合实际问题，实际上由于我们只关心 $F_0(x_1,\cdots,x_n)$接近于 1 时的性状，因此对其的“不完美”不必深究，它并不影响我们对问题的讨论。因为对于这个问题，从理论上讲，有其理论依据，为说明问题，以 $F_0(x,y,z)$为例证明之。令

$$F_n(x,y,z)=\begin{cases}1, & \text{其他}\\ 0, & x>-n,y>-n,z>-n\end{cases} \tag{2-39}$$

这是一个三维分布函数，即

$$P_n\{(\xi,\eta,\zeta)=(-n,-n,-n)\}=1 \tag{2-40}$$

这里 P_n 为对应 F_n 的概率测度，由定义知

$$\lim_{n\to\infty}F_n(x,y,z)=1\ ,(x,y,z)\in R^3$$

令

$$H_n(x,y,z)=p_0F_n(x,y,z)+\sum_{i=1}^{\infty}p_i\cdot i\cdot\int_{-\infty}^{z}\int_{-\infty}^{y}\int_{-\infty}^{x}G_1^{i-1}(u)g(u,v,w)\mathrm{d}u\mathrm{d}v\mathrm{d}w \tag{2-41}$$

这也是一个三维分布函数，且

$$\lim_{n\to\infty}H_n(x,y,z)=F_0(x,y,z) \tag{2-42}$$

即 $F_0(x,y,z)$ 是分布函数的极限。

2.4.2 误差估计

在实际应用中主要问题是给定一个设计频率 $P(P=1-R, 0<R<1, R=P(\xi<x,\eta<y,\zeta<z))$，求解

$$F(x,y,z)=R \tag{2-43}$$

记

$$T=\frac{1}{P}=\frac{1}{1-R}$$

式中：T 表示重现期。

若 (x_R,y_R,z_R) 满足方程 $F(x,y,z)=R$，则称 (x_R,y_R,z_R) 为 T 年一遇值。通常我们推求十年(或百年)一遇以上的特征值，即 $0.9\leqslant R\leqslant 1$(或 $0.99\leqslant R\leqslant 1$)；也就是说，$R$ 是有一个下限的。因而，求解方程(2-43)时常限定

$$R_0\leqslant R\leqslant 1 \tag{2-44}$$

下面的推论皆假定定理的条件是成立的。

推论 1　若 $p_0=0$，则 $F(x,y,z)=F_0(x,y,z)$

推论 2　如果 (ξ^*,η^*,ζ^*) 是有上限的，即 $P(\xi^*>x_{R_0},\eta^*>y_{R_0},\zeta^*>z_{R_0})=0$，记 $F(x_{R_0},y_{R_0},z_{R_0})=R_0$，在条件(2-44)下，方程(2-43)与方程

$$F_0(x,y,z)=R \tag{2-45}$$

同解。

推论 1 和推论 2 说明，我们求解 $F(x,y,z)=R$ 时，可以换成求解 $F_0(x,y,z)=R$，而不必过问 $Q(x,y,z)$ 的具体情况，从而使问题得到简化。

若推论 1、2 的条件皆不满足，则可通过推论 3 来估计以(2-45)式代替(2-43)式所引起的误差。下面先做一些讨论。

引理 1　设 $f(x)$是取值于$[0,1]$中的 R 上单调减函数，则存在形如

$$f_n(x)=\sum_{i=1}^{n}a_{ni}I_{B_{ni}}(x) \tag{2-46}$$

的简单函数 $f_n(x)$，使得

$$\lim_{n\to\infty}f_n(x)=f(x), x\in R \tag{2-47}$$

其中，$a_{ni}>0, i=1,2\cdots n$。$B_{ni}=(-\infty,b_{ni}\rangle, i=1,2\cdots n$。记号 $\rangle$ 表示区间端点可为开或闭。I 为 B_{ni} 上的示性函数。

证明　取 $a_{ni}=\frac{1}{n}, i=1,2\cdots n$，

$$B_{ni}=\left\{x: f(x)\geqslant\frac{i}{n}\right\} \tag{2-48}$$

由于 $f(x)$ 是单调减函数，$B_{ni}, i=1,2\cdots n$ 具有引理中所述形式，令

$$f_n(x)=\sum_{i=1}^{n}a_{ni}I_{B_{ni}}(x)$$

则

$$|f(x)-f_n(x)|\leqslant\frac{1}{n},i=1,2\cdots n \tag{2-49}$$

所以

$$\lim_{n\to\infty}f_n(x)=f(x),x\in R$$

证毕。

引理 2 设 (ξ,η,ζ) 的分布函数为 $G(x,y,z)$，若对任意给定的 $(y,z)\in R^2$，$F_{2,3}(y,z\quad x)$ 是 x 的单调降函数，则

$$i\cdot\int_{-\infty}^{z}\int_{-\infty}^{y}\int_{-\infty}^{x}G_1^{i-1}(u)\mathrm{d}G(u,v,w)\leqslant\int_{-\infty}^{z}\int_{-\infty}^{y}\int_{-\infty}^{x}\mathrm{d}G(u,v,w)=G(x,y,z) \tag{2-50}$$

对一切 $(x,y,z)\in R^3,k\geqslant 1$ 成立。式中 $G_1(u)$ 是 $G(x,y,z)$ 的边际分布，即

$$G_1(u)=G(u,+\infty,+\infty)$$

证明

$$\begin{aligned}
&i\int_{-\infty}^{z}\int_{-\infty}^{y}\int_{-\infty}^{x}G_1^{i-1}(u)\mathrm{d}G(u,v,w)\\
&=EI_{(-\infty,x)}(\xi)I_{(-\infty,y)\times(-\infty,z)}(\eta,\zeta)iG_1^{i-1}(\xi)\\
&=E\{E\cdot I_{(-\infty,x)}(\xi)I_{(-\infty,y)\times(-\infty,z)}(\eta,\zeta)iG_1^{i-1}(\xi)\,|\,\xi\cdot\cdot\\
&=E\cdot I_{(-\infty,x)}(\xi)iG_1^{i-1}(\xi)E\cdot I_{(-\infty,y)\times(-\infty,z)}(\eta,\zeta)\,|\,\xi\cdot\cdot\\
&=E\cdot I_{(-\infty,x)}(\xi)iG_1^{i-1}(\xi)F_{2,3}(y,z\,|\,\xi)\cdot\\
&=\int_{-\infty}^{x}iG_1^{i-1}(u)F_{2,3}(y,z\,|\,u)\,\mathrm{d}G_1(u)
\end{aligned}$$

因为对任意给定的 $(y,z)\in R^2$，$F_{2,3}(y,z\quad x)$ 是 x 的单调降函数，且由引理 1 知存在

$$f_n(u)=\sum_{i=1}^{n}a_{ni}I_{B_{ni}}(u)$$

使得

$$F_{2,3}(y,z\quad u)=\lim_{n\to\infty}f_n(u)$$

$B_{ni}=(-\infty,b_{ni}\rangle,i=1,2\cdots n$，注意 b_{ni} 与 y,z 有关，代入上式，再根据控制收敛定理有

$$\int_{-\infty}^{x}iG_1^{i-1}(u)F_{2,3}(y,z\,|\,u)\,\mathrm{d}G_1(u)=\int_{-\infty}^{x}iG_1^{i-1}(u)\lim_{n\to\infty}f_n(u)\mathrm{d}G_1(u)$$

$$=\lim_{n\to\infty}\int_{-\infty}^{x} iG_1^{i-1}(u)f_n(u)\mathrm{d}G_1(u)$$

$$=\lim_{n\to\infty}\int_{-\infty}^{x} iG_1^{i-1}(u)\sum_{i=1}^{n}a_{ni}I_{B_{ni}}(u)\mathrm{d}G_1(u)$$

$$=\lim_{n\to\infty}\sum_{i=1}^{n}a_{ni}\int_{-\infty}^{x} iG_1^{i-1}(u)I_{B_{ni}}(u)\mathrm{d}G_1(u)$$

$$=\lim_{n\to\infty}\sum_{i=1}^{n}a_{ni}\int_{-\infty}^{\min(x,b_{ni})} iG_1^{i-1}(u)\mathrm{d}G_1(u)$$

对任意常数 c

$$\int_{-\infty}^{c} iG_1^{i-1}(u)\mathrm{d}G_1(u)=G_1^i(u)\Big|_{-\infty}^{c}=G_1^i(c)\leqslant G_1(c)=\int_{-\infty}^{c}\mathrm{d}G_1(c)$$

注意到 $a_{ni}>0, i=1,2\cdots n$，所以有

$$\int_{-\infty}^{c}\mathrm{d}G_1(c)\leqslant\lim_{n\to\infty}\sum_{i=1}^{n}a_{ni}\int_{-\infty}^{\min(x,b_{ni})}\mathrm{d}G_1(u)$$

$$=\lim_{n\to\infty}\int_{-\infty}^{x}\sum_{i=1}^{n}a_{ni}I_{B_{ni}}(u)\mathrm{d}G_1(u)$$

$$=\lim_{n\to\infty}\int_{-\infty}^{x}f_n(u)\mathrm{d}G_1(u)$$

$$=\int_{-\infty}^{x}F_{2,3}(y,z\,|\,u)\,\mathrm{d}G_1(u)$$

$$=\int_{-\infty}^{z}\int_{-\infty}^{y}\int_{-\infty}^{x}\mathrm{d}G(u,v,w)$$

$$=G(x,y,z)$$

证毕。

推论 3 如果对一切 x 都有 $P(\xi^*<x)\geqslant P(\xi<x,)$ 成立，记

$$F(x_R,y_R,z_R)=R, F_0(x'_R,y'_R,z'_R)=R, F(x'_R,y'_R,z'_R)=R',$$

$$T=\frac{1}{1-R}, T'=\frac{1}{1-R'},$$

则有

$$(1-p_0)T\leqslant T'\leqslant T \tag{2-51}$$

证明 由

$$F(x,y,z)=F_0(x,y,z)-p_0[1-Q(x,y,z)]\leqslant F_0(x,y,z)$$

故 $R\geqslant R'$，即 $T\geqslant T'$，(2-51)式右半边得证。

由 $P(\xi^*<x)\geqslant P(\xi<x,)$，得

$$Q(x,y,z)=P(\xi^*<x,\eta^*<y,\zeta^*<z)$$

$$=P(\zeta^*<z\quad\xi^*<x,\eta^*<y)P(\eta^*<y\quad\xi^*<x)P(\xi^*<x)$$

$$G(x,y,z)=P(\xi<x,\eta<y,\zeta<z)$$
$$=P(\zeta<z\quad\xi<x,\eta<y)P(\eta<y\quad\xi<x)P(\xi<x)$$

在条件 $P(\xi^*<x)\geqslant P(\xi<x,)$ 下,根据工程水文背景,有

$$Q(x,y,z)\geqslant G(x,y,z)$$

由引理 2

$$F(x,y,z)=p_0Q(x,y,z)+\sum_{i=1}^{\infty}p_i\cdot i\cdot\int_{-\infty}^{z}\int_{-\infty}^{y}\int_{-\infty}^{x}G_1^{i-1}(u)\mathrm{d}G(u,v,w)$$
$$\leqslant p_0Q(x,y,z)+\sum_{i=1}^{\infty}p_iG(x,y,z)$$
$$\leqslant p_0Q(x,y,z)+\sum_{i=1}^{\infty}p_iQ(x,y,z)$$
$$=(p_0+\sum_{i=1}^{\infty}p_i)Q(x,y,z)$$
$$=Q(x,y,z)$$

由式(2-34)

$$R'=F(x'_R,y'_R,z'_R)=F_0(x'_R,y'_R,z'_R)-p_0[1-Q(x'_R,y'_R,z'_R)]$$
$$\geqslant R-p_0[1-F(x'_R,y'_R,z'_R)]=R-p_0[1-R']$$

亦即

$$R'\geqslant\frac{R-p_0}{1-p_0}$$

因而

$$T'=\frac{1}{1-R'}\geqslant\frac{1}{1-\dfrac{R-p_0}{1-p_0}}=(1-p_0)T$$

得式(2-51)左半不等式,推论证毕。

可见,只要随机变量 ξ^* 比 ξ“小”[即 $P(\xi^*<x)\geqslant P(\xi<x,)$],用(2-45)式代替(2-43)式,只是使解出的重现期最多偏小 p_0 倍。在实际问题中,常见的 Poisson 分布或二项分布中的 p_0 都是较小的。以 Poisson 分布为例,当 $\lambda=3$ 时,重现期偏差最大为 5%;$\lambda=4$ 时,为 1.8%;$\lambda=5$ 时,为 0.67%。对二项分布而言,p_0 就更微不足道了。

在(2-36)中式,p_i,G_i 和 $g(x_1,\cdots,x_n)$分别取不同的具体形式,则得到多维复合极值分布模型的不同的表达形式。此模型可分别应用于推算百年一遇的设计波高和风速、海流速以及平台甲板标高设计值等,对 API 中多年未解决的研究课题做了开拓性的铺垫,也对美国固定式平台设计规范(API)某些含糊不清的规定提供了确定的计算方法和合理的设计标准。

多维复合极值分布模型,除可在海洋工程中获得广泛应用外,在防洪工程设计中的洪峰、洪量和洪水历时的联合概率分析中也能得到应用。推广这一模式的应用,将给工程设计的安全、经济效益带来重要改进。

海洋环境条件的复杂性和重要性,决定了解决有关它的问题一直是人们关注的对象,以便于更好地造福于人类。论文中建立的多维复合极值分布模型以及文中介绍的国内外的其他相应问题的解决方法,都不同程度地解决了海洋环境多荷载问题;联合概率法突出了通过数值计算而得到模拟的结果,不涉及相关关系的模型概念;变量构造法充分利用了结构的自身特点和一元极值理论;而多元极值理论则突出分析了变量之间的相关关系,其优越性越来越引起更多人的关注,在国内它的具体应用还是空白;而多维复合极值分布模型既有联合概率法和多元极值理论的特点,又涵盖了更广的随机的不确定因素,因此多维复合极值分布模型在目前的近海及海岸工程中有着广阔的应用前景,如在河口城市防洪问题上考虑多元极值综合作用的效果时,若采用多维复合极值分布模型,必将为工程界处理多元极值问题提供非常好的方法。

2.5 小结

(1) 本书针对国内外学术界和国际海洋工程界对海岸和近海工程中风、浪、流联合概率出现的极端海况这个热点问题,在国内外科学工作者大量研究工作的基础上,以测度论为基础,在严谨的数学理论基础上,建立了一个由离散型随机变量和一个多维连续型随机变量构成的一种新型的理论分布模型——多维复合极值分布模型。

(2) 模型中的离散型随机变量,可以是不同海区每年台风、飓风、寒潮大风出现的各不相同的频次,也可以是海洋资料取样的随机性,而模型中的多维连续型随机变量是由于台风(飓风)影响所产生的灾害性海洋环境条件,即相应的特征值(如波高、风速、风暴潮、周期等)的概率分布。

(3) 该模型以便于工程界应用的显示表达式给出。由于新模型涵盖了原有的 LiuD.F 等科学家提出的一元复合极值分布理论,同时,书中的多维连续型随机变量是三维 Nested-Logistic 分布,其明显的优点就是相关结构的非对称性,这种非对称结构更符合实际工程上多荷载的相关关系。

(4) 在连续观测资料较短的情况下,可通过适当的选取阈值来扩充样本资料,更有效地利用昂贵的实测资料。由于此模型考虑了阈值选取的随机性,故一定程度上有效地克服了以往阈值选取时过多的人为因素,从而使结果具有一定的独立性。

(5) 由于该模型考虑的是灾害性海洋环境条件下的极端海况，因此克服了联合概率法只讨论一般变量的联合、没有突出工程敏感的恶劣环境——极值的联合分布和不涉及相关关系的弊端。

(6) 不同工程往往需采取不同的计算方法，这会引起一定的计算误差。本书从测度论的角度，用严密的数学推理，给出了用于误差估计的两个引理，推导出用于误差估计的三个推论。

(7) 为便于理解，在推导建立模型的过程中，连续型随机变量均以三维为例，对三维以上的随机变量也有相类似的结论。

参考文献

[1] 刘光文. 皮尔逊 MI 型分布参数估计[J]. 水文，1990 (4)：5.

[2] 黄振平. 水文统计原理[M]. 南京：河海大学出版社，2002.

[3] 金光炎. 水文频率分析述评[J]. 水科学进展 1999，10(3).

[4] 李松仕. 几种频率分布线型对我国洪水资料适应性的研究[J]. 水文，1984 (1).

[5] 黄振平，王春霞，马军建. P-Ill 型分布的适应性与水文设计值的误差分析[J]. 水文，Vol.2002 22(5)：21-24.

[6] I. D. Morton，J. Bowers，G. Mould. Estimation Return Period Wave Heights and Wind Speeds Using A Seasonal Point Process Model，Coastal Engineering 31，1997，305-326.

[7] Haring，R. E. and J. C. Heideman. Gulf of Mexico Rare Wave Return Periods. OTC 3230，Offshore Technology Conferenc，Houston，Teexas，1978.

[8] T. F. Liu. "Long Ter Distributions of Hurrican Characteristics. Offshore Technology Conference 4325：305-313.

[9] Feller，W. 1957. An Introduction to Probability Theory and its Applications，1982，2nd edn，Vol. 1. John Willey，New York.

[10] Liu，T. F.，Ma，F. S. Prediction of Extreme Wave Heights and Wind Velocities. Journal of the Waterway Port Coastal and Ocean Division，ASCE，1980. 106(4)：469-479.

[11] Liu Defu，Li huajun，Wen Shuqin，Song Yan，Wang Shuqing . Prediction of Extreme Significant Wave Height from Daily Maxima. China Ocean Engineering，2001，15(1)：97-106.

[12] Galambos, J The Asymptotic Theory of Extreme Order Statistics(2nd edn.), 1987, Krieger.

[13] Leadbette, M. R, Lindgren, G. and Rootzen, H., Extreme and Related Properties of Random Sequences aod Series, 1983, Spriger Verlag.

[14] Resnick, S. I., Extreme values: Point Processes and Regular Variation, 1987, Springer Verlag.

[15] Tawn, J. A., Bivariate Extreme Valuc Theory-Models and Estimation, Biometeika, 1988, 75, 397-415. 1988, 75, 391-415.

[16] Tawn, J. A., Modelling Multivariate Extreme Value Distribution, Biometrika, 1990, 77, 245-253.

[17] Smith, R. L., Tawn, J A. and Yuen, H. K. Statjitics of Multivariate Extreme Internat, statist. Review, 1990, 58, 47-58.

[18] J. ATawn. Bivariate extreme value theory: models and estimation. Biometric, 1988, Vol. 75, No. 3, pp397-415.

[19] S. G Coles and J. ATawn. Modelling Extreme Multivariate Events. J. R. Statist. Soc. B, 1991, Vol. 53, No. 2, pp377-392.

[20] J. ATawn. Modelling Multivariate Extreme Value Distributions. Biometrika, 1990, Vol. 77, No. 2, pp245-253.

[21] R. L Smith, J. ATawn, Yuen H K. Statistics of Multivariate Extremes. Int. Statist. Inst. Rev. 1990, Vol. 58, No. 1, pp 47-58.

[22] Stuart Coles, An Introduction to Statistical Modeling of Extreme Values, Springer, 2001.

[23] S. G Coles and J. ATawn. Statistical methods for extreme values. A Course Presented at the 1998 RSS conference. Strathdyde, September, 1998.

[24] SNadarajah, C W Anderson and J. A Tawn. Ordered Multivariate Extremes. J. R. Statist. Soc. B, 1998, Vol. 60, No. 2, pp473-496.

[25] S. G Coles and J. ATawn. Modelling Extremes of the Areal Rainfall Process. J. R. Statist. B, 1996, Vol. 58, No. 2, pp329-347.

[26] S. G. Coles and J. A Tawn., Statistics of Coastal Flood Prevention. Phil. Trans. R, Soc. A, 1990, Vol. 332, pp457-476.

[27] ShiDaoji, Multivariate Extreme Value Distribution and Its Fisher Information Matrix, Acta Mathematical Application Sinica, 1995, Vol. 11, No. 4, pp421-428.

[28] ShiDaoji, Fisher Information for a Multivariate Extreme Value Distribution, Biometrika, 1995, Vol. 82, No. 3, pp644-649.

[29] Haan, L. de, Extremes in Higher Dimensions: the Model and Some Statistics, Proceedings of the 45-th Session of the I. S. I. (Amsterdam), 1985, Paper 263-270.

[30] Tiago de Oliveira, J., Bivariate Model for Extreme, In Statistical Extreme and Application, Reidel, Dordrecht, 1984, 131-153.

[31] Pickands, J., Multivariate Extreme Value Distribution, Proc. 43-rd Session I. S. I. (Buenos, Aries), 1981, 859-878.

[32] Zachary S, Feld G, Ward G, et al. Multivariate extrapolation in the offshore environment. [J]Applied Ocean Research, 1998: 273-295.

[33] Jonathan ATawn. Modelling multivariate extreme value distributions[J]. Biometrika, 1990, 77(2): 245-253.

[34] Stuart G Coles and Jonathan ATawn. Modelling extreme multivariate events[J]. J. R. Statist. Soc. B, 1991, 53(2): 377-392.

[35] Stuart G Coles and Jonathan ATawn. Statistical methods for multivariate extremes: an application to structural design[J]. Appl. Statist., 1994, 43(1): 1-48.

[36] Gumbel E J. Distributions devaleurs extrêmes en plusieurs dimensions [J]. Publ. Inst. Statist. Paris, 1960, 9: 171-173.

[37] Joe H. Families of min-stable multivariate exponential and multivariate extreme value distributions[J]. Statist. Probab. Lett., 1989, 9: 75-82.

[38] R L Smith, Tawn J A, Yuen H K. Statistics of multivariate extremes[J]. Int. Statist. Inst. Rev., 1990, 58(1): 47-58.

[39] McFadden D. Modelling the choice of residential location[R]. In Spatial Interaction Theory and Planning Models, Amsterdam: North-Holland. 1978: 75-96.

[40] Stuart G Coles and Jonathan ATawn. Statistical methods for extreme values[A]. A course presented at the 1998 RSS conference. Strathdyde, September, 1998.

[41] M Isabel Barão and Jonathan ATawn. Extremal analysis of short series with outliers: sea-levels and athletics records[J]. Appl. Statist., 1999, 48(4): 469-187.

[42] ShiDaoji. Moment estimation for multivariate extreme value distribution

[J]. Appl. Math. -JCU，1995，10B：61-68.

［43］ ShiDaoji. Multivariate extreme value distribution and its Fisher information matrix[J]. Acta mathematical application Sinica，Oct.，1995a，11(4)：421-428.

［44］ ShiDaoji. Moment estimation for multivariate extreme value distribution [J]. Appl. Math. -JCU，1995b，10B：61-68.

［45］ ShiDaoji. Fisher information for a multivariate extreme value distribution [J]. Biometrika，1995c，82(3)：644-649.

［46］ 史道济，阮明恕，王毓娥. 多元极值分布随机向量的抽样方法[J]. 应用概率统计，1997. 2，13(1)：75-80.

［47］ Shi Dao-ji. Moment estimation for multivariate value distribution in a nested Logistic model [J]. Ann. Inst. Statist. Math，1999，51(2)：253-264.

第3章 多维复合极值分布实用模型

极端波况的估计密切关系到海岸和离岸工程项目设计的安全性和经济性，故其研究日益受到重视(如 Department of Energy，1990；Coles and Tawn，1994；Moronc et al.，1997；Guedes Soares and Scotto，2001；Wang and Dong，1998；Xia and Li，2001)。典型设计对极端波况要求以 N 年重现期有效波高表示，在我国一般称为多年一遇波高。这里重现期指波高超过指定(高)值，即阈值的平均时间间隔(年)。工程地点多年一遇波高的估计需要有一系列极值(月极值年极值等)波高作为估计的数据基础。海洋资料反映了海洋要素空间分布和时间变化的重要信息，是海洋科学研究、开发利用、环境保护和环境预测的基础和依据。在我们获取了昂贵的海洋资料后，我们的工作是根据工程的需要，对海洋动力因素(浪、潮、流和风等)与各种海上建筑物的相互作用，风、浪、流、水位的联合分布，极端环境要素的计算方法，设计环境参数的合理确定及风-浪-流-潮耦合预(后)报模式等领域进行研究。这些既立足于传统领域，又涵盖新的前沿课题的研究，目前尚有许多基础性的理论问题有待进一步解决。

在第 2 章中已提及，当(2-36)式中 P_i，G_1 和 $g(x_1,\cdots,x_n)$分别取不同的具体形式，可得到多维复合极值分布模型不同的显示表达式。Poisson 分布是台风等特殊天气过程出现频次 n 最常见的分布形式[1][2]。本节将给出离散型分布为 Poisson 分布，而连续性随机变量为不同分布时的多维复合极值分布模型的几种显示表达形式。

3.1 Poisson-Nested-Logistic 复合极值分布模型

Poisson 分布是离散型随机变量中最常见的分布。假设日过阈最大波高资料数或某海域台风发生的频次 n 服从 Poisson 分布

$$P_i = \frac{e^{-\lambda}\lambda^i}{i\,!}$$

式(2-36)化为

$$F_0(x_1,\cdots,x_n)=e^{-\lambda}+\int_{-\infty}^{x_n}\cdots\int_{-\infty}^{x_1}\sum_{i=1}^{\infty}\frac{e^{-\lambda}\lambda^i}{i!}iG_1(u_1)^{i-1}g(u_1,\cdots,u_n)\mathrm{d}u_1\cdots\mathrm{d}u_n$$

令 $m=i-1$，则有

$$F_0(x_1,\cdots,x_n)=e^{-\lambda}+\int_{-\infty}^{x_n}\cdots\int_{-\infty}^{x_1}\sum_{m=0}^{\infty}\frac{e^{-\lambda}\lambda^m}{m!}G_1(u_1)^m\lambda g(u_1,\cdots,u_n)\mathrm{d}u_1\cdots\mathrm{d}u_n$$

$$=e^{-\lambda}\left(1+\lambda\int_{-\infty}^{x_n}\cdots\int_{-\infty}^{x_1}e^{\lambda\cdot G_1(u_1)}g(u_1,\cdots,u_n)\mathrm{d}u_1\cdots\mathrm{d}u_n\right) \tag{3-1}$$

其概率密度函数为

$$f(x_1,\cdots,x_n)=\lambda e^{-\lambda[1-G_1(x_1)]}g(x_1,\cdots,x_n) \tag{3-2}$$

式(3-1)中，$g(x_1,\cdots,x_n)$可以是任何一种多维连续型分布，当$g(x_1,\cdots,x_n)$为 Logistic 分布时即构成 Poisson-Logistic 多维复合极值分布模型。d 元 Logistic 极值分布的分布函数为式(2-25)；当$g(x_1,\cdots,x_n)$为 Nested-Logistic 分布时即构成 Poisson-Nested-Logistic 多维复合极值分布模型，多元 Nested-Logistic 模型表达式为式(2-32)。

由于 Nested-Logistic 模型自身的优越性，众多工程设计者认为用它来解决历来难以解决的有相关性的多元极值分布问题，有较大的潜力。1999 年史道济给出了 Nested-Logistic 模型的参数简化解法，为工程界应用多元极值模型提供了理论依据，但是将上述模型应用于工程领域在国内还鲜有报道，

下面对具体的三维 Nested-Logistic 模型的显式形式，式(3-1)、式(3-2)即

$$F_0(x_1,x_2,x_3)=e^{-\lambda}\left(1+\lambda\int_{-\infty}^{x_3}\int_{-\infty}^{x_2}\int_{-\infty}^{x_1}e^{\lambda\cdot G_1(u)}g(u,v,w)\mathrm{d}u\mathrm{d}v\mathrm{d}w\right) \tag{3-3}$$

$$f(x_1,x_2,x_3)=\lambda e^{-\lambda[1-G_1(x)]}g(x_1,x_2,x_3) \tag{3-4}$$

下面给出 Poisson-Nested-Logistic 三维复合极值分布模型的显示表达式，记

$$s_j=\left(1+\xi_j\frac{x_j-\mu_j}{\sigma_j}\right)^{-\frac{1}{\xi_j}}$$

$j=1,2,3$，这样，(2-32)式简化为

$$G(x_1,x_2,x_3)=\exp\{-[(s_1^{\frac{1}{(\alpha\beta)}}+s_2^{\frac{1}{(\alpha\beta)}})^{\beta}+s_3^{\frac{1}{\alpha}}]^{\alpha}\} \tag{3-5}$$

密度函数为

$$g(x_1,x_2,x_3)=\frac{\partial^3 G}{\partial x_1\partial x_2\partial x_3}=\frac{1}{\sigma_1\sigma_2\sigma_3}e^{-u}u^{1-2/\alpha}v^{1/\alpha-2/\alpha\beta}s_1^{1/(\alpha\beta)-\xi_1}s_2^{1/(\alpha\beta)-\xi_2}s_3^{1/\alpha-\xi_3}Q \tag{3-6}$$

其中

$$v=(s_1^{\frac{1}{(\alpha\beta)}}+s_2^{\frac{1}{(\alpha\beta)}})^{\alpha\beta}$$

$$u=[(s_1^{\frac{1}{(\alpha\beta)}}+s_2^{\frac{1}{(\alpha\beta)}})^{\beta}+s_3^{\frac{1}{\alpha}}]^{\alpha}=(v^{\frac{1}{\alpha}}+s_3^{\frac{1}{\alpha}})^{\alpha}$$

$$Q=\left(\frac{v}{u}\right)^{1/\alpha}Q_3(u;\alpha)+\frac{1-\beta}{\alpha\beta}Q_2(u;\alpha)$$

$$Q_2(u;\alpha)=u+\frac{1}{\alpha}-1$$

$$Q_3(u;\alpha)=u^2+3\left(\frac{1}{\alpha}-1\right)u+\left(\frac{1}{\alpha}-1\right)\left(\frac{2}{\alpha}-1\right)$$

特别当 $\beta=1$，即 Logistic 模型下的三元极值分布密度函数为

$$g^*(x_1,x_2,x_3)=\frac{\partial^3 G^*}{\partial x_1\partial x_2\partial x_3}=\prod_{i=1,2,3}\frac{s_i^{1/\alpha-\xi_i}}{\sigma_i}u^{1-3/\alpha}Q_3(u;\alpha)e^{-u}$$

这样，Poisson- Nested-Logistic 三维复合极值分布模型成为显式形式，根据第 2 章的讨论分析，尤其是相关结构的确定，即可依据非齐次 Poisson 分布特点，应用多元极值模型进行分析和计算。通过对边缘分布参数和相关参数的分别估计，可确定该模型的具体表达式。它结构简单，应用方便，既考虑了资料取样的随机性或台风发生的频次，又考虑了三种环境荷载下的最不利遭遇组合，同时涉及两个相关参数，涵盖了变量之间相关的不对称性。三个变量的分层结构(α 为外层，β为内层)表明 x_1,x_2 之间比 x_1,x_3 和 x_2,x_3 之间有着更强的相关性。

3.2 Poisson-Mixed-Gumbel 复合极值分布模型

在二元情况下，公式(3-1)化为

$$F_0(x,y)=e^{-\lambda}\left[1+\lambda\int_{-\infty}^{y}\int_{-\infty}^{x}e^{\lambda G_x(u)}g(u,v)\mathrm{d}u\mathrm{d}v\right] \tag{3-7}$$

其概率密度函数为

$$f(x,y)=\lambda e^{-\lambda[1-G_x(x)]}g(x,y) \tag{3-8}$$

当 $g(x,y)$ 为 Mixed-Gumbel 分布时即构成 Poisson-Mixed-Gumbel 复合极值分布模型。Mixed-Gumbel 分布最早是由 Gumbel 提出的[3]，其分布函数表达式为

$$G(x,y)=G(x)G(y)\exp\left\{-\theta\left[\frac{1}{\ln G(x)}+\frac{1}{\ln G(y)}\right]^{-1}\right\},(0\leqslant\theta\leqslant 1) \tag{3-9}$$

$G(x)$和 $G(y)$分别为随机变量 X 和 Y 的边缘分布：

$$G(x)=\exp[-\exp(-A_x(x-B_x))]$$

$$G(y)=\exp[-\exp(-A_y(x-B_y))]$$

$$\theta=2\left[1-\cos\left(\pi\sqrt{\frac{\rho}{6}}\right)\right]$$

式中：$0\leqslant\rho\leqslant 2/3$，$\rho$ 是 X 和 Y 的线性相关系数

$$\rho = \frac{E[(X-\mu_x)(Y-\mu_y)]}{\sigma_x\sigma_y}$$

Mixed-Gumbel 分布的联合概率密度函数为

$$g(x,y)=\frac{1}{\alpha_x\alpha_y}G(x,y)e^{-c}\cdot\left\{1-\theta\frac{e^{2A_x(x-B_x)}+e^{2A_y(y-B_y)}}{d^2}+2\theta\frac{e^{2c}}{d^3}+\theta^2\frac{e^{2c}}{d^4}\right\} \tag{3-10}$$

其中$(0\leqslant\theta\leqslant1)$，$c=A_x(x-B_x)+A_y(y-B_y)$；$d=e^{A_x(x-B_x)}+e^{A_y(y-B_y)}$。将上式代入(3-7)，即得 Poisson-Mixed-Gumbel 复合极值分布模型。

3.3 Poisson- Logistic 复合极值分布模型

在公式(3-7)中，当 $g(x_1,x_2)$ 为 Logistic 分布

$$G(x_1,x_2)=\exp\left\{-\left[\left(1+\xi_1\frac{x_1-\mu_1}{\sigma_1}\right)^{-\frac{1}{\alpha\xi1}}+\left(1+\xi_2\frac{x_2-\mu_2}{\sigma_2}\right)^{-\frac{1}{\alpha\xi2}}\right]^{\alpha}\right\}$$

时构成 Poisso-Logistic 二维复合极值分布模型。二维 Logistic 模型的概率分布密度为

$$g(x_1,x_2)=\frac{1}{\sigma_1\sigma_2}e^{-u}u^{1-2/\alpha}s_1{}^{1/\alpha-\xi1}s_2{}^{1/\alpha-\xi2}Q_2(u,\alpha)$$

$$u=(s_1{}^{\frac{1}{\alpha}}+s_2{}^{\frac{1}{\alpha}})^{\alpha}$$

$$s_j=\text{-}1+\xi_j\frac{x_j-\mu_j}{\sigma_j}\text{-}^{-\frac{1}{\xi j}},\quad j=1,2$$

$$Q_2(u;\alpha)=u+\frac{1}{\alpha}-1$$

代入式(3-7)，得 Poisson-Logistic 复合极值分布模型。

二元 Logistic 模型本身已有较多的应用，如 Tawn[4]、Oakes、Manatunga[5]、Shi[6]、Shi、Smith、Coles[7]等。但它基于阈值法的边缘分析以及多元分析时的阈值选取带有很大的任意性。然而，Poisson-Logistic 复合极值分布模型从取样上克服了这一弊端，它选取独立过程极大值作为子样，使得人为操作带来的误差大大减小。

从上述模型的推导过程及其显示表达式以及 Nested-Logistic 分布函数的性质，可看出样三元 Poisson-Nested-Logistic 复合极值分布模型具有其他前面所述模型所没有的许多优点。它既考虑了海洋资料取样的随机性或大风出现的频次，又考虑了多种极值环境要素的联合作用，是利用信息更加充分的新的概率分布模型。在考虑各种随机信息的同时，又通过海洋环境要素极值的联合概率分布，给出了各种海洋环境要素之间极值发生随机性和相关性的最完整的概率信

息，是结构可靠度分析和设计最合理的荷载概率模型；特别是在连续观测资料较短的情况下，该模型也能给出较为合理的海洋环境极值要素的估计结果。

特别值得指出的是，随着工程需要的不同，离散型随机变量不仅可以是不同海区每年台风、飓风、寒潮大风出现的频次，或海洋资料取样的随机性引起的随机取样个数，实际上可根据具体的工程设计要求，根据需要设定变量的含义；而多元连续型概率分布也可以是根据需要选定的具有不同海洋背景的海洋环境要素，也就是说，虽然本书中的三维复合极值分布模型是由不同海区每年台风、飓风、寒潮大风出现的各不相同的频次，或由于海洋环境条件的随机性而构成的各年(或过阈)不同的最大荷载取样个数和海洋环境要素极值的联合概率分布推导出的，但此模型并不仅仅应用于此。随着工程建设和发展的需要以及多元极值理论的完善，此模型可根据实际需要扩展到更高阶的维数，由此可见此模型的工程应用空间将会非常巨大。

3.4　小结

对第 2 章推导出的三维复合极值分布模型，给出了三个具体的显示表达式以便于工程应用：

a. Poisson-Nested-Logistic 复合极值分布模型。

b. Poisson-Mixed-Gumbel 复合极值分布模型。

c. Poisson-Logistic 复合极值分布模型。

公式中的离散型随机变量不仅可以是不同海区每年台风、飓风、寒潮大风出现的频次或海洋资料取样的随机性引起的随机取样个数，实际上可根据具体的工程背景，根据需要赋予变量不同的实际含义，且此模型可根据实际需要扩展到更高阶的维数，因此模型的工程应用空间将会非常巨大。

为便于后面章节应用时查阅，现将公式集中罗列如下：

d. 边缘分布即一元复合极值分布函数表达式为

$$F_i(x_i)=e^{-\lambda[1-G_i(x_i)]}$$

$$G_i(x_i)=\exp\left[-\left(1+\xi_i\frac{x_i-\mu_i}{\sigma_i}\right)_+^{-\frac{1}{\xi_i}}\right]$$

其中，$y_+=\max(0,y)$。

e. 二元复合极值分布函数表达式为

$$F_{ij}(x_i,x_j)=e^{-\lambda}\left[1+\lambda\int_{-\infty}^{x_j}\int_{-\infty}^{x_i}e^{\lambda\cdot G_i(u)}g(u,v)\mathrm{d}u\,\mathrm{d}v\right]$$

$$g(x_1,x_2)=\frac{1}{\sigma_1\sigma_2}e^{-u}u^{1-2/\alpha}s_1{}^{1/\alpha-\xi_1}s_2{}^{1/\alpha-\xi_2}Q_2(u,\alpha)s_j$$

$$= \left[1+\xi_j \frac{x_j-\mu_j}{\sigma_j}\right]^{-\frac{1}{\xi_j}}, \quad j=1,2$$

$$u=(s_1{}^{\frac{1}{\alpha}}+s_2{}^{\frac{1}{\alpha}})^{\alpha}$$

$$Q_2(u;\alpha)=u+\frac{1}{\alpha}-1$$

f. 三元复合极值分布函数表达式为

$$F_0(x_1,x_2,x_3)=e^{-\lambda}\left(1+\lambda\int_{-\infty}^{x3}\int_{-\infty}^{x2}\int_{-\infty}^{x1}e^{\lambda\cdot G_1(u)}g(u,v,w)\mathrm{d}u\,\mathrm{d}v\,\mathrm{d}w\right)$$

$$g(x_1,x_2,x_3)=\frac{1}{\sigma_1\sigma_2\sigma_3}e^{-u}u^{1-2/\alpha}v^{1/\alpha-2/\alpha\beta}s_1{}^{1/(\alpha\beta)-\xi_1}s_2{}^{1/(\alpha\beta)-\xi_2}s_3{}^{1/\alpha-\xi_3}Q$$

其中

$$s_j=\left[1+\xi_j \frac{x_j-\mu_j}{\sigma_j}\right]^{-\frac{1}{\xi_j}}, \quad j=1,2,3$$

$$v=(s_1{}^{\frac{1}{(\alpha\beta)}}+s_2{}^{\frac{1}{(\alpha\beta)}})^{\alpha\beta}$$

$$u=[(s_1{}^{\frac{1}{(\alpha\beta)}}+s_2{}^{\frac{1}{(\alpha\beta)}})^{\beta}+s_3{}^{\frac{1}{\alpha}}]^{\alpha}=(v^{\frac{1}{\alpha}}+s_3{}^{\frac{1}{\alpha}})^{\alpha}$$

$$Q=\left(\frac{v}{u}\right)^{1/\alpha}Q_3(u;\alpha)+\frac{1-\beta}{\alpha\beta}Q_2(u;\alpha)$$

$$Q_2(u;\alpha)=u+\frac{1}{\alpha}-1$$

$$Q_3(u;\alpha)=u^2+3\left(\frac{1}{\alpha}-1\right)u+\left(\frac{1}{\alpha}-1\right)\left(\frac{2}{\alpha}-1\right)$$

参考文献

[1] Haring,R. E.,J. C. Heideman. Gulf of Mexico Rare Wave Return Periods. OTC 3230，Offshore Technology Conferenc，Houston，Teexas，1978.

[2] T. F. Liu. Long Ter Distributions of Hurrican Characteristics. Offshore Technology Conference . 1982,4325 : 305-313.

[3] E. J. Gumbel.Multivariate Extreme Distributions. Bulletin of the International Statistical Institute ,39 (2) 1960,: 471-475.

[4] J. ATawn. Bivariate Extreme Value Theory: Models and Estimation. Biometric,1988，75(3):397-415.

[5] Oakes，D and Manatunga，A K. Fisher Information for a Bivariate Extreme Value Distribution. Biometrika，1992，79:827-832.

[6] 史道济. 二元极值分布参数的最大似然估计与分布估计[J].天津大学学报，

1994，27:294-299.

[7] ShiDaoji，Smith R L and Coles S G，Joint versus Marginal Estimation for Bivariate Extreme Distribution，Techn，Rep. 2074，Department of Statistics，University of North Carolina Chapel Hill，1992.

第 4 章　风浪及周期极值序列的边缘分析和相关分析

4.1　设计波高的推算方法

前面章节讨论了多维海洋环境设计标准的研究方法并建立了多维复合极值分布模型。本章将要进行的边缘统计分析和相关分析，是后面多维复合极值分布模型的有效性、可靠性及其在实际工程应用中对风、浪、流等联合设计值推算的基础。

4.1.1　海洋工程设计波浪标准

随着海洋开发事业的进展，海洋工程(包括离岸、海岸和港口工程)建筑物的建设也日益增多。海浪的作用力是海洋工程建筑物的主要设计荷载，因此正确地确定海洋工程设计波浪的标准并进行相应的推算，对于保证建筑物的安全及使工程造价合理，将具有十分重要的意义。

设计波浪泛指在海洋工程设计中各类建筑物和各个部分所用的波浪要素。

对于不同的设计内容，可以采取不同的设计波浪标准。通常设计波浪的标准包括两个方面：① 设计波浪的重现期；② 设计波浪的波列累积频率。后者指的是设计波浪要素在实际海面上不规则波列中的出现概率，它代表波浪要素的短期(以几十分钟计)统计分布规律。在该统计期间内，可以认为海面处于定常状态，或者说波浪要素的平均状态不随时间而变化。而设计波浪的重现期是指某一特定波列累积频率的波浪平均多少年出现一次，它代表波浪要素的长期(以几十年计)统计分布规律。

设计波浪标准的两个方面具有不同的含义，所以应考虑不同的因素分别予以规定。设计波浪的重现期标准主要反映建筑物的使用年数和重要性；而设计波浪的累积频率标准则主要反映波浪对不同类型建筑物的不同作用性质。

4.1.2　数据资料的取得及分析方法

海洋资料反映了海洋要素空间分布随时间变化的重要信息，是海洋科学研究、开发利用、环境保护和环境预测的基础和依据，但海洋资料的获取是困难和昂贵的。因此，如何进行资料的处理分析，进一步提高其使用价值，充分利用和发挥其作用，是海洋研究的重要和基本的组成部分。

随着科学技术和海洋科学的不断发展，一方面有诸如CTD、安达拉、多普勒海流计等自记仪器和锚定浮标的广泛使用，使得连续性高密度自记资料的日益增多；另一方面海洋开发、海洋工程发展规模的迅速扩大，使准确预测海洋环境和海洋灾害成为迫切的需要，对海洋资料处理分析工作也提出了更高的要求：由模糊的定性分析过渡到严谨的定量分析，由传统的手工处理进入高效的自动化处理，由简单的数值关系步向复杂的数学模型。近年来，国内外对地学和环境科学环境要素的统计分析、统计模拟和统计预测，不论在理论上还是方法上都有很大发展，为实现海洋数据处理分析的自动化和模式化提供了条件。

目前，波浪的数据资料有几个不同的来源：仪器观测资料，目测资料，后报资料。资料的精确性会影响所得设计波浪的精度。以上几种数据来源分别有其局限性，从而会带来一定的误差。仪器观测资料通常历时较短，资料长度小会对计算多年一遇设计波浪（如百年一遇）带来很大的不确定性；目测资料容易受天气及观测者估计能力的影响；后报数据受模型误差、网格大小、输入条件等因素影响，也会带来一定的误差。

对海洋中的各种现象和过程进行现场观测和实验室实验，是了解海洋行为和各种过程机制的重要手段。现代科学技术的进展大大推动了对海洋的观测和实验，特别海洋遥感技术的应用使海洋学家收集和积累了大量的海洋数据，这些数据包含着丰富的有关现象和过程的信息。但是，数据中的信息一般不是某种单一过程的信息，而是几种不同过程信息的综合，同时还含有无用的干扰信息。因此，在进行海洋科学研究时，如何正确和充分地从海洋数据中提取所关心的现象或过程的信息，从而对该现象或过程的演化规律做出正确的推断，便是非常重要的问题。在这方面，概率论、数理统计、随机过程、信息论等已为我们提供了数学基础，在此基础上发展的海洋资料质量控制、回归分析、聚类分析、判别分析、主成分分析、对应分析、极值分析、Hilbert变换（线性系统之一）方法、数字滤波、线性系统的响应、数字滤波、线性均方估计和谱估计等为我们提供了具体的方法。

4.1.3 统计与物理假设

计算波浪重现水平最常用的方法就是应用极值理论。该理论假设所考虑的变量是独立同分布的。而原始资料由于季节变化，长周期变化以及发展趋向的影响，未必满足这一要求，因此不能认为资料本身是平稳的，需要先去除资料中某些确定性的因素(如发展趋势、自相关等)，使得资料成为独立同分布的。处理非平稳数据的方法已提出，但困难在于相对于重现期(如100年)来说，能够得到的数据资料长度太短，由此也会产生较大的误差。而关于同分布的假设，也需考虑如下几个问题。首先要采用正确的分布形式。例如对于波面，如果采用不正确的Rayleigh分布，在从有效波高到最大波高的转换过程中就会产生误差。其次是采样的重要性，要判断所用样本能否代表总体。另外，有三种物理过程很大程度上影响同分布假设，它们是波浪在浅水中的折射与反射、畸形波、波浪破碎。对这些因素，都需要加以考虑。

4.1.4 数据抽样及分离结果的统计

用于推算设计波浪的一系列波高极值可用三种抽样方法得到，分为年极值法、过程最大值法、阈值法。年极值法即从所得资料中每年抽取一个最大的波高。过程最大值法即是从 n 个台风(寒潮大风)过程中抽取最大的波高来做统计分析。阈值法就是取所有高于某一设定值的波高，该设定值称为阈值，其中阈值的选取是一个关键的问题，它受工程设计人员的主观性影响较强[1][2]；目前常采用的平均剩余生命图法在很大程度上克服了这一缺陷，具有一定的理论依据。

无论对于台风过程最大风浪和年最大风浪，首先需要选取局部最大独立样本点作为分析的样本。多变量局部最大没有唯一的标准，由于波浪相对于风有滞后性，因而最大波高和最大风速常常并不同时出现。事实上，这类"多元次序量"(Ordering Multivariate Data)的问题是一般性的，有关研究者在多元极值分析中针对此问题采用了不同的方法[3][4][5]。一般来讲，多变量在某时段的(如是在某次台风过程中)最大值的标准有如下四种定义：

(1) 时段内最大风速和最大波高；

(2) 时段内最大风速及其"伴随"的波高(Concomitant Observation)；

(3) 时段内最大波高及其"伴随"的风速(Concomitant Observation)；

(4) 时段内最大荷载效应对应的风速及波高。

其中，标准①是最简单的定义，它避免了多元次序量的问题。但是，此定义将导致过于保守的结果，因为实际上某时段内(或某台风过程中)风速最大值和波高最大值常常出现在不同时刻[6]。标准②和③不能同时将最大风速和最大波高都取到，具有对风或浪的偏态性，所以在应用中须考虑结构对不同荷载的敏感性。例如，对某类结构而言风荷载的作用最为重要，即可按照标准①的定义选取样本数据。当然，在对某类结构的最敏感荷载类型不明确的情况下，也可以分别选用最大风速及同时出现的波高和最大波高及同时出现的风速为样本，最后进行结果比选。标准④须事先确定响应函数，是依赖于具体结构的(Structure Specific)，不具有一般性；但是，在响应与环境要素的经验关系已知的情况下，它可能是较理想的方法。

4.1.5　概率分布的拟合

通过不同抽样方法得到用以统计分析的样本之后，就需要进行分布的拟合。先假设总体服从某一分布，根据所取得的资料进行参数估计，来确定具体的分布形式，然后可推求多年一遇的设计值。由于是进行极值波高的分布拟合，一般假设总体服从的分布有如下几种：FT-I 分布、FT-Ⅱ分布、FT-Ⅲ分布、Weibull 分布、Log-Normal 分布、复合极值分布(如 Poisson-Gumbel 分布)等。

FT-I 分布又称为 Gumbel 分布，固 E. J. Gumbel 在 1941 年首先把 Fisher-Tippett I 型极值分布用到水文分析中而得名。它对水文气象分析有较大的实用性，美国和日本的海港规范都先后采用该分布推算重现期波高，我国港口工程技术规范中规定潮位频率分布曲线采用 Gumbel 分布。只要随机变量的原始分布属于指数分布族(如正态分布)，其极值分布就趋于 Gumbel 分布。

Weibull 分布形式是瑞典物理学家 W. Weibull 在 1939 年提出的，其随机变量的分布函数中包含位置参数、尺度参数和形状参数。由于此分布具有三个可调参数，对观测的数据拟合灵活性较大，能够较好地适配多种不同的经验频率曲线，因此在波高的分布形式中应用较广。

对数—正态分布假设要研究的随机变量取对数后符合正态分布。一般来说，如果被研究的随机变量是许多互不相干的随机因素的乘积，且每个因素的影响都不大，则可以认为该随机变量服从对数—正态分布。当前，国内外已有学者用此分布探讨不同重现期波高和风速。

复合极值分布是一种新型的分布形式，适合于针对台风区波浪及北大西洋飓风的计算。它综合考虑了台风(飓风)发生次数与波高二者之间的关系，其显著优点是计算结果比较稳定，不因资料年限长短而有很大差别，目前已得到了广泛的应用。

4.2 风浪极值序列的边缘分析

4.2.1 点估计

设总体 X 的分布函数的形式已知，但它的一个或多个参数为未知，借助于总体 X 的一个样本来估计总体未知参数的值的问题称为参数的点估计问题。

当前常用的参数估算方法包括矩法，极大似然法，最小二乘法，最大熵原理法，概率权重矩法，图解法，麦奎尔特法、次序统计量法等[7][8][9]。

矩法是一种最简单的参数估算方法，而且对于 FT-I 分布来说是一种无偏估计。矩法是用样本矩作为相应的总体矩的估计量，以样本矩的连续函数作为相应的总体矩的连续函数的估计量，从而求解要估计的参数。与其他方法相比，除极大似然法之外，它的均方差最小。

极大似然估计法(Maximum Likelihood，简称 M-L 法)的基本思想是，若总体 X 属离散型，其分布律 $P(X=x)=p(x;\theta),\theta\in\Theta$ 的形式为已知，θ 为待估参数，Θ 是可能取值的范围。设 $X_1,X_2,\cdots X_n$ 是来自 X 的样本，则 $X_1,X_2,\cdots X_n$ 的联合分布律为

$$\prod_{i=1}^{n}p(x_i;\theta)$$

又设 $x_1,x_2,\cdots,x_n$ 是相应于样本 $X_1,X_2,\cdots X_n$ 的一个样本值，易知样本 $X_1,X_2,\cdots X_n$ 取到观察值 $x_1,x_2,\cdots,x_n$ 的概率，亦即事件 $\{X_1=x_1,X_2=x_2,\cdots,X_n=x_n\}$ 发生的概率为

$$L(\theta)=L(x_1,x_2,\cdots,x_n;\theta)=\prod_{n=1}^{n}p(x_i;\theta),\theta\in\Theta$$

这一概率随 θ 的取值而变化，它是 θ 的函数。$L(\theta)$ 称为样本的似然函数，它是变量概率密度的函数，随概率密度函数中未知参数的变化而变化。由费歇(R. A. Fisher)引进的极大似然法，就是固定样本观察值 $x_1,x_2,\cdots,x_n$，在 θ 取值的可能范围 Θ 内挑选使概率 $L(\theta)=L(x_1,x_2,\cdots,x_n;\theta)$ 达到最大的参数值 $\hat{\theta}$，作为参数 θ 的估计值，即取 $\hat{\theta}$ 使

$$L(\theta)=L(x_1,x_2,\cdots,x_n;\hat{\theta})=\max_{\theta\in\Theta}L(x_1,x_2,\cdots x_n;\theta)$$

求解上式得到 $\hat{\theta}(x_1,x_2,\cdots x_n)$ 为参数 θ 的极大似然估计值，而相应的 $\hat{\theta}(X_1,X_2,\cdots,X_n)$ 为 θ 的极大似然估计量。

若总体 X 属连续型，其概率密度 $f(x;\theta),\theta\in\Theta$ 的形式为已知，θ 为待估参

数,Θ是可能取值的范围。设 $X_1,X_2,\cdots X_n$ 是来自 X 的样本,则 $X_1,X_2,\cdots X_n$ 的联合概率密度为

$$\prod_{i=1}^{n} f(x_i;\theta)$$

又设 $x_1,x_2,\cdots,x_n$ 是相应于样本 $X_1,X_2,\cdots X_n$ 的一个样本值,则随机点 $(X_1,X_2,\cdots X_n)$ 落在点 $x_1,x_2,\cdots,x_n$ 的邻域(边长分别为 $\mathrm{d}x_1,\mathrm{d}x_2,\cdots,\mathrm{d}x_n$ 的 n 维立方体)内的概率近似为

$$\prod_{n=1}^{n} f(x_i;\theta)\mathrm{d}x_i,\theta\in\Theta$$

其值随 θ 的取值而变化,$L(\theta)$ 为样本的似然函数,取 θ 的估计值使上式达到最大值,但因子 $\prod_{i=1}^{n}\mathrm{d}x_i$ 不随 θ 而变,故只需考虑函数

$$L(\theta)=L(x_1,x_2,\cdots,x_n;\theta)=\prod_{i=1}^{n} f(x_i;\theta)$$

的最大值,若

$$L(\theta)=L(x_1,x_2,\cdots,x_n;\hat{\theta})=\max_{\theta\in\Theta}L(x_1,x_2,\cdots x_n;\theta)$$

则 $\hat{\theta}(x_1,x_2,\cdots x_n)$ 为参数 θ 的极大似然估计值,$\hat{\theta}(X_1,X_2,\cdots,X_n)$ 为 θ 的极大似然估计量。

在很多情形中,$p(x,\theta)$ 和 $f(x,\theta)$ 关于 θ 可微,这时 $\hat{\theta}$ 常可以从方程 $\frac{\mathrm{d}}{\mathrm{d}\theta}\ln L(\theta)=0$ 解得。

M-L 法的主要内容是使所研究样本的出现可能性为最大,这能符合一般的概念。同时,它具有优良的统计性质。例如,可以证明[10]当存在一个有效估计量时,似然方程就有一个等于有效估计量的唯一解;当 $n\to\infty$ 时,M-L 法的解依概率收敛于真值。其缺点是在实际使用时,计算比较繁复,对计算的精确度要求也较高,而且对某些分布(如 P-Ⅲ型)似然方程有时无解[10][11]。

本书第 6 章将采用 M-L 法来估计所讨论变量的分布参数。

4.2.2　拟合优度检验

由于受观测时间的限制,样本的容量一般是有限的,所以用假设的分布函数来外推多年一遇的极值,通常须进行统计检验——拟合优度检验。可用图解法或分析法来检验概率分布函数适配已知样本的经验频率分布的有效性。图解法一般的依据是将所研究样本的概率密度函数与相应的经验概率密度函数进行目测比较或将模型的累积分布函数与经验累积分布函数做比较。用图解法来判断

模拟的好坏是十分主观的。很多分析法被建议用来检验所假设分布的适线良好程度。常用的检验方法有柯尔莫哥洛夫检验法(即 K-S 检验法),χ^2 检验,D 指标检验,Carmer-Von Mises 统计量检验,Anderson-Darling 统计量检验等[8][12][13]。

下面介绍常用的柯尔莫哥洛夫检验法(即 K-S 检验法)。设原假设(基本假设)H_0 和对立假设 H_1 分别为

$$H_0: F(x)=F_0(x)$$
$$H_1: F(x)\neq F_0(x)$$

K-S 检验法的基本思路是按样本点逐个考虑经验频率与理论频率的差异,所以构造统计量为

$$D_n=\max_{-\infty<x<\infty}\left|F_n(x)-F_0(x)\right|$$

式中:$F_n(x)$ 为经验频率分布,将实测值按大小顺序排列,记为 x_i,则与 x_i 对应的经验频率为 $P_i=\dfrac{i}{n+1}$。其中,i 为 x_i 在降序排列中的位置号;$F_n(x)=P_i$。$F_0(x)$ 为等待检验的分布形式;D_n 为柯尔莫哥洛夫统计量,表示在所有点上经验分布与理论分布差的最大值。取某一显著水平α,对不同的样本容量 n,根据表可查到相应的柯尔莫哥洛夫检验的临界值 $D_n(\alpha)$,如果 $D_n<D_n(\alpha)$,则接受原假设,否则拒绝原假设。K-S 检验法的基本步骤:

(1) 据实测样本,求各点的经验频率函数值 $F_n(x_i)$;

(2) 计算柯尔莫哥洛夫统计量 D_n;

(3) 根据已知的样本容量 n 和显著水平 α,查表得 $D_0(\alpha)$;

(4) 比较 D_n 和 $D_0(\alpha)$ 的大小,接受或拒绝原假设。

与 χ^2 检验等方法只能用于大样本的情形不同,K-S 检验法可以用于小样本,这是它的一个主要优点。其他检验方法,在某种意义上都具有最优和近似最优的性质,如 χ^2 检验就是由似然比检验导出的,而 K-S 检验属于非参数检验,主要是根据直观提出的:当 X 的总体分布为 $F_0(x)$时,则 $F_0(x)$与 $F_n(x)$的最大离差应该较小;反之,则应较大。至于这一检验是否具有最优性质,这是没有解决的问题[11]。

4.2.3 区间估计

当所研究的变量为连续型随机变量时,易知 $P(\theta=\hat{\theta})=0$,即不论用何种估计量,用点估计时估计的参数值等于真值的概率恒为零[11],因此,这种估计不能给人以可靠程度的了解。对于未知参数 θ,除了求出它的点估计 $\hat{\theta}$ 之外,我们还

希望估计出一个范围（通常以区间的形式给出），并希望知道这个范围包含参数 θ 真值的可信程度。

在计算波浪设计值时，使用的样本来自特定的原代总体，而且是随机的。从一个假定的总体中可能会产生很多相等或相似的样本。因而由于取样多变性，可有很多估计值，因此规定需要连续多次估计而得到多个估计值而不能用单一或一点的估计值。这变动范围称之为置信区间，并可写为

$$\Pr(x_1 \leqslant x \leqslant x_2) = 1 - \alpha$$

式中：x_1 和 x_2 分别是估计值 x 的置信下限和上限，x_1 到 x_2 之间的区间为置信区间，1-α 为置信水平（α 是显著性水平）。

频率曲线上给定概率值的置信水平，反映了估计值的可靠度和适线优度。如果不知道估计的置信区间，对于多年一遇的波浪的估计是没有什么用处的。

Gumbel 和 Carlson 于 1954 年提出了一种计算置信区间的方法。这种方法后来分别被 Borgman 和 Gringorten 加以改进。但是，这种方法假设余差是正态分布的，它对置信区间来说是正确的，但不涉及预测区间。因此，这种方法只对用以拟合的数据是合适的，而不能外推到所用数据之外的范围。如果数据不是来自对数正态分布，确定长重现期的波浪的置信区间是不合适的。

Petrauskas 和 Aagaard 于 1971 年应用蒙特卡洛法提出了 Weibull 分布的置信区间，其中 $A=15.7$，$B=8.19$，$C=2$。虽然他们没有陈述得非常明确，但我们可以假设他们将样本的范围限制在 100 年重现期之内。然后，他们从 22 个样本的每一样本中取出 500 组数，用 $C=2$ 的 Weibull 分布来拟合每一总体并估计 A 和 B 的值。“真正的”百年重现期的波高大概 12 米，他们的样本给出的估计范围是 9～16 米。当然，如果我们不知道真实的分布，或者用的 C 不等于 2，不确定的区间会更大。非平稳性的影响和测量中的误差没有考虑在内，虽然这些问题会使实际的置信区间比理论上的大。一般来说，尽管蒙特卡洛法很费机时，但它是一种很好的计算置信区间的方法。

如果数据服从 Gumbel 分布或 Weibull 分布，就有很好的方法可以计算置信区间。Lawless 已经说明如何用近似方法计算置信区间，而 Challenor（1979）提出对于 Gumbel 分布和 Weibull 分布，说用表格非常简单。

以上的讨论都集中在置信区间的计算上，并基于不同的随机过程的假设。同样值得注意的是，用来进行估计的数据也有误差。如果在测量方法中有系统性的误差，这种误差一定要考虑。另外，如果将气候的不稳定性考虑在内，这种估计也有自己的置信区间；在计算设计波高时，这些置信区间也一定要考虑在内。在用这些估计进行设计之前清楚地知道其局限性是非常重要的。

4.3　风浪及周期极值序列的边缘分析和相关分析

工程设计中通常采用 Gumbel、Weibull 等极值分布式，以极大似然估计或矩估计确定分布参数并进行重现水平预测，得到与某一重现期相对应的重现水平作为设计标准。因此，如何选定样本是概率分析的前提。显然，当资料年限较短、年极值数据较少时，估算结果往往误差较大且不稳定。

本书对数据的处理，针对不同的例子，给出了不同的取样方法。一个是台风过程伴随的极值环境特征取样法，即过程取样法。另一个是近年来国内外被广泛采用的阈值取样法，即凡达到或超过某一固定较大值（阈）的各个资料均可被选入作为概率分析的样本[14]。使用阈值方法的关键是如何选定"阈"。目前绝大多数使用者均凭经验。选定的阈值不同，同一原始资料系列将出现不同的样本，并影响分布参数的估算、概率模型的选取及重现水平的确定，亦即将出现若干种难以区分其优劣的多种设计标准。王超、刘德辅[15]分析我国南海某站波浪资料时，分别以 2.0 m、4.0 m、5.0 m 及 6.0 m 为阈值选取样本，结果 4 个样本均通过概率模型检验，符合 Gumbel、Weibull 两种形式的极值分布，但相应的百年一遇设计波高变化较大，最小值为 8.3 m，最大值为 9.8 m，变幅 1.5 m。上述例子说明不同阈值对结果影响很大。

在 1.2 中已经提出多元极值分析数据资料具有下列特点之一，即来自不同的过程（如风速、波浪及潮位）；或来自不同地点的同一类型过程（如英国东南海岸不同地点的水位高度）以及一系列在时间上有滞后现象的数据等，接下来的工作是从数据资料中选取样本、确定合适的概率模型，并进行计算。计算的过程一般分为三步：边缘分析、相关分析和最终的联合概率计算。在边缘分析中，虽然从理论上讲选定数据采用的方法有很多，类似于一元极值分析中的年最大值等均可采用，但实际上在多元极值分布理论中，边缘分析的数据资料大多来自若干组同步资料，故采用阈值法选出。而进行相关分析的资料就目前而言采用阈值法选出是唯一的可行方法，下面将做具体介绍。从中可以看出，所介绍的阈值法是有理论根据并有明确取值方法的，它不同于以往习用的任意性很大的经验方法。

本书根据极值分布理论的某些特性及超阈值的数学规律，阐述了选阈的理论基础，并通过大量实践推出一系列图表作为确定及检验阈值的具体方法。鉴于目前国际上正大力发展多维联合分布，考虑若干个自然环境因素同时对工程结构综合作用的影响，本书针对更为复杂的二元、三元联合分布，就其中边缘分布及相关结构阈值的选取亦分别提出了相应的方法。

4.3.1　超阈值(POT)在一元极值分布中的特性及选阈原理

阈值法既是指达到或超过某一固定较大值“阈”的各个资料均选入作为概率分析的样本。根据资料本身特点:资料年限较短、年极值数据少,若采用年最大值作概率分析必然带来较大的误差且结果不稳定,因此采用阈值法比较合适。此方法不仅扩充了样本容量,而且比较灵活。根据近年来对该方法的推广应用及研究,已从理论上进一步将其完善。现介绍如下。为简化广义极值分布的表达式(1-3),令

$$W(x) = 1 + \ln G(x)$$

$W(x) \in (0,1)$,得到广义 Pareto 分布(GPD)[15]

$$W(x) = 1 - \left(1 + \xi \frac{x-\mu}{\sigma}\right)^{-\frac{1}{\xi}} \tag{4-1}$$

GEV 具有最大值稳定性的特点,即广义极值分布的极大值分布仍为同类型的 GEV,如果满足 $x>u$ 的 x 的分布可以用 GPD 渐进表示,则 x 对 u 的超越量的均值与 u 有线性关系,即

$$E(X-u \mid X>u) = \frac{\sigma + \xi\mu}{1-\xi} \tag{4-2}$$

式中:u 为阈值,$E(x-u \mid x>u)$ 为阈值超出量的期望值。

由于期望值近似为平均值,故可根据式 4-2)作出阈值 u 与观测值超出量 $(x-u \mid x>u)$ 之平均值(称平均超出量)的散点分布图。当形状参数 ξ 稳定时,图形近似为直线。换句话说,以阈值 u 为横轴,以平均超出量为纵轴,该直线的斜率和截距分别是 $\frac{\xi}{1-\xi}$ 和 $\frac{\sigma}{1-\xi}$,因此可以根据平均剩余生命图(Mean Residual Life Plot)中直线段所对应的横坐标作为阈值的可选范围(Coles, Tawn[17])。

在上述基础之上进行诊断检验(Diagnostic Checks),可进一步确定阈值并检验其合理性。该检验中包括概率图、分位数图、重现水平图及密度直方图四种图形。如果四种图形均拟合较好,则可视为检验被通过。具体算例详见第 6 章。

4.3.2　多元极值分布中样本阈值的选取原理及方法

根据第 2 章式(2-10)的特点,确定多元极值分布相关结构时,要求变换后数据资料的径向分量 r、角分量 w 满足以下关系,即径向分量 $r>r_0$ 时,w 与 r 相互独立,从而得到式(2-14)。为了简化计算,首先将多元极值分布的边缘分布(必为 GEV)转化为较简单的分布,如标准的 Fréchet 分布[18]或者标准 Gumbel[19]分布,这些转换是很容易实现的,即

$$X_{ij} \to \widetilde{X}_{ij} \tag{4-3}$$

式中:$i=1,\cdots,n$ 为观测次数,$j=1,\cdots,d$ 为维数。

多元极值分布表达式可以根据非齐次泊松分布的性质,利用随机点过程[20]的理论得到,详见§2.2节。

选定阈值 r_0 时,应首先考虑 w 分布随 r 值变化的情况。在 r 增大到 r_0 时,w 分布趋于稳定;换句话说,当 w 分布稳定,不随 r 值而变化时,其对应的 r 值范围中必包括阈值 r_0。当然,w 的分布形状更有其重要的意义,是确定多元相关模型的关键。例如,Logistic 模型、Nested-Logistic 模型等的相关性就是根据 w 的不同形状确定的。

阈值法无论在一元极值分布或多元极值分布中均被广泛采用效果良好。其中,最成功的例子是 Coles,Tawn[21]的研究:以 Immingham、Lowesloft 和 Sheerness 三地点的实测水位为代表,通过隐式相关函数的对称 Logistic、负 Logistic 等多种模型的迭代计算,求出三地点水位的联合分布,作为英国东海岸该区段的设计水位。上述三地点的实测水位均采用阈值法取样,相应的阈值分别为 0.8 m,0.9 m 和 1.0 m。又如,Zarchary 等对北海北部 1°44.17′E,60°48.5′N 范围内的风速、波高、波周期三者综合作用的研究,也是通过非参数方法估计其联合分布来实现的;计算中采用的风速、波高、波周期值样本阈值分别为 16.5 m/s、6.5 m 和 7.5 s。

相关分析要求各组成变量必须为同步资料,且每一组 d 维矢量均处在独立同分布的条件下。本书第5章的几个工程实例中的变量均符合此条件。

4.3.3 α、β 的区别及位置的选定

根据式(2-32),相关参数 α、β 因在公式中位置的不同,而赋予 Nested-Logistic 模型更为广泛的含义。根据前述的定义,相关参数 α、β 在(0,1)之间,其值越小相关性越强,并称 α 为外层相关参数,β 为内层相关参数;如果 $\beta \leqslant \alpha$,说明变量 x_1,x_2 之间比另外两对(x_1 和 x_3,x_2 和 x_3)之间有着更强的相关性。

不同变量之间相关程度的测量没有较为明确的方法。Tawn 分析英国东南沿海 Sheerness、Kings Lynn 和 Southend 三测站极值水位相关关系时,采用的三元极值模型函数为隐式形式,模型变量之间相关程度是根据三测站空间分布特点来考虑的。Sheerness 和 Southend 两测站位置更为接近,客观上即可考虑该二者之间相关性更强。通过我们查阅大量文献资料和实测分析,发现这种相关结构事实上与线性相关有近似相同的趋势,典型的论文就是 Shi 采用矩估计法推得的相关参数 α、β 表达式(2-31)。因此,我们认为可以根据各变量的实测数据确

定其间的线性相关参数 $r_{ij}(i=1,2,3;j=1,2,3)$，近似地以线性相关参数来判断各个变量之间的相关程度，从而确定三元 Nested-Logistic 模型中 x_1,x_2,x_3 所代表的要素及相应的位置，进而由式(2-31)确定相关参数 α,β。具体算例详见第5章。

4.4 小结

总结并介绍了在实际工程应用中多维复合极值分布模型对数据的要求及相应的数据处理方法，它们主要包括：

(1) 各变量的原始数据均符合广义极值分布；

(2) 各变量的原始数据具有同步观测资料的性质或属于时间滞后系列；

(3) 对各边缘分布取样本时阈值法的原理及阈值选定的标准；

(4) 做相关分析取样时阈值法的原理及阈值选定的标准，上述方法大大改进了原有的经验方法；

(5) 推求各分布参数及相关参数的方法；

(6) 确定各随机变量在 Poisson-Nested-Logistic 复合极值分布模型中的位置，其中3项、4项中涉及的选阈的合理标准大大改进了以往任意性极大的经验法。

参考文献

[1] Davison, A. C. and Smith, R. L. , Models for Exceedances over High Thresholds (with discussion). J. R. Statist. Soc. B, 1990, Vol. 52, pp393-442.

[2] Pickands, J. , Statistical Inference Using Extreme Order Statistics, Ann. Statist., 1975, Vol. 3, pp119-131.

[3] S. G Coles and J. ATawn. "Statistical Methods for Multivariate Extremes: An Application to Structural Design" [J]. Appl. Statist. , 1994, 43(1): 1-48.

[4] C. W. Anderson, and S. Nadarajah, "Environmental Factors Affecting Reservoir Safety" Statistics for the Environment, eds V. Barnett and K. F. Turkman. Wiley, London, 1993,163-182.

[5] V. Barnett, (1976), "The Ordering of Multivariate Data". Journal of The Royal Statistical Society, A, 139, 318-355.

[6] M. N. Tsimplis and D. Blackman, "Extreme Sea-level Distribution and Return Periods in the Aegean an Ionian Seas", Estuarine, Coastal and shelf Science 44,1997 . 79-89.

[7] 盛骤,谢式千,潘承毅. 概率论与数理统计[M].北京:高等教育出版社,1989.

[8] 茆诗松,王静龙,濮晓龙. 高等数理统计[M].北京:高等教育出版社,1998.

[9] Mayer, A. D. Statistics London: Arnold, 1996

[10] H. 克拉美.统计学数学方法[M].魏宗叙,等,译.上海:上海科技出版社,1966.

[11] 丛树铮,等. 水文学的概率统计基础.北京:水利出版社,1980.

[12] M. Dekker. Goodness-of-fit techniques.New York, N. Y. 1986.

[13] 魏宗舒. 概率论与数理统计教程.第 3 版[M].北京:高等教育出版社,1983.

[14] Davison A C,Smith R L. Models for exceedances over high thresholds [J]。J. R. Statist. Soc. B,1990,52(3):393-442.

[15] Wang Chao,Liu De fu. Undefined analysis of selecting design wave factors[J]。ACTA CEANOLOGICA SINICA, 1991, 13(4): 874-881 (in Chinese).

[16] G. Sazlvadory. Linear combination of order statistics to estimate the position and scale pparameters of the Generalized Pareto distribution. Stochastic Environmental Research and Risk Assessment 16, 2002, 1-17 Springer-Verlag 2002,1-17.

[17] Stuart Coles,JonathanTawn. Statistical methods for extreme values[R]. A course presented at the 1998 RSS conference,Strathdyde,1998.

[18] Stuart Coles, JonathanTawn. Statistical methods for multivariate extremes:an application to structural design[J]。Appl. Statist. ,1994,43 (1):1-48

[19] Shi Dao ji. Moment estimation for multivariate value distribution in a nested logistic model[J]. Ann. Inst. Statist. Math,1999,53(2):253-264.

[20] Zachry S,Feld G,Ward G,Wolfram J. Multivariate extrapolation in the offshor environment[J]. Applied Ocean Research,1998,20:273-295.

[21] Stuart Coles,JonathanTawn. Modelling extreme multivariate events[J]. J. R. Statist. Soc. B,1991,53(2):377-392.

工程领域应用篇

第5章　多维复合极值分布模型的工程应用

5.1　多维复合极值分布模型在河口城市防洪设计参数推算中的应用

上海地处东海之滨，长江入海口处，不仅受到海洋各环境因素（风、浪、流、潮汐和台风）的作用，而且长江洪水下泄也影响上海市的设计水位。1998年汹涌的长江洪水再次提醒人们它对上海市的威胁。以吴淞口为例，对1970～1990年吴淞受台风影响期间的实测水位经过风险分析得出，在极端环境条件下上海市防洪设防标准，必须考虑天文大潮、长江下泄的洪峰和台风诱发的风暴增水。

设计水位是沿海工程结构修筑的关键设计因素，多年来一直采用的年极值理论难以预料多种不利荷载同时发生的危险程度，于是只得不断抬高重现期，以确保工程结构安全，但往往造成经济浪费，同时带来一些不稳定因素[1]-[5]。上海市的防洪设计水位屡经变化，如何使城市防洪问题得到既安全又经济的解决是十分重要的。实际上，防汛体系主要是加高、加固现有的防汛墙和海塘，使其达到城市安全要求的标准。为了确保上海的安全，上海有关部门制定了以千年一遇的设计水位5.86 m作为城市防灾设防标准。仅以1981年4号台风为例，吴淞实测水位已达5.74 m。由此可见，这种单因素外延推求所得的千年一遇值，并不能合理表达“三碰头”的灾害性实质。

本节利用多维复合极值分布理论，对上海市在遭受三种极端环境荷载时的设计水位进行概率分析，得出天文大潮（Astronomical Tide）、长江上游洪水（Flood Peak）和风暴增水（Storm Surges）共同影响下的设计水位的推算方法和结果。

5.1.1　上海市防洪工程概况

1963年1月，上海市城建局第一次颁布了市区防洪标准，要求防洪墙顶标高在黄浦公园附近至少为4.94 m。1972年初，上海市防汛指挥部为解决防汛墙太高，不利战备等问题，对部分河段长约 60Km 的防汛墙进行加固。到 1974 年经沿河各单位及城建局不断努力，全市防洪墙已初步形成，总长 120 多 Km，黄浦公园一带的墙顶标高约为 5.20 m。

1974 年 11 月，上海市防洪防汛指挥部又颁布了新的防洪标准，要求黄浦公园附近防御水位为 5.30 m，墙顶标高为 5.80 m。对新建防洪墙还要求能承受 50 吨船只的飘击力。到 1981 年，市区防洪墙总长达 186 km。

1981 年 9 月 1 日黄浦公园发生了 5.22 米特高潮位(吴淞潮位 5.74 m)。有关部门一致认为目前的防洪墙在高度和质量标准方面都偏低，在 1984 年前后又制定了以千年一遇的年极值水位 5.86 m 为标准改建防护墙；由于投资巨大，目前只完成了外滩附近的一段。由于气候变暖，海平面上升及热带风暴的频繁增加，1990 年 12 月，水电部上海勘测设计院编制的《上海市黄浦江综合治理规划报告》通过论证，正式提出了上海市区的远景防汛标准应提高为抗御万年一遇的高水位，相应黄浦公园及吴淞站水位分别为 6.34 m 和 6.81 m。

上海市对水文状况的观测记录源于 1912 年长江口与黄浦江交汇处设吴淞测站，又于 1915 年在市区沿黄浦江距吴淞站 25.6 km 处黄浦公园内设了黄浦公园站。黄浦公园的实测水位直接反映上海市的水位状况，也依此做了外滩高度的设计；但是，由于近年来气候变化异常，水位状况日趋复杂，尤其是长江流域在 1998 年发生的特大洪水，不得不使人们再次考虑到上海市可能会受到的洪水威胁。多年来对外滩高度的设计，采用的是经验性的年极值法，从新中国成立前的设计水位值 4.6 m(吴淞基面，以下同)，到现在采用的 5.86 m，相当于千年一遇的设计水位值。1981 年 9 月 1 日黄浦公园曾发生了 5.22 m 的特高潮位，吴淞水位达 5.74 m。可见，用年极值法确定的外滩高度随近年来气候及其他一些影响因素的异常变化引起有关人事的关注，特别是出现极端环境荷载如上天文大潮适逢大的台风引起的风暴增水及洪峰下泄同时作用将会出现什么样的严重后果，这是防汛部门最为关注的[6][7]。

经济和科技的进步，使得人们有着更强大的能力战胜自然界的危害。就上海市而言，必须解决的问题就是长江上游和黄浦江上游的洪峰下泄经过上海市的大径流量和高水位值与来自长江口浅滩潮汐高潮位和风暴增水的顶托作用造成的洪灾威胁。从设计的结果分析年极值法存在很大的误差，有关专家指出由其设计得到的结果偏小，很难准确地反映洪水的水位状况。提高设计重现期而使得设计高程不断加大，不仅造成经济浪费，而且存在着由于墙身的几经加高而基础未做相应加固，且墙后填土加高，因而安全程度有所降低，并且外滩高度设计水位提高至 5.86 m，因为投资巨大至今只完成了外滩附近的一段。因此，以年最高潮位为样本的频率分析法，对潮汐河口地区的应用难以预料恶劣条件下的组合情况。这样，寻求一种合理而且可以得到普遍应用的推算方法，不仅具有很高的实际意义，而且是当务之急[8]-[20]。本着这一原则，同时考虑天文潮位、风暴增水和上游洪峰三个水文要素相互作用来进行概率分析和计算，是当前工程界十分关注的课题。

由于特殊的地形位置及获取资料的困难，我们选定吴淞测站，它能够直接或间接地反映出黄浦公园的水位状况。本书以 1970～1990 年 21 年汛期实测水位资料作为分析问题的依据，采用多维复合极值分布理论，计算各个水文动力因素影响下出现某一最高水位的联合重现期，并根据城市的重要程度和设计标准的不同，选出该联合分布最理想的动力因素组成及相应的设计水位。

5.1.2 样本选取及边缘分布的参数估计

鉴于上海历史上发生的重大洪水灾害大多为台风影响下的风暴潮，伴随上游下泄洪峰形成的增水和相应的天文大潮水位同时出现时发生，因此，本书使用了长江口的上海吴淞水文站 1970～1990 年实测水位资料和相应的调和分析所得的天文大潮资料，以及距吴淞 624 km 处的上游大通水文站的洪水观测资料，按以下原则进行分析计算。

(1) 选取每年影响上海的各次台风相应的吴淞站实测水位资料 H_o 及相应的天文大潮值 H_a。

(2) 计算各次台风时期的台风暴潮和上游洪峰形成增水量的合成值 $\Delta H = H_o - H_a$。

(3) 大量分析和计算表明，吴淞站上游 624 千米处的大通水文站的观测值，已经超出潮汐影响范围。通过水文计算和相应分析可知，大通站的洪峰抵达吴淞站约需 24 小时，从而可建立无台风期大通站不同洪峰流量到达吴淞站可引起的洪峰增水之间的相关关系如下。

$$H_f = 7.6 \times 10^{-6} Q_m - 0.19$$

式中：Q_m 为大通站洪峰流量 m^3/s。

(4) 选取台风出现前一天的大通洪峰流量，即可计算出洪峰在吴淞形成的增水值 H_f。

(5) 台风暴潮引起的增水值 $H_s = \Delta H - H_f$。

由此可见，台风影响上海的频次，每年各不相同(离散型分布)，而台风诱发的风暴增水及相应的上游洪峰增水和天文大潮可构成连续型的随机变量，从而可使用三维复合极值分布理论进行台风诱发的上海洪灾概率预测。

首先，对风暴增水及相应的上游洪峰增水和天文大潮三变量样本进行检验，作出经验分布(Probability)图、分位数(Quantile)图、重现水平(Return level)图及密度(Density)直方图四个诊断检验图，如图 5-1 所示；图中圆圈表示数据点，实线表示模型曲线。

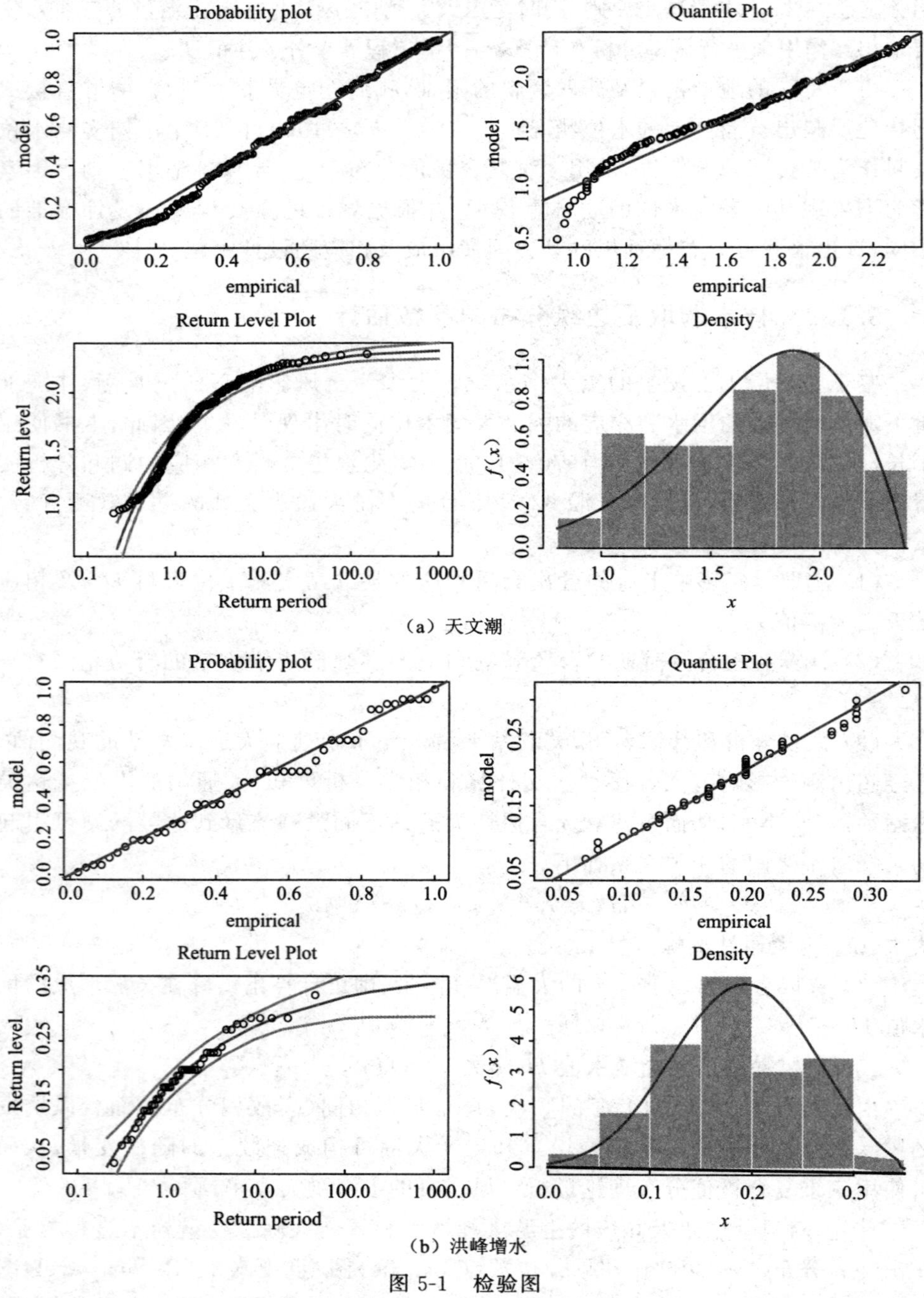

图 5-1　检验图

（a．概率；b. 分位数；c. 重现水平；d. 密度）

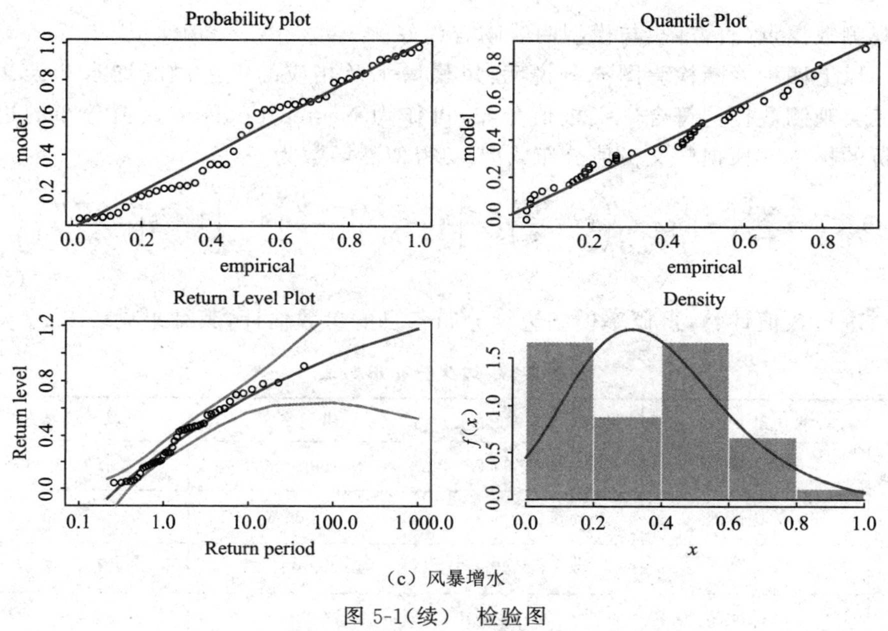

（c）风暴增水

图 5-1(续)　检验图

（a．概率；b. 分位数；c. 重现水平；d. 密度）

在图 5-1 中，概率图(Probability)表明了观测数据与模型吻合的情况。观测点累积分布式为

$$\hat{F}(x)=\frac{i}{k+1}(X_{(i-1)}<x\leqslant X_{(i)})$$

式中：$X_{(1)}<\cdots<X_{(k)}$ 为观测资料的次序统计，$i=1,\cdots,k$ 表示观测数据个数。

由图(5－1)可见，观测点与广义极值分布模型拟合良好。

分位数图(Quantile plot)也同样反映了观测点与广义极值模型吻合情况，取模型分位数

$$x_p=\mu-\frac{\sigma}{\xi}[1-\{-\ln(1-p)\}^{-\xi}]$$

式中：p 为累积分布概率。p 取不同的观测点，表示累积分布概率与广义极值模型曲线拟合情况，反映所得极值分布是否合理。

由图(5－1)可见，观测点分位数与模型吻合较好。

重现水平图(Return level plot)表明，当理论上取 95％的置信区间时，由广义极值分布模型得到的 x_p－$-\ln(-\ln(F(x_p)ln)$ 的曲线关系，充分说明了数据在置信区间分布情况。图(5－1)中数据点完全分布在模型的 95％置信区间的重现水平内。

密度曲线(Density curve)直观地说明了数据资料的分布情况，由图 5－1 可

见观测数据点(直方图)与模型曲线吻合尚好。

以上四种诊断检验图充分说明:风暴增水及相应的上游洪峰增水和天文大潮三类观测数据均符合广义极值分布,可作为 Nested-Logistic 极值分布的边缘分析的样本。根据广义极值分布式(1-3)得似然函数为

$$l(\mu,\sigma,\xi)=\sum_{i=1}^{k}\left\{-\log\sigma-\left(1+\frac{1}{\xi}\right)\log\left[1+\xi\left(\frac{x_i-\mu}{\sigma}\right)\right]-\left[1+\xi\left(\frac{x_i-\mu}{\sigma}\right)\right]^{-\frac{1}{\xi}}\right\} \tag{5-1}$$

进行数值计算,得概率模型边缘分布各自的参数估计,其结果见表 5-1。

表 5-1　边缘分布参数表

变　量		天文潮/	洪　水/	风暴增水/
边缘分布参数	位置参数 μ	1.981 594 7	0.169 668 97	0.453 885 85
	μ 的标准差	0.020 6	0.004 6	0.014 7
	尺度参数 σ	0.138 047 1	0.023 052 75	0.065 107 57
	σ 的标准差	0.016 3	0.005 2	0.016 7
	形状参数 ξ	−0.182 113 67	0.420 042 58	0.809 057 01
	ξ 的标准差	0.154	0.168	0.282

根据表 5-1 中的参数,可得到 Nested-Logistic 模型(2-32)的三个一元边缘分布的表达式,从而可确定三维复合极值分布的边缘分布的表达式,即一元复合极值分布表达式(2-37);从而,由不同重现期确定该变量的重现水平,并可将这一结果用于下面联合分布的频率分析,详细计算结果见后面。

5.1.3　线性相关系数及相关参数的确定

将原始数据 $\tilde{x}_1,\tilde{x}_2,\tilde{x}_2$ 转化为具有标准 Fréchet 分布的形式[21][22],即

$$F(\tilde{x}_j)=\exp\left(-\frac{1}{\tilde{x}_j}\right)$$

$\tilde{x}_1,\tilde{x}_2,\tilde{x}_2$ 分别为边缘变量 x_1,x_2,x_3 的转换变量,依第 2 章有关理论,将过阈资料转换为径向分量 r 和角分量 w,得到径向分量 r 和角分量 w。由于三维情况得到的角分量为三维矢量,其表达式为

$$\begin{cases} r=\dfrac{\tilde{x}_1+\tilde{x}_2+\tilde{x}_3}{n} \\ w_j=\dfrac{\tilde{x}_j}{nr} \end{cases} \quad j=1,\cdots,3. \tag{5-2}$$

其中，n 为观测变量的个数，然后确定所选数据组 r 值的阈值，选出阈值以上各自同步资料作为样本，样本中的数据均为阈值以上，且使得 r 与 w 相互独立，以此样本确定相关分析的数据，用于计算相关参数 α，β[23][24]。

对已经变换后服从 Fréchet 分布的样本再取对数，即

$$y_j=G_j(\ln\tilde{x}_j)=\exp(-\ln\tilde{x}_j) \tag{5-3}$$

以 $y_j(j=1,2,3)$来计算线性相关系数 r_{12}，r_{13}，r_{23}，将此结果代回式(2-31)，根据前述理论确定的相关分析的数据，估计相关参数 α，β，并确定分层变量的位置，得到 $\hat{\alpha}$，$\hat{\beta}$，见表 5-2。

表 5-2　线性相关系数及相关参数

天文潮与洪水 r_{12}	天文潮与风暴增水 r_{13}	洪水与风暴增水 r_{23}	$\hat{\alpha}$	$\hat{\beta}$
0.292	0.074 5	0.10	0.95	0.84

根据线性相关系数 r_{12}，r_{13}，r_{23}，可以看出天文潮与洪水较其他两组具有较强的相关性(0.292)，故可粗略地确定 x_1 为天文潮，x_2 为洪水，x_3 为风暴增水，确定了三者在嵌套 Logistic 模型中分层情况。

5.1.4　台风数据资料分析

本节用作概率分析的离散型随机变量样本为 1970 年至 1990 年吴淞台风发生的次数。通过第 4 章相应的概率统计分析，经 χ^2 检验，可看出本数据组在吴淞台风发生的频次与 Poisson 分布符合较好。Poisson 分布 $P_k=\dfrac{e^{-\lambda}\lambda^k}{k!}$ 中参数 λ 的矩估计为 $\hat{\lambda}=\dfrac{1}{N}\sum\limits_{i=1}^{N}k_i$，$k_i$ 为每年发生台风的次数。

表 5-3　台风频次及其泊松参数估计

每年台风总次数							总次数	λ
1	2	3	4	5	6	7	72	平均值
出现年份数							总年数	3.429
4	3	3	6	2	2	1	21	

5.1.5 边缘分布重现水平的确定

根据上海市防汛分析的多年经验，结合近年来因气候变暖而出现的一系列自然环境的显著变化，推荐以下几种边缘分布的重现期，用于多维复合极值分布的不同组合频率的分析。

就天文潮而言，上海市天文大潮有 4～5 年的变化周期，并考虑天体相对位置变化具有 18.61 年长周期性，故在组合频率分析中，天文潮作为边缘变量取五年一遇和二十年一遇两种重现水平，做组合频率的概率分析和计算。

台风是影响上海市最具危害性的自然环境因素之一。1981 年 8104 号台风引起吴淞实测水位达到 5.74 m(吴淞基面)，市内黄浦公园一带达 5.22 m，离防汛墙高仅差 8 cm。经边缘分布初步分析，二十五年一遇的风暴增水重现水平近似为 8104 号台风在吴淞的风暴增水值。以此作为风暴增水的典型代表，同时考虑到由于全球气候变暖，提高了热带风暴的发生频率，导致台风对我国东南沿海受侵袭次数增多，也可以采用稍大的重现水平。例如五十年一遇，作为重大工程不容任何损害时的标准。在进行组合频率计算时，对于风暴增水采用了五年、十年、二十五年及五十年一遇四种重现水平。

虽然根据 1970～1987 年长江上游洪水下泄的分析数据来看，洪水活动并未出现十分明显的不正常现象，但考虑到近几年大洪灾频繁，尤其 1998 年长江特大洪水，其径流量由分析知相当于五十年一遇水平，结合近期及长远影响，对洪水造成的吴淞增水初步考虑可取二十年或五十年一遇，在组合频率表中给出洪峰增水取五年、十年、二十年及五十年一遇四种重现水平值。表 5-4 给出了复合极值分布下不同重现期的重现水平。

表 5-4 天文潮、洪水和风暴增水边缘分布表

重现期/年	天文潮重现水平/米	洪水重现水平/米	风暴增水重现水平/米
5	2.279 0	0.253 0	0.745 0
10	2.340 9	0.291 8	0.885 1
20	2.392 1	0.337 8	1.052 4
25	2.406 9	0.354 6	1.113 6
50	2.448 8	0.413 9	1.331 3
100	2.485 4	0.486 4	1.599 5
200	2.517 5	0.575 4	1.930 9
500	2.554 1	0.725 1	2.493 0
1000	2.578 0	0.869 0	3.037 4

根据线性相关系数r_{12},r_{13},r_{23},可以看出天文潮与洪水较其他两组具有较强的相关性(0.292),故可粗略地确定x_1为天文潮,x_2为洪水,x_3为风暴增水,确定了三者在多维复合极值分布模型中分层情况,同时也确定了公式中要用到的参数,见表5-5。

表5-5　三变量参数表

$\hat{\alpha}$	0.95	μ_1	1.981 594 7	σ_1	0.138 047 1	ξ_1	−0.182 113 67
$\hat{\beta}$	0.84	μ_2	0.169 668 97	σ_2	0.023 052 75	ξ_2	0.420 042 58
λ	3.428 6	μ_3	0.453 885 85	σ_3	0.065 107 57	ξ_3	0.809 057 01

将得到的边缘分布中三维连续型随机变量参数和相关参数代入多维复合极值分布模型的表达式(3-1)中,得到三元Poisson-Nested-Logistic模型的具体表达式,从而可以确定$P(X_1>x_1,X_2>x_2,X_3>x_3)$的概率,其倒数即为联合分布的重现期。$P(X_1>x_1,X_2>x_2,X_3>x_3)$的表达式为

$$\begin{aligned}&P(X_1>x_1,X_2>x_2,X_3>x_3)\\&=1-F_1(x_1)-F_2(x_2)-F_3(x_3)+F_{12}(x_1,x_2)+\\&\quad F_{13}(x_1,x_3)+F_{23}(x_2,x_3)-F_0(x_1,x_2,x_3)\end{aligned}\tag{5-4}$$

式中:$F_i(x_i)(i=1,2,3)$为边缘分布,$F_{ij}(x_i,x_j)(i<j,i=1,2,j=1,2,3)$为二元复合极值分布,$F_0(x_1,x_2,x_3)$为三元复合极值分布

5.1.6　联合重现水平的确定及不同频率组合情况的设计水位值

根据上述分析,尤其是相关结构的确定,依据非齐次泊松分布特点,应用多维复合极值分布模型进行分析和计算,代入式(5-4),从而得到不同频率组合造成的吴淞设计水位的不同结果。见组合频率表5-6、表5-7。

众所周知,多种不同组合都能构成百年一遇的联合重现期。为获得其单一解,我们提出了某种控制因素条件下的多维联合概率[25]。在本节中,采用风暴增水为控制因素(Dominated by Strom Surge)求得100年多维联合重现期的设计水位,见表5-8。

由表5-8可见,上海按传统方法单因素外延推求的千年一遇防洪水位为5.86 m,与本方法联合重现期百年一遇值相近。

表 5-6　天文潮 5 年一遇重现水平

洪水 风暴增水	5 年		10 年		20 年		50 年	
	重现期	重现水平	重现期	重现水平	重现期	重现水平	重现期	重现水平
5	66	5.32	107	5.36	171	5.40	369	5.48
10	131	5.47	224	5.50	345	5.54	743	5.60
25	301	5.69	560	5.73	869	5.77	1 851	5.85
50	633	5.90	1 123	5.94	1 742	5.98	3 711	6.07

天文潮五年一遇重现水平＋2.04。

表 5-7　天文潮 20 年一遇重现水平

洪水 风暴增水	5 年		10 年		20 年		50 年	
	重现期	重现水平	重现期	重现水平	重现期	重现水平	重现期	重现水平
5	175	5.43	243	5.47	344	5.52	620	5.59
10	352	5.57	497	5.61	692	5.66	1 235	5.73
25	897	5.80	1236	5.84	1 726	5.88	3 099	5.96
50	1 799	6.02	2 461	6.06	3 441	6.10	6 220	6.18

天文潮二十年一遇重现水平＋2.04。

表 5-8　推荐的吴淞站水位设计标准

联合重现期/年	洪水/m	风暴增水/m	天文潮/m	设计水位值/m
100	0.43	1.32	4.14 *	5.89 *

* 吴淞基准面。

5.2　多维复合极值分布模型对一定周期条件下风、浪联合重现期的推算

上一节中构成多维复合极值分布的离散型分布，表达了台风(飓风、寒潮大风)出现频次的概率性[26][27]，实际上此离散型分布同时也可用于表达资料选取中阈值以上资料的个数或特定因素影响取样个数的随机性[28]。本节将对用岸用测波仪测得的黄海某岛 1963～1988 年共 26 年风浪同步资料，以过阈取样法

(POT 取样法)对波高、风速及周期资料进行联合概率分析。

波浪是海洋和海岸工程设计中最重要和影响最大的动力环境因素。近年来,浅海风浪的中期统计特性及海况的延时特性受到重视,因此有必要对波浪波候及统计性质进行研究。波候(Wave Climate)的研究,对海洋工程、船舶工程和远洋航行,都具有重要意义[29][30]。将多维复合极值分布理论应用于波高、风速及周期的联合概率,实际上为波候研究和应用提供了一个新途径。

5.2.1　样本的选取、边缘参数的估计及相关参数的确定

为了验证多维复合极值分布模型的有效性及对短期数据资料计算结果的稳定性,并利用多维复合极值分布模型推算一定周期条件下风、浪联合重现期,现将朝连岛岸用测波仪测得的 1963～1988 年共 26 年风浪同步资料分成两组。Af 为 1963～1988 年共 26 年风速为主时伴随的波高及周期的风浪同步资料, Bf 为 1973～1988 年共 16 年风速为主时伴随的波高及周期的风浪同步资料。

下面分别对 Af、Bf 两组数据以超阈值法确定边缘分布的阈值,并做边缘分布的参数估计。通过平均剩余生命图[31]-[34]显示的较平直少波动的部分,得到 Af、Bf 风速超过阈值 21 m/s 及伴随的波高、周期的风浪同步资料,如图 5-2 所示。

对选取的样本进行诊断检验,由风速、波高及周期的诊断检验图 5-3、图 5-4 可知,所选阈值样本与广义极值分布拟合良好,置信水平全部在 95%置信带内,同时密度曲线也吻合较好,充分表明所选阈值是合理的,由此得出 Af、Bf 数组的三类观测数据作为 Nested-Logistic 极值分布的边缘分析的样本。

根据广义极值分布式(1-3)及似然函数(5-1)得概率模型边缘分布各自的参数估计,其结果见表 5-9、表 5-11 所示。通过线性相关分析,得到相关参数 $\hat{\alpha}$,$\hat{\beta}$,其结果见表 5-10、表 5-12 所示。

根据线性相关系数 r_{12}、r_{13}、r_{23},可以看出,波高与风速较其他两组具有较强的相关性(Af 为 0.84,Bf 为 0.82),故可粗略地确定 x_1 为波高,x_2 为风速,x_3 为周期,确定了三者在 Nested-Logistic 模型中分层情况。

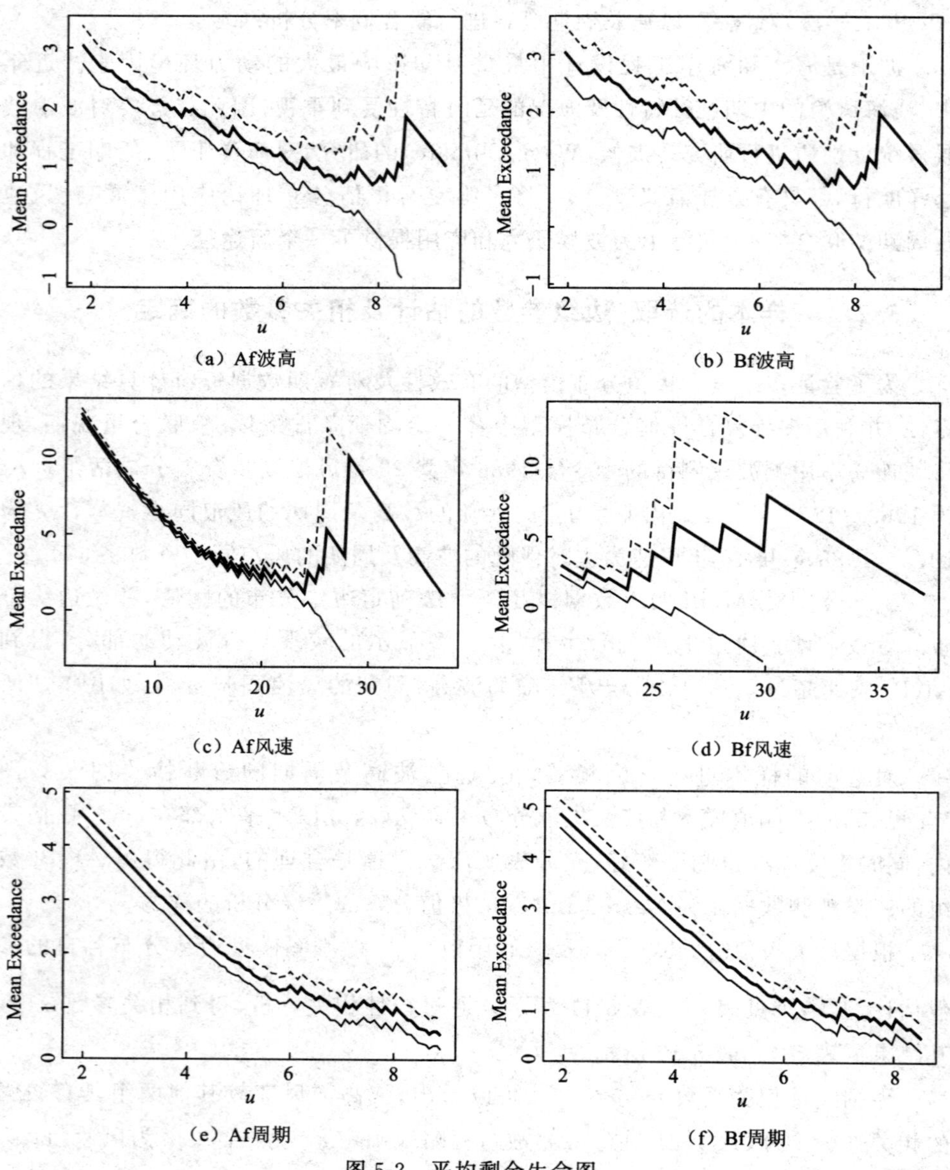

(a) Af波高　(b) Bf波高

(c) Af风速　(d) Bf风速

(e) Af周期　(f) Bf周期

图 5-2　平均剩余生命图

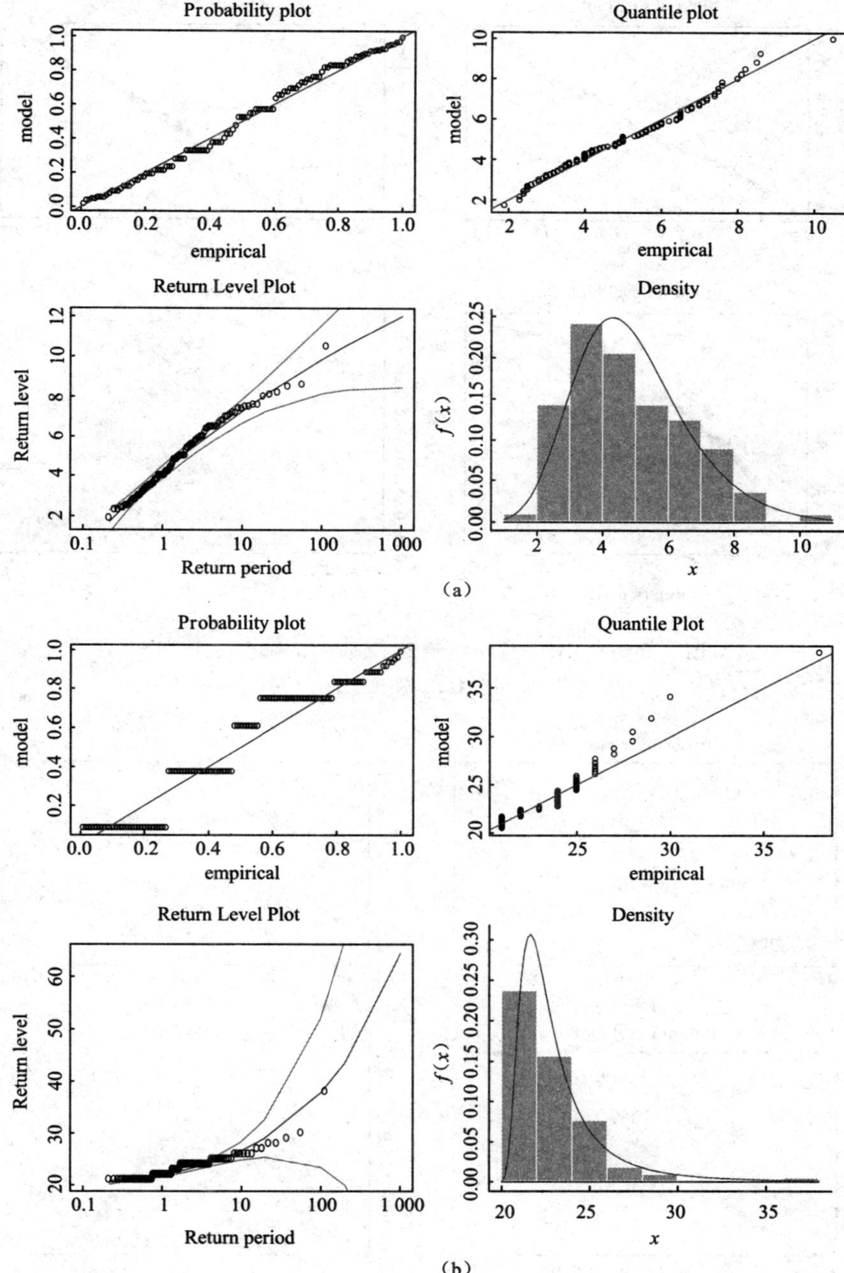

图 5-3　Af 数据组检验图 a,波高;b,风速;c,周期

(a. 概率;b. 分位数;c. 重现水平;d. 密度)

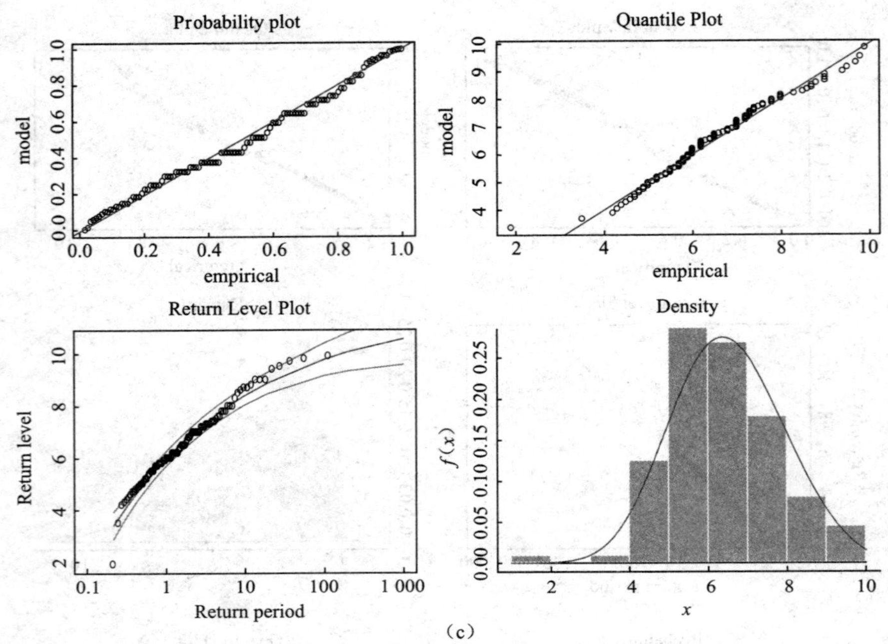

（c）

图 5-3(续)　Af 数据组检验图 a,波高;b,风速;c,周期

（a. 概率;b. 分位数;c. 重现水平;d. 密度）

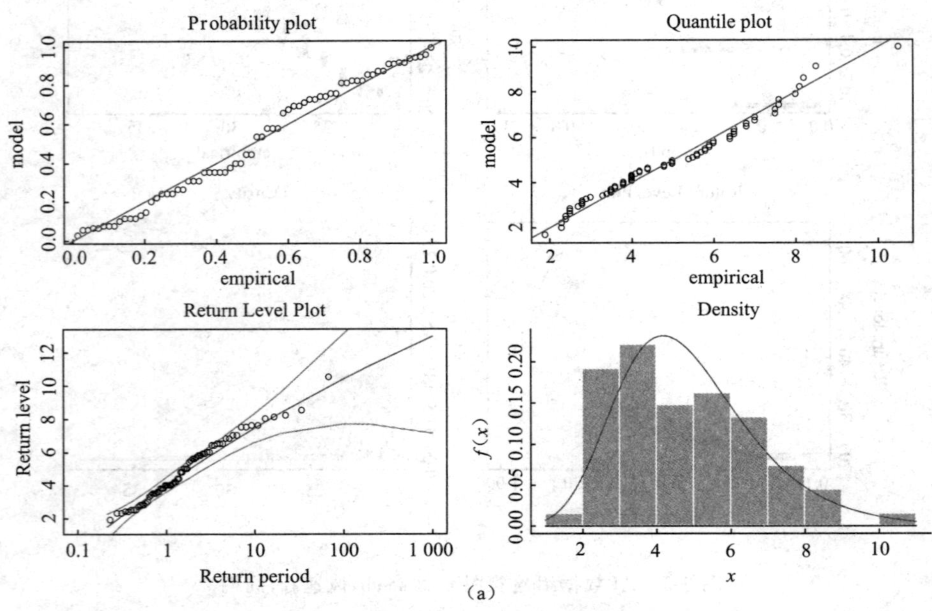

（a）

图 5-4　Bf 数据组检验图 A,波高　B,风速;C,周期

（a. 概率;b. 分位数;c. 重现水平;d. 密度）

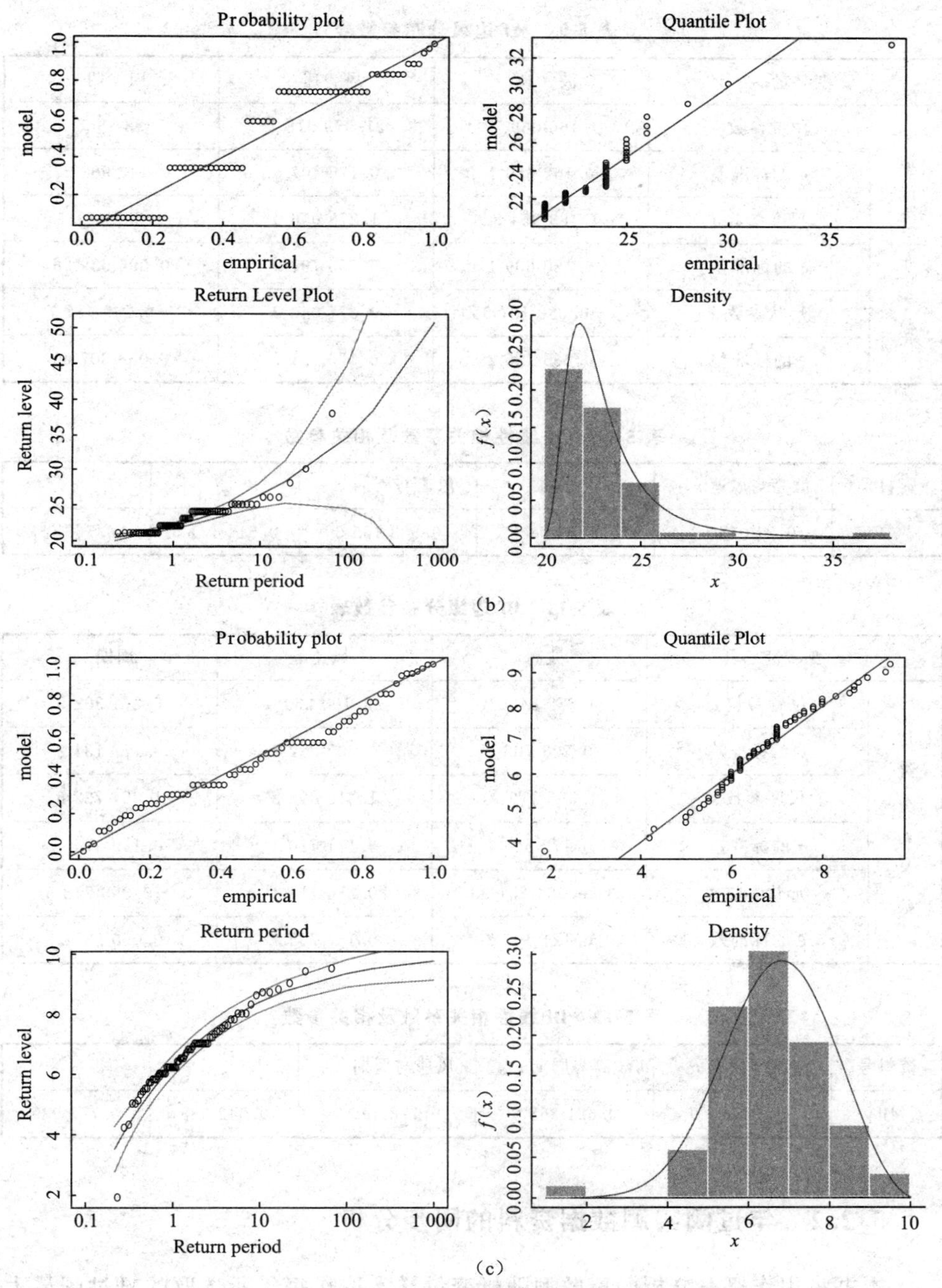

图 5-4(续) Bf 数据组检验图 A,波高 B,风速;C,周期

(a. 概率;b. 分位数;c. 重现水平;d. 密度)

表 5-9　Af 边缘分布参数表

变　量/		波　高/	风　速/	周　期/
边缘分布参数	位置参数 μ	4.166 069 20	21.979 918 7	5.987 966 5
	μ 的标准差	0.162 689 1	0.175 407 6	0.142 960 27
	尺度参数 σ	1.483 954 87	1.278 056 0	1.387 637 1
	σ 的标准差	0.120 609 1	0.155 701 9	0.096 639 28
	形状参数 ξ	−0.082 137 95	0.377 046 9	−0.249 437 7
	ξ 的标准差	0.085 135 2	0.176 621 7	0.053 307 60

表 5-10　Af 线性相关系数及相关参数

资料号	波高与风速 r_{12}	波高与周期 r_{13}	风速与周期 r_{23}	$\hat{\alpha}$	$\hat{\beta}$
Ab	0.843 650 3	0.658 200 4	0.803 195 3	0.514 131 5	0.769 08

表 5-11　Bf 边缘分布参数表

变　量		波高/	风速/	周期/
边缘分布参数	位置参数 μ	4.072 849 64	22.100 333 0	6.271 302 9
	μ 的标准差	0.228 706 2	0.202 332 2	0.177 131 2
	尺度参数 σ	1.593 119 34	1.319 816 2	1.354 722 6
	σ 的标准差	0.172 525 1	0.171 710 4	0.119 476 4
	形状参数 ξ	−0.064 251 99	0.286 114 4	−0.353 718 6
	ξ 的标准差	0.121 107 8	0.157 762 3	0.060 687 9

表 5-12　Bf 线性相关系数及相关参数

资料号	波高与风速 r_{12}	波高与周期 r_{13}	风速与周期 r_{23}	$\hat{\alpha}$	$\hat{\beta}$
Bf	0.817 859 9	0.621 368 2	0.778 495 3	0.542 985	0.785 989

5.2.2　年过阈实测数据资料的同步分析

本书将用作概率分析的离散型随机变量样本取作每年所选取的日过阈最大载荷资料数。

显然，由于波浪本身的特点如冰期，无浪的天气或波高小于某一阈值的天数,每年都不一样)。故每年所选取的日过阈最大环境条件(如波高或风速)资料数不是一个常量,而是随机变量。尽管在实际中此随机变量的取值范围不是很宽,但也应该考虑到这种随机波动的影响。同时,根据海浪的自然状况及从实际资料的分析中可以看出,由于风的变化、地形的影响以及水深随时间的变化等原因,在相隔一天的时间中,波浪的波高、波向以及风浪、涌浪的相互关系等都可能发生各种各样的变化,并不会使后一天的资料与前一天的资料有什么必然的联系或受什么特定的影响。因此,假定日过阈最大环境条件相互独立分布是可以成立的,实际资料的检验也证实了这一点。

利用前文已详细介绍的相关理论和方法,通过显著水平为0.05的K-S检验可见,每年所取过阈资料数符合Poisson分布,见表5-13、表5-14。

表5-13　Af过阈资料数参数估计

每年过阈资料数												总资料数	λ
0	1	2	3	4	5	6	7	8	9	10	11	112	平均值
过阈年次数												总次数	4.308
1	1	4	4	5	4	3	2	1	0	0	1	26	

表5-14　Bf过阈资料数参数估计

每年过阈资料数								总资料数	λ
0	1	2	3	4	5	6	7	66	平均值
过阈年次数								总次数	4.125
1	1	2	1	3	4	2	2	16	

以上根据第2章的原则确定了三类样本的阈值,选出阈值以上的观测值,得出波高、风速及周期三类观测数据作为边缘分析的样本;并从相应的图表中可以看出,所选阈值样本与广义极值分布拟合良好,得到各自的参数估计,又根据表中三变量的ξ值,可以确定三变量均符合广义极值分布。因此,根据边缘分布式,即一元复合极值分布表达式可给定不同重现期并确定该变量的重现水平。这一结果将用于下面联合分布的频率分析。

5.2.3　多维复合极值分布模型的概率分析及联合重现期的确定

不同的工程对海洋环境设计波浪会有不同的要求,从而会采用不同的重现期。法国在22届国际航运会议的报告中曾提出过一个比较高的标准,对直墙式和桩基式建筑物采用千年一遇的设计波浪。当然,这样高的标准实际工程设计是不采用的，原因如下。

(1) 任何一项工程设计，必须在安全与经济两个因素间取得平衡。设计标准太高，必然增加工程造价。归根结底，对于海洋工程建筑物，要求绝对安全，常常是不经济甚至是做不到的。

(2) 设计波浪的危险率并不等于是建筑物的事故率。因为一般建筑物在设计波浪情况下都具有一定的安全度，所以波浪稍有超过并不会造成重大损害。

(3) 英国规范中指出，利用一般的外延频率曲线的方法推算重现期大于百年一遇的波浪时，必须注意其可靠性将受气候状况长期变化的影响。

总之，目前缺乏推算重现期很长时的波浪要素的方法。从年极值分布表达式可以看出，提高设计标准就是提高重现期，而保证设计值可靠的最低要求是增大样本容量。按 63.2%的置信水平统计，如果估算百年一遇设计值，要求样本容量不少于 20 年，五百年一遇不少于 50 年，千年一遇不少于 80 年，而样本容量的增加，有待时间的积累，因此工程设计应用起来比较困难。

下面根据复合边缘分布式，给定不同重现期确定的该变量的重现水平，以便用于下面联合分布的频率分析。

由前节讨论可知，波高与风速较其他两组具有较强的相关性(Af 为 0.84，Bf 为 0.82)；其中 x_1 为波高，x_2 为风速，x_3 为周期。下面将进行联合分析的参数列入表 5-17、表 5-18 中。

表 5-15　Af 波高、风速及周期边缘分布表

重现期/年	波高重现水平/m	风速重现水平 /(m·s^{-1})	周期重现水平/s
50	10.60	44.17	10.10
100	11.25	51.88	10.33
200	11.86	61.88	10.53
500	12.62	79.78	10.74

表 5-16　Bf 波高、风速及周期边缘分布表

重现期/年	波高重现水平/m	风速重现水平 /(m·s^{-1})	周期重现水平/s
50	11.25	38.61	9.52
100	12.03	43.28	9.64
200	12.77	48.97	9.74
500	13.69	58.42	9.84

表 5-17　Af 参数表

$\hat{\alpha}$	0.514 131 5	μ_1	4.166 069 20	σ_1	1.483 954 87	ξ_1	−0.082 137 95
$\hat{\beta}$	0.769 08	μ_2	21.979 918 7	σ_2	1.278 056 0	ξ_2	0.377 046 9
λ	4.308	μ_3	5.987 966 5	σ_3	1.387 637 1	ξ_3	−0.249 437 7

表 5-18　Bf 参数表

$\hat{\alpha}$	0.542 985	μ_1	4.072 849 64	σ_1	1.593 119 34	ξ_1	−0.064 251 99
$\hat{\beta}$	0.785 989	μ_2	22.100 333 0	σ_2	1.319 816 2	ξ_2	0.286 114 4
λ	4.125	μ_3	6.271 302 9	σ_3	1.354 722 6	ξ_3	−0.353 718 6

在本小节中，采用波高为控制因素(Dominated by Wave)，根据相关结构的确定，对长期数据资料组 Af 和短期数据资料组 Bf 应用多维复合极值分布模型，推算得不同重现期波高条件下风速和波高不同组合的联合重现期，见表 5-19、表 5-20。

从表 5-19、表 5-20 可看出，多维复合极值分布模型利用短期数据资料推得的联合重现期，与利用长期数据资料推算的联合重现期较接近，计算结果较稳定。这表明在只有短期资料(如 Bf)的情况下，多维复合极值分布模型也能较合理地推得所需环境的某一联合重现期的重现水平。

表 5-19　百年一遇波高与相应不同重现期风速、周期的联合重现期计算结果

Af 联合重现期		Af 周期			Bf 周期			Bf 联合重现期	
		100	200	500	100	200	500		
Af 风速	100	188.68	285.72	588.24	196.08	294.12	588.23	100	Bf 风速
	200	277.77	357.14	625	285.71	370.37	625	200	
	500	666.67	714.29	833.33	666.67	714.29	909.09	500	

表 5-20　五百年一遇波高与相应不同重现期风速、周期的联合重现期计算结果

Af 联合重现期		Af 周期			Bf 周期			Bf 联合重现期	
		100	200	500	100	200	500		
Af 风速	100	384.62	526.32	909.09	370.37	526.32	909.09	100	Bf 风速
	200	454.55	555.55	833.33	434.79	555.56	909.09	200	
	500	625	769.23	1000	625	769.23	1031.40	500	

下面采用不同的计算方法,确定百年一遇设计标准的荷载组合。

(1) 单因素设计法(API 建议方法 3):传统的海洋环境条件设计标准分别进行单一荷载的统计分析,如百年一遇的风速、百年一遇的波高和百年一遇的海流速度等,三者同时出现的联合重现期超过百年,Af 数组和 Bf 数组分别为 189、196,往往过高地估计了环境条件参数,从而增大了投资成本。而三者相互独立条件下的联合重现期为 10^{-5},说明实际工程采用的单因素设计法偏于保守。

(2) 百年一遇的波高条件下,取相应的风速和周期的众值,由多维复合极值分布模型可确定其联合重现期,Af 数组和 Bf 数组分别为 152、161。与 API 建议的方法 3 相比,数组 Af 的设计风速和周期分别降低了 6.6%和 1.0%,数组 Bf 的设计风速和周期分别降低了 8.9%和 2.0%。

(3) 由多维复合极值分布模型,经过多次试算得到一组联合重现期为 100 年的波高、风速和周期的荷载组合。此时,荷载组合是一等量面上的点。与 API 建议的方法 3 相比,此时数组 Af 的设计波高、风速和周期分别降低了 5.8%、14.9%和 2.2%,数组 Bf 的设计波高、风速和周期分别降低了 6.5%、10.8%和 1.3%。

表 5-21　Af 不同计算方法比较

采用方法	联合重现期	荷载组合		
		波高/m	风速/(m·s^{-1})	周期(sec.)
方法 1	189	11.25	51.88	10.33
方法 2	152	11.25	48.45	10.23
方法 3	100	10.60	44.17	10.10

表 5-22　Bf 不同计算方法比较

采用方法	联合重现期	荷载组合		
		波高/m	风速/(m·s^{-1})	周期(sec.)
方法 1	196	12.03	43.28	9.64
方法 2	161	12.03	39.45	9.45
方法 3	100	11.25	38.61	9.52

正如上面看到的,存在多种组合会导致百年一遇的联合重现期,因此需要通过建立平台结构响应(如平台基底剪力、整体倾覆力矩等)相对于环境条件风、浪、流的函数表达式,增加求解约束条件,从非单一解中找出合适的一组数据作为最可能环境要素组合,即求解如下优化问题。

$$\begin{cases}\text{目标函数}\\ \text{约束条件}\end{cases}$$

在求解上式的过程中，根据优化初值设置的不同，可得多个极值点，即多个局部最优点；再比较这些极值点的联合概率，选出其中的一个最大值点，可以得到不同响应的唯一解。

5.3 多维复合极值分布模型在风浪联合设计值推算中的应用

为了更好地说明多维复合极值分布模型内在的性质以及在工程应用中的一些分析方法，下面给出此模型在增加求解约束条件时求得响应的唯一解的算例。

风浪荷载是平台遭受的最主要的环境荷载，因而成为二维联合概率研究和应用得最多的方面[35]-[37]。如绪论所述，API 规范推荐使用基于联合概率的方法确定海洋环境设计值。本节将分别针对规范 API [1]"定义 1"和"定义 2"的建议，应用二维复合极值分布模型对我国东海嵊泗 20 年台风过程中的风浪同步资料，进行最大风浪序列和年最大风浪序列边缘统计分析，并推算百年一遇风浪联合设计值，最后将这些结果与 Mixed-Gumbel 模型（利用年极值数据）的推算结果进行比较。

5.3.1 边缘分布的统计分析

嵊泗海区为典型的台风区，风浪同步资料时间长度为 1961～1980 年，每次台风过程取一组极值，共计 77 组。风速为 10 分钟平均风速，波浪为有效波高。由于数据资料所限，本书采用了每次台风过程中最大风速及其"伴随"的波高为数据样本，按照标准(2)来采样[38]-[40]，仅以此验证多维复合极值分布模型是否具有良好的可应用性。

将嵊泗海域 20 年 77 组风浪资料分成 2 组——台风过程最大风浪序列和年最大风浪序列，并分别按年份分段后进行编号，见表 5-1 和表 5-2。这样做的目的仅在于便于对不同的数据子集分别进行概率分析，通过比较，检验多维复合极值分布模型在只有短期资料的情况下计算结果的可靠性。由于所研究的海域属典型的台风区，所以认为极端海况仅发生在台风过程中，n 为台风每年影响到该海区的频次。本节将分别对表 5-23 和表 5-24 所列出的共计 10 组风浪极值数据以及台风频次进行参数估计、分布统计检验和区间估计[42][43]。

在第 2 章 § 3.2 式(3-7)中，$g(x_1,x_2)$ 为式(3-10)所示的 Mixed-Gumbel 分布，其边缘分布为 Gumbel 分布，如式(3-9)所示，λ 为 Poisson 分布的参数[参见

式(2-5)]。下面分别对每次台风过程中最大风速、"伴随"的波高数据以及台风频次进行 Gumbel 分布和 Poisson 分布的参数估计。

表 5-23　台风过程风浪极值数据序列

资料序列编号	资料长度/年	年　度	数据个数
1	20	1961～1980	77
2	12	1961～1972	48
3	12	1963～1974	42
4	12	1965～1976	41
5	12	1967～1978	40

表 5-24　风浪年极值数据序列

资料序列编号	资料长度/年	年　度	数据个数
6	20	1961～1980	20
7	12	1961～1972	12
8	12	1963～1974	12
9	12	1965～1976	12
10	12	1967～1978	12

对于本节算例中的 Poisson 分布,其似然函数为

$$L(\lambda)=\prod_{i=1}^{n}\frac{\lambda^{x_i}e^{-\lambda}}{x_i!}$$

而

$$\ln L(\lambda)=\sum_{i=1}^{n}[x_i\ln\lambda-\ln(x_i!)-\lambda]$$

令

$$\frac{\mathrm{d}}{\mathrm{d}\lambda}\ln L(\lambda)=0$$

则得到 λ 的极大似然估计值为 $\hat{\lambda}=\frac{1}{n}\sum_{i=1}^{n}x_i=\bar{x}$(这一结果与矩估计法是相同的)。本书对资料 1～10 中的台风频次的 Poisson 参数 λ 估计结果见表 5-25 和表 5-26。表 5-27 特别地列出了资料 1 中,即 20 年台风频次及其 Poisson 参数估计。

对于 Gumbel 分布:$G(x)=\exp[-\exp(-A(x-B))]$,其似然函数为

$$L=\prod_{i=1}^{n} g(x_i)=\alpha^n e^{-A\sum(x_i-B)}\exp\left\{-\sum e^{-A(x_i-B)}\right\} \tag{5-5}$$

求解此式最大值等价于求解其负对数似然函数的最小值，因而可以看作目标函数为

$$\min_{\bar{x}}(-\ln L(\bar{x})) \tag{5-6}$$

的无约束非线性规划问题。用上述方法分别对台风过程中最大风速、“伴随”的波高（数据序列1-5，见表5-23），以及年最大风速和“伴随”波高（数据序列6-10，见表5-24）进行Gumbel分布参数估计，结果见表5-25和表5-26。

表5-28列出了K-S检验法对风浪极值序列Gumbel分布的检验；另外，采用χ^2检验法，通过了对Poisson分布参数的检验。

本节算例采用主量法寻求未知参数θ的置信区间，得到Gumbel分布参数的极大似然估计量的置信区间为$[z_{\alpha/2}, z_{1-\alpha/2}]$；其中，$z_{\alpha/2}$和$z_{1-\alpha/2}$分别为正态分布$N(\hat{\theta},\sqrt{\text{diag(fisher)}})$的$\alpha/2$和$1-\alpha/2$分位数。

表5-25和表5-26分别在列出了置信度$1-\alpha=0.95$时台风频次n的Poisson分布参数估计和风浪的Gumbel分布参数估计的同时，也相应地给出了各自的置信区间。这里，仅估计了单个参数的置信区间。多参数的联合置信区间非常复杂，本书并未考虑。

表5-25　台风过程风浪极值序列参数估计

资料序列编号	参　数	估计值	置信区间($\alpha=0.05$)
1	λ	3.85	[3.00,4.75]
	A_x	0.289 3	[0.246 8, 0.331 8]
	B_x	14.565 6	[13.700,15.430 6]
	A_y	0.700 9	[0.595 7, 0.806 1]
	B_y	3.755 3	[3.399 4,4.111 1]
	ρ	0.578 6	?
2	λ	4.0	[2.92,5.17]
	A_x	0.280 7	[0.230 3, 0.331 1]
	B_x	14.642 6	[13.541,15.744 0]
	A_y	0.642 9	[0.595 7, 0.806 1]
	B_y	3.650 6	[3.173 3, 4.127 9]
	ρ	0.513 1	—

续表

资料序列编号	参　数	估计值	置信区间(α=0.05)
3	λ	3.5	[2.50,4.58]
	A_x	0.2911	[0.243 6, 0.338 6]
	B_x	14.438 1	[13.461 6,15.414 6]
	A_y	0.679 2	[0.553 3, 0.805 1]
	B_y	3.672 1	[3.248 9, 4.095 4]
	ρ	0.540 5	—
4	λ	3.42	[2.42,4.50]
	A_x	0.298 9	[0.251 9, 0.345 8]
	B_x	14.384 2	[13.481 6,15.286 8]
	A_y	0.685 3	[0.565 3, 0.805 3]
	B_y	3.698 3	[3.296 7, 4.099 9]
	ρ	0.5179	—
5	λ	3.33	[2.33,4.42]
	A_x	0.300 1	[0.255 9, 0.344 3]
	B_x	14.434 6	[13.579 4,15.289 7]
	A_y	0.703 4	[0.591 4, 0.815 3]
	B_y	3.706 0	[3.336 2, 4.075 8]
	ρ	0.544 2	—

表 5-26　风浪年极值序列参数估计

资料序列编号	参　数	估计值	置信区间(α=0.05)
6	A_x	0.263 4	[0.174 7,0.352 1]
	B_x	18.479 8	[15.888 7,21.070 9]
	A_y	0.791 6	[0.502 4,1.080 9]
	B_y	5.325 3	[4.732 9,5.917 6]
	ρ	0.387 5	—

续表

资料序列编号	参数	估计值	置信区间(α=0.05)
7	A_x	0.285 1	[0.185 9,0.384 2]
	B_x	18.203 9	[14.938 4,21.469 3]
	A_y	0.966 2	[0.541 2,1.391 2]
	B_y	5.736 9	[5.030 9,6.442 8]
	ρ	0.280 8	—
8	A_x	0.446 9	[0.223 9,0.669 9]
	B_x	17.371 0	[15.231 1,19.510 8]
	A_y	0.846 3	[0.516 4,1.466 7]
	B_y	5.266 5	[1.176 2,6.066 2]
	ρ	0.416 7	—
9	A_x	0.423 8	[0.185 3, 0.662 4]
	B_x	17.501 5	[15.391 8,19.611 1]
	A_y	0.994 1	[0.610 7,1.377 5]
	B_y	5.044 9	[4.244 7,5.845 2]
	ρ	0.567 5	—
10	A_x	0.315 6	[0.131 4,0.499 7]
	B_x	18.377 7	[16.061 7,20.693 8]
	A_y	0.899 3	[0.443 0,1.355 7]
	B_y	5.057 4	[4.302 1,5.812 7]
	ρ	0.6287	—

表 5-27 20年台风频次及其 Poisson 参数估计

每年台风次数	总年数	λ	
0 1 2 3 4 5 6 7 8	20	估计值	置信区间(α=0.05)
出现年份数	总次数	3.85	[3.00,4.75]
0 2 3 3 5 5 0 1 1	77		

表 5-28　K-S 检验法对分布的检验

资料编号	1	2	3	4	5	6	7	8	9	10
数据个数	77	48	42	41	40	20	12	12	12	12
$D_0(0.05)$	0.16	0.19	0.20	0.21	0.21	0.29	0.38	0.38	0.38	0.38
D_n	0.15 0.06	0.13 0.10	0.14 0.07	0.13 0.07	0.14 0.06	0.19 0.06	0.19 0.12	0.23 0.12	0.20 0.23	0.19 0.10
比较	$D_n<D_0$	$D_n<D_0$	$D_n<D_0$	$D_n<D_0$	$D_n<D_0$	$D_n<D_0$	$D_n<D_0$	$D_n<D_0$	$D_n<D_0$	$D_n<D_0$
检验结果	接受	接受	接受	接受	接受	接受	接受	接受	接受	接受

5.3.2　百年一遇的风速及“相应”的波高

规范 API RP2A-LRFD[1] 在定义极端风、波浪和海流的组合荷载时提到“百年一遇的波高及相应的风和流”，但同时也作出解释：“对主要受风或流荷载作用的结构，至少要用 100 年重现期的风载或海流及与其相伴的波高组合荷载进行核算。”通常，在不能确定拟建平台主要受何种荷载作用的情况下，可以分别利用最大波高及“伴随”风速和最大风速及“伴随”波高两个序列数据，推求百年一遇的波高和“相应”的风速以及百年一遇的风速和“相应”的波高，最后进行结果比选。

本书采用的数据资料是台风过程或每年最大风速及其“伴随”的波高，这就假定了风荷载对拟建平台具有更明显的不利影响，因而可根据“定义 1”的思想，将百年一遇的风速及“相应”的波高作为设计值；或者，也可将推算的风浪联合设计值作为对其他设计值的核算。对“相应”的含义，有关研究者有着不同的解释。本书认为 S. Zachary 等[43] 的解释——“最可能”与百年一遇波高同时出现的风速，即风速的条件概率密度(以波高取百年一遇为条件)的众值是合理的，因而对于推求百年一遇的风速及“相应”的波高的问题。本书将求解波高的条件概率密度(以风速取百年一遇为条件)的众值。

记 $f_{y|x}(y \mid x)$ 为在条件 $X=x$ 下 Y 的条件概率密度函数，则

$$f_{y|x}(y \mid x)=\frac{f(x,y)}{f_x(x)} \tag{5-7}$$

式中：$f(x,y)$ 为随机变量 X,Y 的联合概率密度函数，$f_x(x)$ 为 X 的概率密度函数，亦即 $f(x,y)$ 关于 X 的边缘密度函数。

对于 Poisson-Mixed-Gumbel 复合极值分布模型，$f(x,y)$ 如式(3-8)所示，$f_x(x)$ 由下式求得

$$f_x(x)=\int_{-\infty}^{+\infty} f(x,y)\mathrm{d}y=\int_{-\infty}^{+\infty}\lambda e^{-\lambda[1-G_X(x)]}g(x,y)\mathrm{d}y=\lambda e^{-\lambda[1-G_X(x)]}g_x(x) \tag{5-8}$$

将式(3-8)和式(5-8)代入式(5-7)即得 Poisson-Mixed-Gumbel 复合极值分布模型条件概率密度。具体地讲，此模型在条件“风速为百年一遇：$X=x_{100}$”下，波高 Y 的条件概率密度为

$$f_{y|x}(y\mid x_{100})=\frac{f(x_{100},y)}{f_x(x_{100})}=\frac{\lambda e^{-\lambda[1-G_x(x100)]}g(x_{100},y)}{\lambda e^{-\lambda[1-G_x(x100)]}g_x(x_{100})}=\frac{g(x_{100},y)}{g_x(x_{100})}\tag{5-9}$$

其图形如图 5-5 曲线 1 所示。

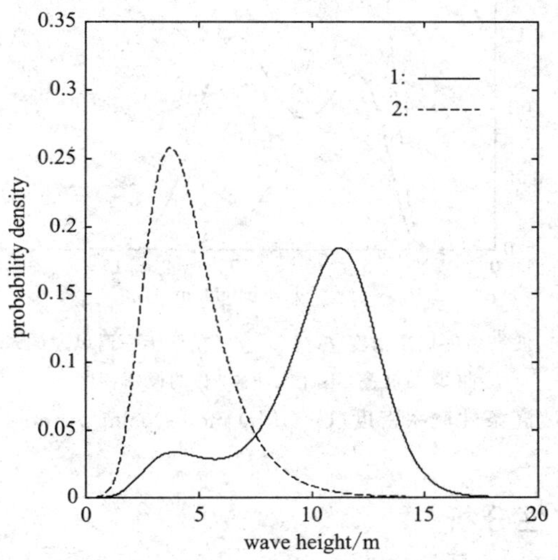

曲线 1：波高条件概率密度 $f_{Y|X}(x|y)$（在百年一遇风速的条件下）

曲线 2：波高（不计风速影响）的概率密度

图 5-5　波高条件概率密度（by PGMCD model）

利用 20 年台风风浪极值资料（子样 1），由 $f(x,y)$ 关于 X 的边缘分布 $F_x(x)=e^{-\lambda[1-G(x)]}$ 求得百年一遇风速为 35.12 米/秒；根据式(5-9)，$f_{y|x}(y|x)$ 最大值所对应的波高为 11.24 米，即为本次节推荐的风浪设计值。

当风速和波高独立时（$\rho=0$），式(5-9)式简化为

$$f_{y|x}(y\mid x_{100})=\frac{g(x_{100},y)}{g_x(x_{100})}=\frac{g_x(x_{100})g_y(y)}{g_x(x_{100})}=g_y(y)\tag{5-10}$$

其图形如图 5-6 曲线 2 所示。

观察曲线 1 可以发现：$f_{y|x}(y|x)$ 在波高 4.0 米处出现了一个小的峰值，这与曲线 2——波高自身（不计风速影响）的概率密度众值是一致的。因而，这个小峰值是由于波高自身的概率密度特性的影响，而波高 11.2 米处取最大值则是受风速取百年一遇值的影响。

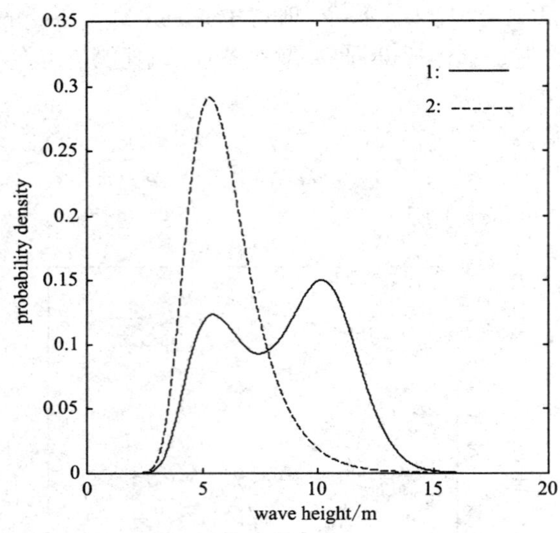

曲线 1：波高条件概率密度 $f_{Y|X}(x|y)$（在百年一遇风速的条件下）

曲线 2：波高（不计风速影响）的概率密度

图 5-6 波高条件概率密度（by GMD model using Annual Maxima）

5.3.3 敏感性分析

为了明确风浪设计值对于各个分布参数变化的敏感性，假设各参数分别取其置信区间（置信度为 95%）的上限和下限（同时其他参数不变），利用上述方法计算百年一遇的风速和"相应"的波高，观察各参数在其置信区间内的变化对推算结果的影响。表 5-29 列出了上述敏感性检验的结果。由上表可见，尺度参数 Ax，Ay 是最具影响力的。当它们在各自的 0.95 置信区间内变化时，环境设计值的变化分别为风速6.17米/秒和波高2.3米。相对而言，位置参数Bx，By的

表 5-29 敏感性分析

参数	百年一遇的风速/(m/s)和"相应"的波高/m		影响
	参数取置信下限(0.95)	参数取置信上限(0.95)	
λ	(34.26,10.89)	(35.85,11.55)	$\Delta H = 1.59, \Delta v = 0.66$
A_x	(38.66,11.24)	(32.49,11.24)	$\Delta H = -6.17, \Delta v = 0$
B_x	(34.26,11.24)	(35.99,11.24)	$\Delta H = 1.73, \Delta v = 0$
A_y	(35.12,12.57)	(35.12,10.27)	$\Delta H = 0, \Delta v = -2.3$
B_y	(35.12,10.89)	(35.12,11.60)	$\Delta H = 0, \Delta v = 0.71$

变化对计算结果影响较较小，分别引起风速 1.73 米/秒和波高 0.71 米的变化。台风频次分布参数 λ 同时影响设计风速和设计波高，且影响是同方向的(同时增大或减小)。

5.3.4 与 Mixed-Gumbel 模型的比较

下面利用 20 年的年极值资料(子样 6)，根据 Mixed-Gumbel 模型(GMD Model)依前述方法推算百年一遇风速和“相应”的波高。与图 5-5 相对应，图 5-6 中的曲线 1 和曲线 2 分别代表 Mixed-Gumbel 模型波高的条件概率密度和波高边缘概率密度。

分别利用 Poisson-Mixed-Gumbel 复合极值分布模型和 Mixed-Gumbel 模型推算百年一遇风速和“相应”波高，并按照传统设计方法分别利用一元极值模型：Poisson -Gumbel(PGD)和 Gumbel 分布推算风浪各自百年一遇值，将这些结果列入表 5-30，可以看到：对于子样 1(台风极值)，传统的单变量概率法(方法 1)比方法 3 设计波高偏高 8.9%，对于子样 6(年极值)单变量概率法推算结果偏高 9.2%。可见，传统的单变量概率设计法往往过于保守，在工程设计中造成很大浪费。在推算百年一遇风速及“相应”波高时，Poisson-Mixed-Gumbel 复合极值分布模型比 GMD 模型推算出的设计波高大 1.04 米，设计风速相差无几。从理论上讲，子样 1 较最常用的年极值样本一子样 6 更充分地代表了总体，同时 Poisson-Mixed-Gumbel 复合极值分布模型体现了极端海况频次的概率分布，从而可以认为方法 3 更真实地刻画了海洋极值环境要素的概率特性，所以认为本书推荐的方法 3 得出的结果更合理。在本算例中，方法 4 给出的风浪设计值偏低，使工程结构处于比预想更大的危险中。

表 5-30 各方法推算风浪设计值的比较

风浪各自 100 年一遇设计值		100 年一遇风速及“相应”波高	
方法 1	方法 2	方法 3 *	方法 4
PGD (子样 1)	Gumbel (子样 6)	PGMCD (子样 1)	GMD(子样 6)
35.12 m/s	35.94 m/s	35.12 m/s	35.94 m/s
12.24 m	11.14 m	11.24 m	10.20 m

* 本书推荐方法，表中 PGMCD 即 Poisson-Mixed-Gumbel 复合极值分布模型；GMD 即 Mixed-Gumbel 分布模型；PGD 即 Poisson -Gumbel 分布模型

5.3.5 导致百年一遇响应的风浪组合

关于确定海洋环境设计标准，规范 API RP2A-LRFD“定义”2 建议采用：风

速、波高和海流速度的任何“合理”组合,其结果是得到一百年重现期的组合平台响应。此方法首先须分析建立响应函数,从而明确响应失效边界函数,通常以某种响应(如基底剪力)的百年一遇值为设计目标,推求可能导致目标响应的多元环境要素的“合理”组合。

在实际应用中主要的问题是给定一个 $R(0<R<1)$,求解

$$P(A)=P(n=0)+\iint_{\Omega}f(x,y)\mathrm{d}x\mathrm{d}y=R \tag{5-11}$$

其中,事件 A:任意一年无极端海况出现或有极端海况出现但环境要素最大值(X,Y)不超过设计值;$f(x,y)$为(X,Y)(的联合概率密度函数;Ω 为安全域,记 $P(\bar{A})=1-R=P$,P 为设计频率,亦即环境要素最大值超过设计值的概率。这里“超过”的概念是超过设计值所在的失效边界,处于失效域。

本书将以基底剪力为控制响应,在确定了 20 年台风风浪极值的联合分布函数的基础上,以基底剪力为随机变量,根据基底剪力与风速波高的关系确定基底剪力的概率分布,从而推求百年一遇的基底剪力及导致这一响应的风速和波高的最可能的组合值。

假设某地结构基底横向剪力与风速 x 和波高 y 的关系为

$$Z(x,y)=0.44x^2+20.18y^2 \tag{5-12}$$

风速和波高的单位分别为 m/s 和 m,基底剪力单位为 kN。由式(5-7)得:结构基底剪力的概率分布为

$$F_z(z)=P(Z<z)=e^{-\lambda}+\iint_{\Omega}f(x,y)\mathrm{d}x\mathrm{d}y \tag{5-13}$$

式中:$f(x,y)$为年最大风速和有效波高的联合概率密度函数,由式(3-8)给出;式(3-8)中 $g(x,y)$采用 Mixed-Gumbel 分布,Ω 为积分域:$\Omega=\{(x,y)\mid 0.44x^2+20.18y^2\leqslant z\}$,如图 5-7 所示“安全域”。因此 T 年一遇的基底剪力为

$$Z_T=F^{-1}\left(1-\frac{1}{T}\right) \tag{5-10}$$

图 5-8 虚线所示为导致不同重现期基底剪力的等荷载响应曲线。可以看到,导致百年一遇响应的风速波高组合是非单一的(实际上有无穷多组),其中等值线与等概率线(实线)的切点对应的横纵坐标就是产生该极值响应的最可能环境要素组合。经计算,产生百年一遇基底剪力的最可能风浪值为风速 32.9 m/s,波高 12.0 m,即为本次节所推荐的风浪设计值。

为检验计算结果对于各个参数的敏感性,表 5-31 列出了当各参数在其置信度为 0.95 的置信区间内变化时风浪设计值(32.9,12.0)的重现期变化。通过比较可见,计算结果对尺度参数的变化较位置参数的变化更为敏感,这与 5.1.3 的结论是一致的;风浪相关性与设计值的推算密切相关,当风浪相关关系薄弱时,

二者联合设计值较低(因为风速极值与波高极值同时出现的概率很小);当二者相关性较强时,风速极值与波高极值同时出现的概率大,因而相应地,二者联合设计值较高。在极限情况,若风速与波高完全相关,二者最大值必然同时出现,则应采用传统的标准,取风浪各自百年一遇值。但是,由于波浪与风有相对滞后性,其他环境因素如海流、风暴增水等在物理成因方面相互无必然关系,因而环境因素完全相关的情况几乎不可能发生,这也正是我们推荐采用基于联合概率的设计标准的原因。

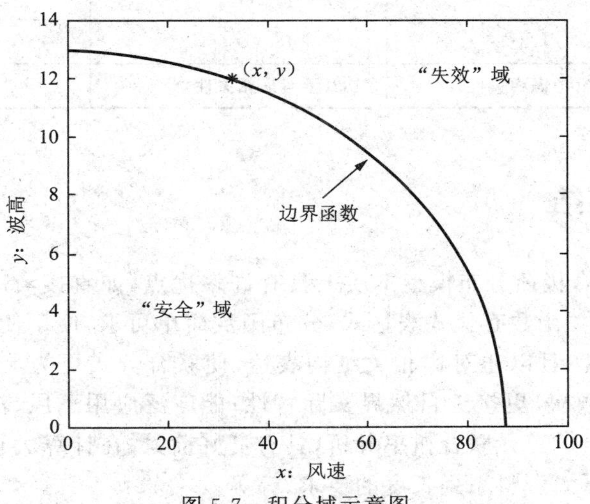

图 5-7　积分域示意图

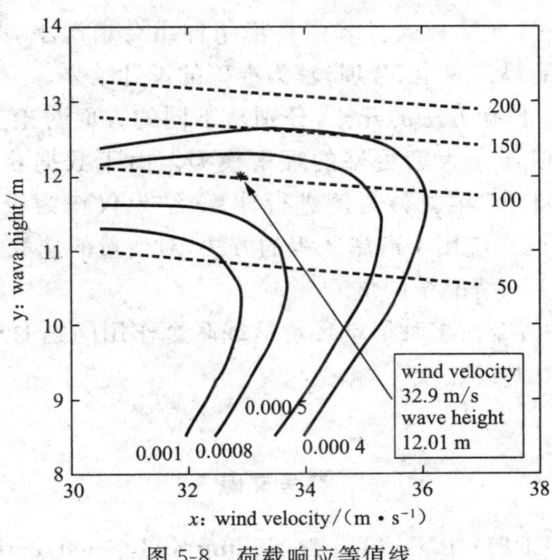

图 5-8　荷载响应等值线

表 5-31　风浪设计值对参数的敏感性分析

参数	重现期/年		影　响
	参数取置信下限	参数取置信上限	
λ	126	81	一般
Ax	89	108	一般
Bx	102	96	很小
Ay	47	207	很大
By	123	80	一般
ρ	100(考虑相关性)	482(不考虑相关性)令 $\rho=0$	很大

5.4　小结

① 多维复合极值分布模型本质上具有许多优点,如直接考虑三元极值的联合分布,且其相关函数有显式表达式,分布函数简单可求,便于使用;考虑了各变量之间的相关性,且以非对称相关结构表达,使联合分布更为灵活;尤其是考虑了台风发生的频次,更接近自然界实际特性;能广泛应用于风、浪、流、潮等任意恶劣条件下组合的三元联合概率分析,具有良好前景;在计算大重现期设计标准时可以相对降低对资料系列长度的要求,等等。

② 根据计算结果分析,假定各变量相互独立时,不仅不符合实际情况,而且设计重现期增值明显变幅极大。恶劣环境条件组合情况下,必须考虑变量之间相关性的影响,才能得到安全、合理、较为准确的设计结果。

③ 本书作为一种新方法的开拓,分别从不同的方面对论文中的三个实例有侧重的予以举例,以便于大家更好的理解模型。由于数据获取方面的困难,在§5.3 仅以 1970～1987 年资料为例进行计算,结果仅作为设计标准的参考;在§5.2 只是介绍本模型应用于海岸工程的方法,对变量的选取是否合理并未过于在意,读者可根据实际情况做调整。

本研究的成果对今后多种极端环境荷载联合作用问题的求解提供了一种更新、更科学、更合理的方法。

参考文献

[1]　API RP2A-LRFD: Planning, Designing and Constructing for Fixed Offshore Platforms Load and Resistance Factor Design. ISO 13819-2:-1995

(E).

[2] M. Olagnon, R. Nerzic and M.Prevosto, Extreme Water Level from Joint Distributions of Tide, Surge and Crests: a Case Study, Proceedings of the Ninth (1999) International Offshore and Polar Engineering Conference, Brest, France, May 30-June 4,1999.

[3] DET NORSKE VERITAS, Rules For the Design Construction and Inspection of Offshore Structures, 1997.

[4] Daniel T. Cox, and Christopher P. Scott,Exceedance Probability for Wave Overtopping on a Fixed Deck,Ocean Engineering, Volume 28, Issue 6 , 1 June 2001, Pages 707-721.

[5] Niedzwecki, J.M. , van de Lindt, J.W. , Gage, J.H. , Teigen, P.S., Design Estimates of Surface Wave Interaction with Compliant Deepwater Platforms , Ocean Engineering, Volume 27, Issue 8 , August 2000, Pages 867-888.

[6] 方振远,李祥品,洪琦. 城市防洪标准与防洪体系[J].东北水利水电,1997,6:26-28.

[7] 林荣,李国芳. 黄浦江风暴潮位、区间降雨量和上游来水量遭遇分析[J].水文,2000,203.

[8] Yue, S. ,Ouarda, T.B.M.J. , Bobee, B. , Legendre, P. , Bruneau, P., The Gumbel Mixed Model for Flood Frequency Analysis, Journal of Hydrology, 1999, Vol. 226,1:88-100.

[9] Ashkar, F., Partial Duration Series Models for Flood Analysis. PhD thesis, Ecole Polytechnique of Montreal, Montreal, Canada. 1980.

[10] Silverman, B.W., Density Estimation for Statistics and Data Analysis Chapman and Hall, New York. 1986.

[11] Correia, F.N., Multivariate Partial Duration Series in Flood Risk Analysis. In: Singh, V.P. Editor, Hydrologic Frequency Modelling Reidel, Dordrecht, 1987. pp. 541-554.

[12] Krstanovic, P.F. and Singh, V.P., A Multivariate Stochastic Flood Analysis Using Entropy. In: Singh, V.P. Editor, Hydrologic Frequency Modelling Reidel, Dordrecht, 1987, pp. 515-539.

[13] Sackl, B. and Bergmann, H., A Bivariate Flood Model and Its Application. In: Singh, V.P. Editor, , Hydrologic Frequency Modelling Reidel, Dordrecht, 1987 .pp. 571-582.

[14] Lall, U. and Bosworth, K., Multivariate Kernel Estimation of Functions of Space and Time. In: Hipel, K.V., Mcleod, A.I., Panu, U.S. and Singh, V.P. Editors, Time Series Analysis in Hydrology and Environmental Engineering Kluwer Academics, Dordrecht, 1994. pp. 301-315.

[15] Kelly, K.S. and Krzysztofowicz, R., A Bivariate Meta-Gaussian Density for Use in Hydrology. Stochastic Hydrology and Hydraulics, 1997, Vol.11, pp. 17-31.

[16] Goel, N.K., Seth, S.M. and Chandra, S., Multivariate Modeling of Food Flows. ASCE, Journal of Hydraulic Engineering, 1998. Vol.124, No. 2, pp. 146-155.

[17] Durrans, S.R., Total Probability Methods for Problems in Flood Frequency Estimation. In: Parent, E., Hubert, P., Bobee, B. and Miquel, J. Editors, Statistical and Bayesian Methods in Hydrological Science, International Hydrological Programme, Technical Documents in Hydrology 20 UNESCO, Paris, 1998. chap. 18, pp. 299-326.

[18] 王家祁,中国设计暴雨和暴雨特性的研究[J],水科学进展,1999,10(.3):328-336.

[19] Sheng Yue, The Gumbel Mixed Model Applied to Storm Frequency Analysis, Water Resources Management, 2000, Vol.14, pp.377-389.

[20] Sheng Yue, The Gumbel Logistic Model for Representing a Multivariate Storm Event Advances in Water Resources, 2000, Volume 24, Issue 2, Pages 179-185.

[21] Stuart Coles, JonathanTawn. Statistical methods for multivariate extremes: an application to structural design[J]。Appl. Statist., 1994, 43 (1): 1-48.

[22] Shi Dao ji. Moment estimation for multivariate value distribution in a nested logistic model[J]. Ann.Inst.Statist.Math, 1999, 53(2): 253-264.

[23] Zachry S, Feld G, Ward G, Wolfram J. Multivariate extrapolation in the offshor environment[J]. Applied Ocean Research, 1998, 20: 273-295.

[24] Stuart Coles, JonathanTawn. Modelling extreme multivariate events[J]. J.R. Statist.Soc.B, 1991, 53(2): 377-392.

[25] Liu D.F (Liu T.F), Song Y and et al, Combined Environmental Design Loads Criteria for Marine Structures, proc. Offshore Technology Conference, 2002, OTC 14191, Honston. USA.

[26] Liu D.F, Wen SQ, Wang L.P, Poison-Gumbel Mixed Compound Distribution and its application Chinese Science Bulletin2002, Vol. 47, No. 22, 1901-1906.

[27] Liu D.F, Song Y, Poisson-Logistic Compound Bivariate Extreme Distribution and its Application fordesigning of Platform Deck Clearance, proc, Offshore Mechanics & Arctic Engineering, OMAE 2003-37395.1-6.

[28] Liu D.F (Liu T.F), Li H.J, Prediction of Extreme Significant Wave Height from Daily Maxima. China Ocean Engineering, 2001, Vol. 15, No.1, PP.97-106.

[29] Simoes Oliveira, Wave Climate Modelling South of Ria de Janeiro in Brazil, J. Continental Shelf Res., 2002, 22, 2021-2034.

[30] Z.Prussak, R. Ostrowski, Wave Climate and large-scale coastal processes, In Term of Boundary Conditions, J.Coastal Eng, 2000, 42(1), 31-56.

[31] S.G Coles and J.ATawn. Modelling Extreme Multivariate Events. J.R. Statist.Soc.B, 1991, Vol.53, No.2, pp377-392.

[32] Smith, R. L., Extreme Value Analysis of Environmental Time Series: An Example Based on Ozone Data (with discussion), Statist. Sci., 1989, Vol.4, pp367-393.

[33] Davison, A.C. and Smith, R. L., Models for Exceedances over High Thresholds (with discussion). J. R. Statist. Soc. B, 1990, Vol. 52, pp393-442.

[34] Pickands, J., Statistical Inference Using Extreme Order Statistics, Ann. Statist., 1975, Vol.3, pp119-131.

[35] I.D. Morton, J. Bowers.(1997). "Extreme Value Analysis in A Multivariate Offshore Environment", Applied Ocean Research 18, 303-317.

[36] S. Zachary , G.Feld, G.Ward, J. Wofram. (1998). " Multivariate Extrapolation in The Offshore Environment", Applied Ocean Research 20, 273-295.

[37] M. N.Tsimplis and D. Blackman, (1997). "Extreme Sea-level Distribution and Return Periods in the Aegean an Ionian Seas", Estuarine, Coastal and shelf Science 44:79-89.

[38] C. W. Anderson, and S. Nadarajah, "Environmental Factors Affecting

Reservoir Safety" Statistics for the Environment, eds V. Barnett and K. F.Turkman. Wiley, London, 1993,163-182.

[39] V. Barnett, (1976), "The Ordering of Multivariate Data". Journal of The Royal Statistical Society, A, 139, 318-355.

[40]S. G Coles and J. ATawn. Statistical Methods for Multivariate Extremes: An Application to Structural Design [J]. Appl. Statist., 1994, 43(1): 1-48.

[41] H.克拉美. 统计学数学方法[M],魏宗叙,等,译. 上海:上海科技出版社,1966.

[42] 丛树铮,等. 水文学的概率统计基础[M]. 北京:水利出版社,1980.

[43] S. Zachary , G.Feld, G.Ward, J. Wofram. Multivariate Extrapolation in The Offshore Environment. Applied Ocean Research,1998,20: 273-295.

第6章　多维复合极值分布模型的几何性态和稳定性检验

6.1　多维复合极值分布模型的空间描述

对于三维复合极值分布模型，在第5章§5.1或§5.2对边缘分布各自参数和线性相关系数及相关参数进行讨论之后，代入式(3-3)和(3-4)中，即得到三维复合极值模型的累积分布函数和联合概率密度函数。由于公式中含有四个变量，故它的几何图形无法在三维画出。为了对多维复合极值分布模型的基本性质进行观察和分析，更好地应用、探讨和研究模型，可对得到的三维复合极值分布模型的分布函数和联合概率密度函数从不同侧面进行几何描述。为此，可分别固定三自变量中的一个变量，并令它取不同的值。下面不妨考虑联合分布函数和联合概率密度随变量周期变化时的特征。图6-1、图6-3分别给出了朝连岛 Bf 数据组相应的极值分布模型每经过一小段周期之后，三变量联合分布函数和联合概率密度的立体图形。图6-2、图6-4是同一数据组从另一视角得到的图形。读者可将它们为镜头组成活动镜片。同时，相应于所给周期，图6-5、图6-7分别给出了联合分布函数和联合概率密度函数的一组空间等高线图形。图6-6为联合分布函数另一视角的统一数据组的空间等高线。通过立体透视这些图形，可以较清楚地显示出所给函数的部分性质和特征。对于多维复合极值分布模型的分布函数和联合概率密度函数的等量球，由于过程太繁，此处从略。

东海嵊泗20年台风过程中的风浪极值序列相对应的Poisson-Mixed-Gumbel复合极值分布的累积分布函数和概率密度函数的三维图形，由图6-8和图6-9给出，并在较适用的范围内相应地给出了分布模型的等值线图6-10、图6-11。

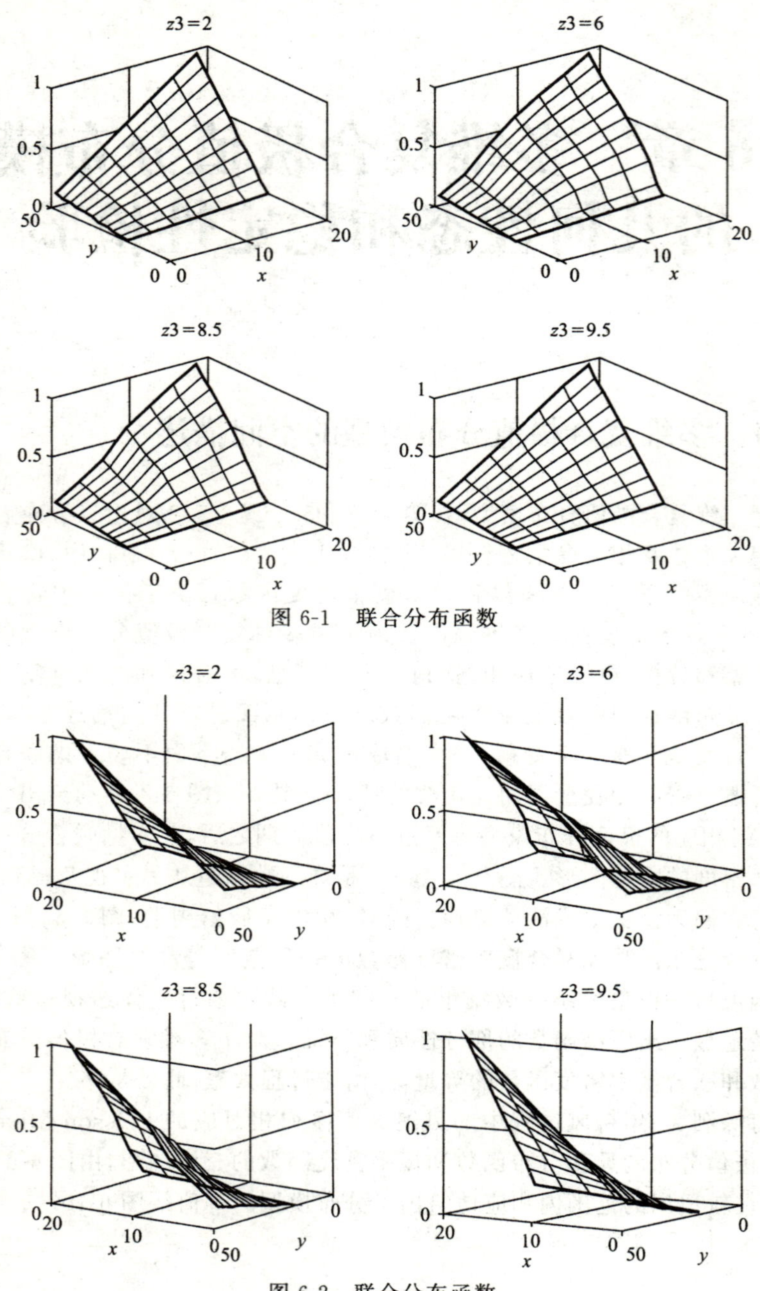

图 6-1　联合分布函数

图 6-2　联合分布函数

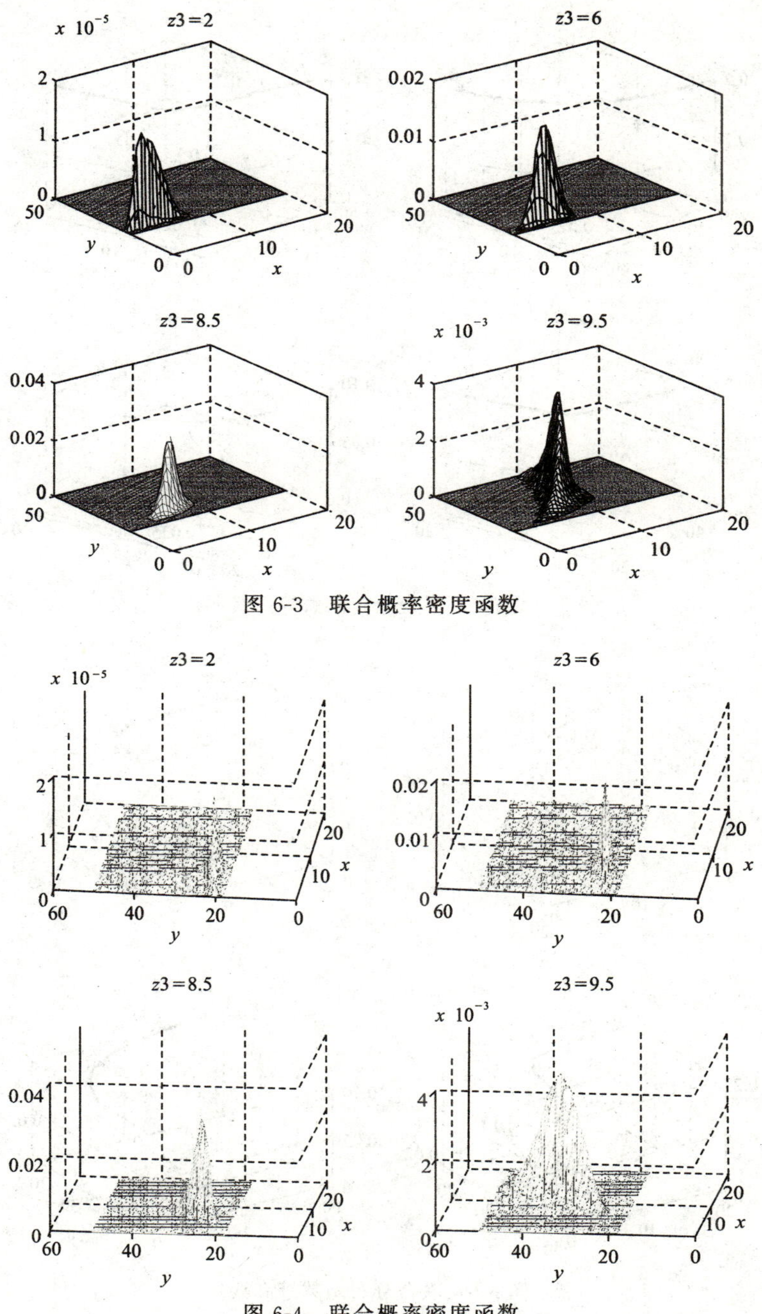

图 6-3　联合概率密度函数

图 6-4　联合概率密度函数

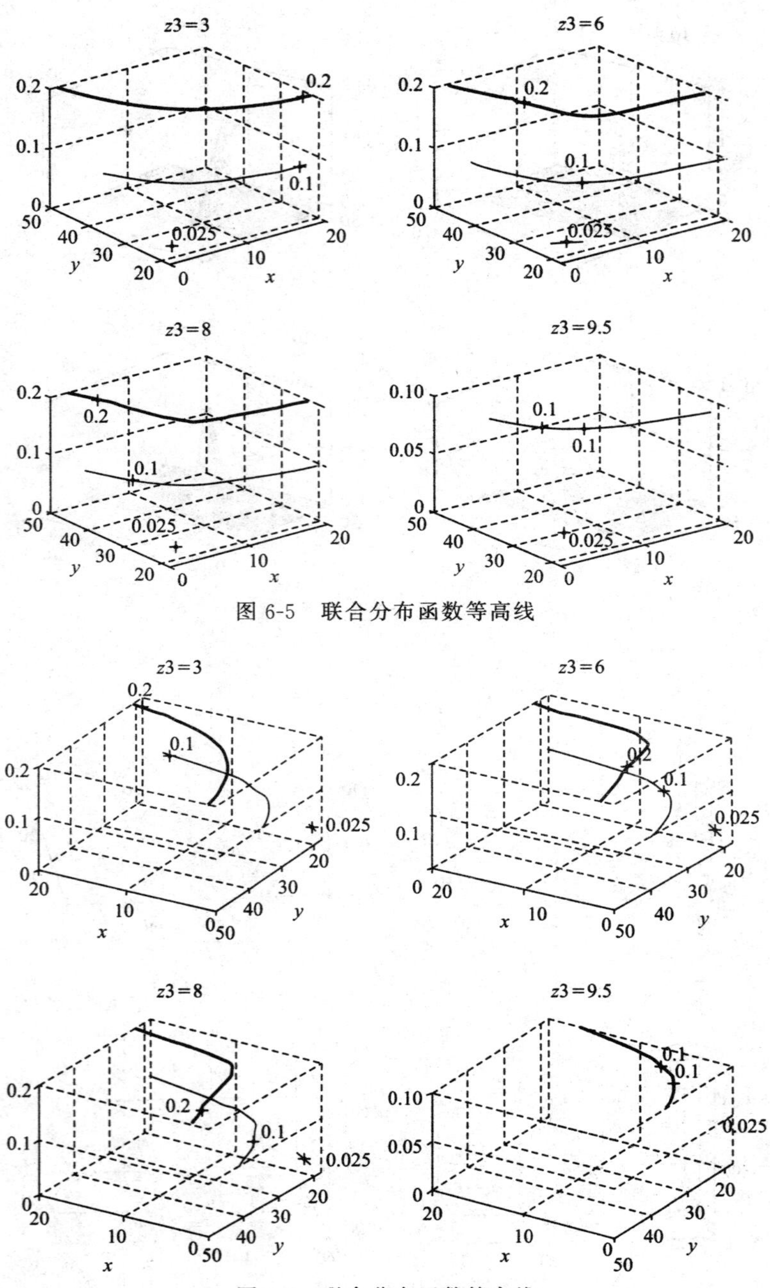

图 6-5　联合分布函数等高线

图 6-6　联合分布函数等高线

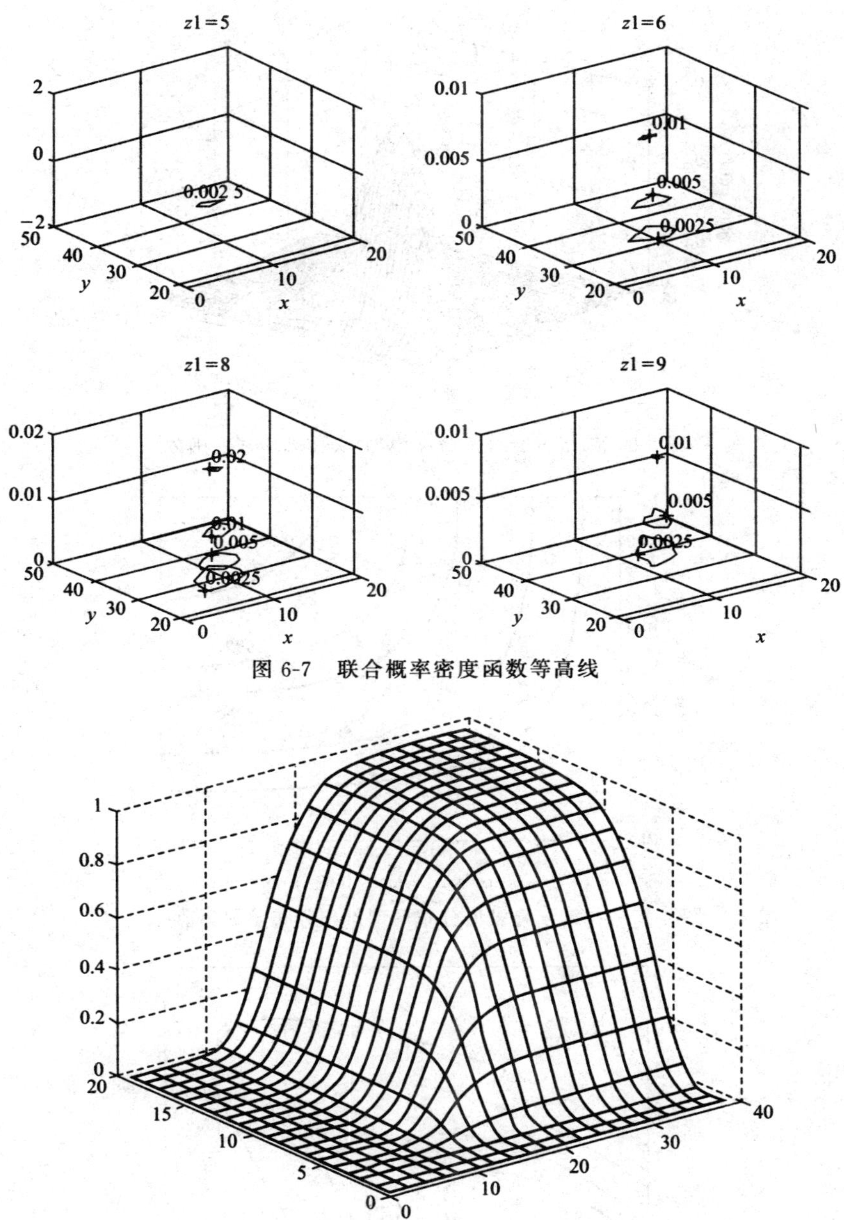

图 6-7　联合概率密度函数等高线

图 6-8　二维复合极值分布模型分布函数

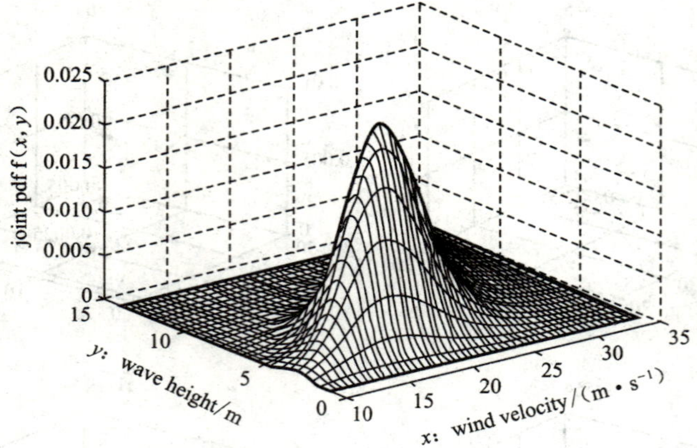

图 6-9 二维复合极值分布模型 联合概率密度函数

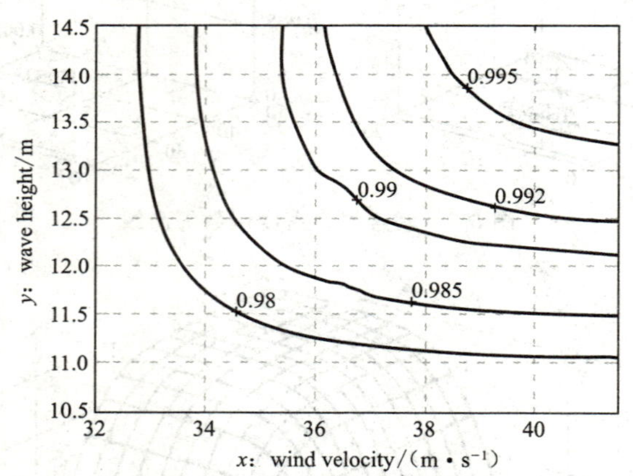

图 6-10 二维复合极值分布模型累积分布函数等值线

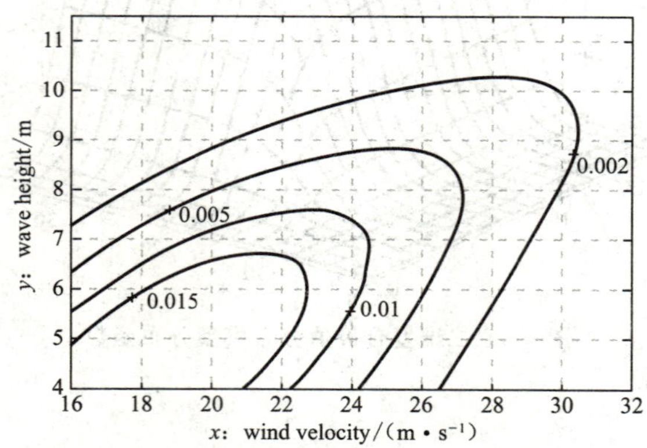

图 6-11 二维复合极值分布模型联合概率密度的等值线

6.2　多维复合极值分布模型的稳定性检验

第5章中，采用波高为控制因素(Dominated by Wave)，由表5-19、表5-20可看出，多维复合极值分布模型利用短期数据资料推得的联合重现期，与利用长期数据资料推算的联合重现期较接近，计算结果较稳定。这表明在只有短期资料(如 Bf)的情况下，多维复合极值分布模型也能较合理地推得所需环境的某一联合重现期的重现水平。

表5-19　百年一遇波高与相应不同重现期风速、周期的联合重现期计算结果

<table>
<tr><td colspan="2" rowspan="2">Af 联合重现期</td><td colspan="3">Af 周期</td><td colspan="3">Bf 周期</td><td colspan="2" rowspan="2">Bf 联合重现期</td></tr>
<tr><td>100</td><td>200</td><td>500</td><td>100</td><td>200</td><td>500</td></tr>
<tr><td rowspan="3">Af 风速</td><td>100</td><td>188.68</td><td>285.72</td><td>588.24</td><td>196.08</td><td>294.12</td><td>588.23</td><td>100</td><td rowspan="3">Bf 风速</td></tr>
<tr><td>200</td><td>277.77</td><td>357.14</td><td>625</td><td>285.71</td><td>370.37</td><td>625</td><td>200</td></tr>
<tr><td>500</td><td>666.67</td><td>714.29</td><td>833.33</td><td>666.67</td><td>714.29</td><td>909.09</td><td>500</td></tr>
</table>

表5-20　五百年一遇波高与相应不同重现期风速、周期的联合重现期计算结果

<table>
<tr><td colspan="2" rowspan="2">Af 联合重现期</td><td colspan="3">Af 周期</td><td colspan="3">Bf 周期</td><td colspan="2" rowspan="2">Bf 联合重现期</td></tr>
<tr><td>100</td><td>200</td><td>500</td><td>100</td><td>200</td><td>500</td></tr>
<tr><td rowspan="3">Af 风速</td><td>100</td><td>384.62</td><td>526.32</td><td>909.09</td><td>370.37</td><td>526.32</td><td>909.09</td><td>100</td><td rowspan="3">Bf 风速</td></tr>
<tr><td>200</td><td>454.55</td><td>555.55</td><td>833.33</td><td>434.79</td><td>555.56</td><td>909.09</td><td>200</td></tr>
<tr><td>500</td><td>625</td><td>769.23</td><td>1 000</td><td>625</td><td>769.23</td><td>1 031.40</td><td>500</td></tr>
</table>

下面利用Mixed-Gumbel模型，对风浪年极值序列进行二维模型稳定性分析。用各组数据(编号1～5，6～10)分别拟合Poisson-Mixed-Gumbel二维复合极值模型和Mixed-Gumbel模型，并计算联合累计概率(Joint cdf)为0.98和0.99对应的风浪值。表6-1比较了两模型在给定风速 $x=40$ m/s时各自推算的波高；表6-2比较了两模型在给定波高 $y=12.5$ m时各自推算的风速。这里给定的风速 $x=40$ m/s和波高 $y=12.5$ m是非常任意的，仅仅是为了对两模型的计算结果进行比较。表中，Δ 代表根据12年资料(编号2～5，7～10)推算结果与根据20年资料(编号1、6)推算结果的差；σ 代表根据不同数据资料推算结果的标准差：

表 6-1　给定风速 $x=40$ m/s 时，两模型预测波高的比较

资料编号	资料长度(年)	方　法	Joint cdf Pr ($X<=x,Y<=y$)=0.98			Joint cdf Pr ($V<=v,H<=h$)=0.99		
			波高 y	Δ	σ	波高 y	Δ	σ
1	20(1961-1980)	PGMD Model	11.06	0	0.323	12.16	0	0.400
2	12(1961-1972)		11.58	0.52		12.85	0.69	
3	12(1963-1974)		11.01	−0.05		12.13	−0.03	
4	12(1965-1976)		10.89	−0.17		11.99	−0.17	
5	12(1967-1978)		10.72	−0.34		11.79	−0.37	
6	20(1961-1980)	Gumbel Mixed Model	10.37	0	0.524	11.42	0	0.646
7	12(1961-1972)		9.72	−0.65		10.49	−0.93	
8	12(1963-1974)		9.88	−0.49		10.70	−0.72	
9	12(1965-1976)		8.97	−1.40		9.67	−1.75	
10	12(1967-1978)		9.40	−0.97		10.19	−1.23	

表 6-2　给定波高 $H=12.5$ m 时，两模型预测风速的比较

资料编号	资料长度(年)	方　法	Jointcdf Pr ($X<=x,Y<=y$)=0.98			Jointcdf Pr ($V<=v,H<=h$)=0.99		
			波高 y	Δ	σ	波高 y	Δ	σ
1	20(1961-1980)	PGMD Model	33.15	0	1.133	37.15	0	1.002
2	12(1961-1972)		34.58	1.43		—	—	
3	12(1963-1974)		32.61	−0.54		36.71	−0.44	
4	12(1965-1976)		31.96	−1.19		35.61	−1.54	
5	12(1967-1978)		31.75	−1.4		34.96	−2.19	
6	20(1961-1980)	Gumebel Mixed Model	33.63	0	3.060	36.77	0	3.882
7	12(1961-1972)		30.02	−3.61		34.60	−2.17	
8	12(1963-1974)		26.21	−7.42		27.91	−8.86	
9	12(1965-1976)		26.72	−6.91		28.38	-8.39	
10	12(1967-1978)		30.76	−2.87		33.02	-3.75	

$\sigma=\sqrt{\dfrac{\sum\limits_{i-=1}^{n}(x_i-\bar{x})^2}{n-1}}$。从表 6-1 和表 6-2 可以看到，二维复合极值分布模型

推算结果的标准差 σ 明显小于 Mixed-Gumbel 模型，说明二维复合极值分布模型利用短期资料推算结果比较稳定；对于二维复合极值分布模型，Δ 值普遍小于 Mixed-Gumbel 模型推算结果的 Δ 值。这表明在只有短期资料（如 12 年）的情况下，二维复合极值分布模型的推算结果更接近长期资料的推算结果（如 20 年）。

第7章 总结和展望

7.1 主要结论

各种灾害性环境同时发生常常导致重大的经济损失、人员伤亡和环境污染。因此,多维极值联合分布理论及其应用引起国际科学界和工程界广泛重视。国内外学者提出过不少多维极值模式和不同的求解方法,国外工程界也依据相应科研成果和工程需求制定了相应的设计规范并提出建议。但时至今日,多维联合极值分布还局限于二维,而以 API 为代表的通用规范也公开承认其中关于风、浪、流极端荷载的有关计算和建议是“含混”的。由此可见,现有的适用于多种灾害性海洋的联合概率理论统计方法,远不能满足日益发展的海洋开发、防灾减灾工程的需要。

(1) 本书选题是当前国际学术界和工程界一个热门课题,同时也因其难度而导致至今尚无国际上公认的良好解决方法。美国近海工程 API 规范对风、浪、流极端荷载设计的设计方法指出了建议,但 API 在规范中也认为此种建议是“含混不清的”。因此,本选题不仅有重要的理论意义,而且有极高的实用价值。

(2) 本书以测度论为基础建立的多维复合极值分布模型,是一种既包含台风等特殊天气过程出现频次的概率特性,或由于海洋环境条件的随机性而构成的各年(或过阈)不同的最大荷载取样个数,又包含三维环境要素联合分布的新型多元概率模型——多维复合极值分布模型。由于该模型有严密的数学推理,故它全面地反映了环境要素的实质性规律,具有存在的合理性和理论的先进性。

(3) 该模型以便于工程界应用的显示表达式给出,其明显的优点就是考虑了台风发生的频次或资料取样的随机性、相关结构的非对称性,同时涵盖了原有的 Liu. d . f 等科学家提出的一元复合极值分布理论。

(4) 多维复合极值分布应用方法简单,易于在工程中推广。书中的例子使工程中数据的选取有一定的规律。一方面,影响某地的台风很容易判断,所以数据的选取变得简单;每次台风取一组极值又可以保证数据独立性,避免了尚无成熟方法的短期相关性处理。另一方面,在资料的选取上采用的是近年来国内外被广泛采用的阈值取样法，利用极限点过程的概念，从理论上阐述了阈值选取的合理性，并通过各种图表，从理论上进一步确定所选阈值是合理性，而且有明确的取值方法，且这种方法不同于以往习用的任意性很大的经验方法。

(5) 对于书中建立的多维复合极值分布模型，给出了多个算例，以便于读者能从不同的角度更深地理解模型的工程内涵。

(6) 针对多种不利因素遭遇的问题，根据对吴淞实测水位分离得到的数据组，结合多维复合极值分布模型，对上海市极端环境条件下的设计水位进行了概率分析，得出天文大潮、长江径流增水和风暴增水共同影响下的设计水位的推算方法和结果。

(7) 对朝连岛 1963～1988 年共 26 年的以波高为主、伴随的风速及周期的风浪同步资料，由多维复合极值分布模型给出种计算方法，确定百年一遇设计标准的荷载组合

(8) 利用我国东海嵊泗风浪同步资料进行台风频次及风浪极值的边缘分析、计算联合概率分布，并通过与混合 Gumbel 模型对比，检验 Poisson-Mixed-Gumbel 复合极值模型的有效性及计算结果的稳定性。推求百年一遇风速、波高联合设计值，用实例证明了在只有短期资料(如 12 年)的情况下，多维复合极值分布模型的推算结果更接近长期资料的推算结果，本模型比传统方法更为稳定、可靠。

7.2 海洋灾害性模型存在的问题

本书将复合极值分布理论发展为更为一般的多维形式并将其应用于风浪联合设计和设计水位的推算中，也得到了一些有用的结论，但仍然存在着大量的问题，主要有以下几个方面。

(1) 由于本书算例 2、例 3 中所研究的海域属典型的台风区，可以认为极端海况仅发生在台风过程中，这是本书应用复合极值分布的前提。对于受多种特殊天气影响(如受台风和寒潮)的海区，如我国渤海，则应分别计算台风影响下和寒潮影响下的环境要素设计值，进行比较后选择更加恶劣的环境条件作为设计值。

(2) 本书第三个算例在计算导致百年一遇响应的风浪组合时，利用了已有平台 JZ20-2-1 的响应函数(基底剪力与风速和波高的经验关系)。实际上，在工程设计中，若引入联合概率的方法，则需要事先建立控制响应(倾覆力矩、基底剪力)和环境要素的经验关系。这样，就不可避免地在一定程度上依赖于经验。这是基于联合概率的设计方法没有解决的问题。

(3) 在算例 2 中,用到的数据组为以波高为主、伴随的风速及周期数据组。如此选取,主要是利用现有数据说明如何利用新模型推算风、浪联合重现期。

基于本书所做的工作,作者对今后的工作提出以下建议。

(1) 根据多维复合极值分布的思想,随着数学理论的完善,可以考虑更为复杂的三维以上变量的复合极值分布,应用于多元海洋环境要素的联合概率研究。

(2) 本书仅给出了三种具体形式:Poisson- Nested-Logistic 复合极值分布模型;Poisson-Mixed-Gumbel 复合极值分布模型;Poisson-Logistic 复合极值分布模型。在今后的应用中,可根据实际工程背景,选取连续性分布、离散型分布为其他分布(如二项分布等)的表达形式。

(3) 可将多维复合极值分布应用于洪水三要素(洪峰、洪量、历时)的联合概率研究。传统的洪水频率分析通常只考虑洪水事件的洪峰流量,而对许多防洪系统设计有重要影响的洪水历时及洪量却没有考虑。20 世纪 80 年代以后,对此三要素联合概率的研究逐渐引起了工程人员的重视。由于洪峰和历时在物理上没有相关性,所以通常只研究洪峰/洪量和洪量/历时两两之间的联合概率。此时,二维复合极值分布中离散型变量为洪水发生频次,连续型变量为洪峰、洪量和历时的超阈值系列。

(4) 本模型在建立过程中,假设的随机变量还不够精确,还没有完全与实际工程吻合。原来的模型事实上是假定它是独立同分布过程的情形,每年的观测值实际上就作为随机变量的样本值来处理的。而实际的情形是并非独立的,应该是相关的时间序列,当然每年的观测数据也就不是简单随机样本。

7.3 应用展望

众所周知,取值为观测数据的随机向量或随机变量可根据物理含义的不同分为离散型、连续型,完整地描述随机向量的统计特征需要设定相关的概率分布模式。在实际问题中,由于数学手段的约束,确定随机向量的分布模式并不是一件容易的事情。复合极值分布模式是既包含离散概率分布模式,同时包含连续概率分布模式的概率分布新模式。与现有模式相比,此模式可以从宝贵的数据资料中尽可能多地提取隐含信息,并能反映不同变量之间相关结构和分层结构。

据智研咨询数据,全球大数据市场规模 2011～2017 年间复合增长率达 44%,预计 2022 年有望达 802 亿美元。国务院印发了《关于深化“互联网+先进制造业”发展工业互联网的指导意见》,提出实施工业互联网关键技术产业化工程,“聚焦重点领域,围绕生产流程优化、质量分析、设备预测性维护、智能排产等应用场景,加快开发工业大数据分析应用软件”,力争到 2020 年,实现工业大数据清洗、管理、分析等功能的快捷调用。工业互联网是工业与新一代信息技术融合的产物。人工智能对科学问题基于底层技术的系统构建，可以实现工业 4.0 的数据化、网络化、智能化，而工业大数据作为连接汇聚底层软硬件设备数据、支撑上层应用的重要技术，它将成为工业互联网平台的重要内容和关键一环。在这个环节，无论是在工业 4.0 系统中嵌入新的技术，还是人工智能底层技术的系统构建，数学建模可以有效地搭建起逻辑与数据之间的桥梁。一个好的数学模型具备描述性、预测性、说明性。由于数据具有局部描述性，给出的数据不可能遍历每一种情况，只不过是一个时间断面的样本数据。此时，数学模型可以进行全局描述，通过数据建立模型，得到可能的预测结果，最后根据模型明确解释数据的走向。建模和数据相辅相成。建模是将实际问题抽象到纯数学层面，进而寻求普适的解决方法与结论，数据反之可以用来验证建模的结论，或者辅助求解模型；特别是有固定参数的模型，需要通过具体的观测数据来确定，此时好的模型可以使数据发挥真正的重要意义。

目前，一些前沿的高精尖行业正在进行基于创新模式的研发加参考文献：风险控制和密钥保护研究可以保证自动驾驶和航行构成涵盖海、陆、空的空中立体交通系统；移动设备自适应动态补丁、宽带和设备的健壮性网络、虚拟现实和人机接口等系统中嵌入的智能新技术，可以实现精益生产；知识图谱可以让机器理解互联网上大量的非结构化、半结构化的文本，增强人工智能在搜索、机器人、智能穿戴、智能家居等方面的可信性和可解释性。模式层与数据层组成知识图谱。数据层是知识图谱的根基和源头，它由一系列的事实组成。知识以事实为单位进行存储，模式层是知识图谱的核心，构建在数据层之上。从科学研究可以看出，统计分析是研究过程的重要环节，是利用科学方法搜集、整理、分析并给出某种科学现象和某些特定事物发展规律的过程，是从定性认识的统计设计到由统计调查和统计整理的定量分析，再从定量结果分析回到定性认识的统计分析过程。在整个过程中，精度和泛化性问题、模型优化及调参问题以及据清洗和缺失填补问题，都是建模过程中非常关键的环节。

本书在测度论基础上建立的、由离散型随机变量和多维连续型随机变量构成的多维复合极值分布模型，在实际应用中，根据研究问题的不同，模式中的离散型随机变量可以是本书中不同海区每年台风、飓风、寒潮大风出现的各不相同的频次，也可以是其他专业方向和学科某一阈值以上随机取样的资料数。实际上，可根据具体的工程设计要求，根据需要设定变量的含义。模式中连续型随机变量可以为台风(飓风)影响或不同取样条件下所产生的灾害性海洋环境条件，即相应的特征值(如波高、风速、风暴增水等)的概率分布，也可以为相关研究标的联合概率分布。新模式还可以进行其他性质的讨论，如相关函数的显式表达式,使一定概率条件下的设计值切实可求;各变量之间的相关性以非对称相关结构表达,使模式能够体现变量的分层结构。新的概率分布模型利用信息更加充分,可看作结构可靠度分析和设计较合理的荷载概率模型;特别是在连续观测资料较短的情况下,该模型也能给出较为合理的研究标的的极值要素的估计结果。将多维复合极值分布模型的理论与综合经济分析法相结合,将会对城市防灾工程带来巨大的经济和社会效益。随着工程建设发展的需要以及多元极值理论的完善,此模型的研究应用空间将会非常巨大。新模式将为许多前沿领域的关键技术研究提供重要理论支持,并极有可能带来原创性、突破性成果。

参考文献

[1] Janki Bhimani, Jingpei Yang, Zhengyu Yang, et al. Enhancing SSDs with Multi-Stream: What? Why? How?. 36th IEEE International Performance Computing and Communications Conference, 2017.

[2] Zhengyu Yang, Janki Bhimani, Jiayin Wang, et al. Automatic and Scalable Data Replication Manager in Distributed Computation and Storage Infrastructure of Cyber-Physical Systems, Scalable Computing: Practice and Experience, Special Issue on Communication, Computing, and Networking in Cyber-Physical Systems, 2018, 4: 291-311.

[3] Janki Bhimani, Zhengyu Yang, Ningfang Mi, et al. Docker Container Scheduler for I/O Intensive Applications running on NVMe SSDs. IEEE Transactions on Multi-Scale Computing Systems (TMSCS). 2018, 10: 2332-7766, 2332-7766.

[4] Zhengyu Yang, Yufeng Wang, Janki Bhimani, et al. EAD: Elasticity Aware Deduplication Manager for Datacenters with Multi-tier Storage Systems. Cluster Computing. DOI: 10. 1007/s10586-018-2141-z, 2018.

[5] Zhengyu Yang, Janki Bhimani, Yi Yao, Cho-Hsien Lin, Jiayin Wang, Ningfang Mi, and Bo Sheng. AutoAdmin: Automatic and Dynamic Resource Reservation Admission Control in Hadoop YARN Clusters, Scalable Computing: Practice and Experience, Special Issue on Advances in Emerging Wireless Communications and Networking, Volume 19, Issue 1, Pages 53-67, 2018.

[6] Zhengyu Yang, Danli Jia, Stratis Ioannidis, Ningfang Mi, and Bo Sheng, "Intermediate Data Caching Optimization for Multi-Stage and Parallel Big

Data Frameworks",2018 IEEE International Conference on Cloud Computing(CLOUD 2018),2018.

[7] Li,Z. and Burgueño,R. Using Soft Computing to Analyze Inspection Results for Bridge Evaluation and Management. ASCE Journal of Bridge Engineering,2010,4:430 - 438.

[8] KOU Y,KOAG M-C,LEE S. N7 methylation alters hydrogen-bonding patterns of guanine in duplex DNA[J]. Journal of the American Chemical Society,2015,137(44):14067-14070.

[9] KOAG M-C,KOU Y,OUZON-SHUBEITA H,et al. Transition-state destabilization reveals how human DNA polymerase β proceeds across the chemically unstable lesion N7-methylguanine[J]. Nucleic Acids Research, 2014,42(13):8755-8766.

[10] Wei Cai,Frank Shi. 2. 4 GHz Heterodyne Receiver for Healthcare Application. International Journal of Pharmacy and Pharmaceutical Sciences. 2016,8(6):162-165.

[11] Wei Cai,Frank Shi. 2. 4 GHz Heterodyne Receiver for Healthcare Application",International Journal of Pharmacy and Pharmaceutical Sciences, 2016,8(2):22-25.

[12] Wei Cai,Liang Huang,WuJie Wen. 2. 4GHZ Class AB Power Amplifier for Wireless Medical Sensor Network "International Journal of Enhanced Research in Science,Technology & Engineering,vol. 5 Issue 4,pp. 94-98 April-2016 ER

[13] Wei Cai,Liang Huang,Nan Song Wu," Low Power Class E Power Amplifier for Wireless Medical Sensor Network",International Journal of Enhanced Research in Science,Technology & Engineering,Vol. 5,Issue 4,pp 145-150,April-2016. ER

[14] Wei Cai,Bin Wu,Nan Song Wu,"2. 4 GHz Class F Power Amplifier for Healthcare Application",International Journal of Computer Science and Information Technologies,Vol. 7(3),2016,pp 1086-1090(IJCSIT)

[15] Wei Cai,Cheng Li,Heng Gu," Low Power SI Based Power Amplifier For Healthcare Application" ,International Journal of Pharmacy and Pharmaceutical Sciences,Vol 8 Issue 9,September 2016,pp171-178.

[16] Wei Cai,Liang Huang,ShunQiang Wang,"Class D Power Amplifier For Medical Application",Informatics Engineering,an International Journal

(IEIJ), Vol. 4, No. 2, June 2016, pp9-15.

[17] Wei Cai, Frank Shi, "High Performance SOI RF Switch for Healthcare Application", International Journal of Enhanced Research in Science, Technology & Engineering, ISSN: 2319-7463, Vol. 5, Issue 10, 2016, pp23-28.

[18] Wei Cai, Jian Xu, Shunqiang Wang, "Low Power SI Class E Power Amplifier for Healthcare Application", International Journal of Electronics Communication and Computer Engineering, Volume 7, Issue 6, 2016, pp 290-293.

[19] Wei Cai, Jian Xu, and Liang Huang, " Low Power SI Class E Power Amplifier And RF Switch for HealthCare", Informatics Engineering, an International Journal(IEIJ), Vol. 4, No. 4, 12 2016, pp 7-13.

[20] Wei Cai, Cheng Li and ShiWei Luan, "SOI RF Switch for Wireless Medical Sensor Network", Advances in Engineering: an International Journal (ADEIJ), Vol. 1, No. 2, 12 2016, pp 1-9.

[21] Yizheng Cao, Pablo Zavattieri, Jeffrey Youngblood, Robert Moon, Jason Weiss, The Influence of Cellulose Nanocrystal Additions on the Performance of Cement Paste, Cement and Concrete Composites, 56, p73-83, 2015

[22] Yizheng Cao, Pablo Zavattieri, Jeffrey Youngblood, Robert Moon, Jason Weiss, The relationship between cellulose nanocrystal dispersion and strength, Construction and Building Materials, 119, p71-79, 2016

[23] Yizheng Cao, Nannan Tian, David Bahr, Pablo D. Zavattieri, Jeffrey Youngblood, Robert J. Moon, Jason Weiss, The influence of cellulose nanocrystals on the microstructure of cement paste, Cement and Concrete Composites, 74, p164-173, 2016

[24] Yizheng Cao, Kho Pin Verian, A VEDA simulation on cement paste: using dynamic atomic force microscopy to characterize cellulose nanocrystal distribution, MRS Communications, 7, 2017

[25] Mao, Ying, Jiayin Wang, Joseph Paul Cohen, and Bo Sheng. "Pasa: Passive broadcast for smartphone ad-hoc networks." In Computer Communication and Networks(ICCCN), 2014 23rd International Conference on, pp. 1-8. IEEE, 2014.

[26] Wang, Jiayin, Yi Yao, Ying Mao, Bo Sheng, and Ningfang Mi. "OMO: Optimize MapReduce overlap with a good start(reduce)and a good finish

(map)." In Computing and Communications Conference(IPCCC), 2015 IEEE 34th International Performance, pp. 1-8. IEEE, 2015.

[27] Mao, Ying, Bo Sheng, and Mooi Choo Chuah. "Scalable Keyword-Based Data Retrievals in Future Content-Centric Networks." In Mobile Ad-hoc and Sensor Networks(MSN), 2012 Eighth International Conference on, pp. 116-123. IEEE, 2012.

[28] Mao, Ying, Jiayin Wang, and Bo Sheng. "Mobile Message Board: Location-based message dissemination in wireless ad-hoc networks." In Computing, Networking and Communications (ICNC), 2016 International Conference on, pp. 1-5. IEEE, 2016.

[29] Mao, Ying, Jiayin Wang, Bo Sheng, and Mooi Choo Chuah. "Laar: Long-range radio assisted ad-hoc routing in manets." In Network Protocols (ICNP), 2014 IEEE 22nd International Conference on, pp. 350-355. IEEE, 2014.

[30] Mao, Ying, Jiayin Wang, and Bo Sheng. "Skyfiles: Efficient and secure cloud-assisted file management for mobile devices." In Communications (ICC), 2014 IEEE International Conference on, pp. 4202-4207. IEEE, 2014.

[31] H. H. Harvey and Y. Mao and Y. Hou and B. Sheng. "EDOS: Edge Assisted Offloading System for Mobile Devices.", In 26th International Conference on Computer Communication and Networks(ICCCN), 2017, pp. 1-9. IEEE 2017

[32] Mao, Ying, Jiayin Wang, Bo Sheng, and Fan Wu. "Building smartphone Ad-Hoc networks with long-range radios." In Computing and Communications Conference(IPCCC), 2015 IEEE 34th International Performance, pp. 1-8. IEEE, 2015.

[33] Mao, Ying, Jiayin Wang, and Bo Sheng. "Dab: Dynamic and agile buffer-control for streaming videos on mobile devices." Procedia Computer Science 34(2014): 384-391.

[34] Zhang, K., Olawoyin, R., Nieto, A. and Kleit, A. N., 2017. Risk of commodity price, production cost and time to build in resource economics. Environment, Development and Sustainability, pp. 1-24.

[35] Zhang, K., Nieto, A. and Kleit, A. N., 2015. The real option value of mining operations using mean-reverting commodity prices. Mineral Eco-

nomics,28(1-2),pp. 11-22.

[36] Zhang,K. and Kleit,A. N. ,2016. Mining rate optimization considering the stockpiling: A theoretical economics and real option model. Resources Policy,47,pp. 87-94.

[37] Zhang,K. ,Nieto,A. and Kleit,A. ,2014. Valuation of mining operation with uncertainty and the power of waiting-a real option method. In Mine planning and equipment selection(pp. 1503-1512). Springer,Cham.

[38] Nieto,A. and Zhang,K. Y. ,2013. Cutoff grade economic strategy for byproduct mineral commodity operation:rare earth case study. Mining Technology,122(3),pp. 166-171.

[39] Zhang,K. ,Kleit,A. N. and Nieto,A. ,2017. An economics strategy for criticality-Application to rare earth element Yttrium in new lighting technology and its sustainable availability. Renewable and Sustainable Energy Reviews,77,pp. 899-915.

[40] Zhang,K. ,2012. Target versus price:improving energy efficiency of industrial enterprises in China.

[41] Du,Peng,Jie-Yi Zhao,Wan-Bin Pan,and Yi-Gang Wang. "GPU accelerated real-time collision handling in virtual disassembly." Journal of Computer Science and Technology 30,no. 3(2015):511-518.

[42] Tang,Min,Jie-Yi Zhao,Ruo-feng Tong,and Dinesh Manocha. "GPU accelerated convex hull computation." Computers & Graphics 36,no. 5 (2012):498-506

[43] Li,D. ,Zhang,S. ,Yang,W. ,& Zhang,W. (2014). Corrosion monitoring and evaluation of reinforced concrete structures utilizing the ultrasonic guided wave technique. International Journal of Distributed Sensor Networks,10(2),827130.

[44] Zhang,Z. ,Ou,J. ,Li,D. ,Zhang,S. ,& Fan,J. (2017). A thermography-based method for fatigue behavior evaluation of coupling beam damper. Frattura ed Integrità Strutturale,(40),149.

[45] Royston,T. J. ,Dai,Z. ,Chaunsali,R. ,Liu,Y. ,Peng,Y. ,& Magin,R. L. (2011). Estimating material viscoelastic properties based on surface wave measurements:A comparison of techniques and modeling assumptions. The Journal of the Acoustical Society of America,130(6),4126-4138.

[46] Zhang, Z. , Drapaca, C. , Zhang, Z. , Zhang, S. , Sun, S. , & Liu, H. (2017). Leakage Evaluation by Virtual Entropy Generation(VEG) Method. Entropy, 20(1), 14.

[47] Dai, Z. , Peng, Y. , Mansy, H. A. , Sandler, R. H. , & Royston, T. J. (2015). Experimental and computational studies of sound transmission in a branching airway network embedded in a compliant viscoelastic medium. Journal of sound and vibration, 339, 215-229.

[48] Peng, Y. , Dai, Z. , Henry, B. , Mansy, H. , & Royston, T. (2013). A comprehensive computational model of sound transmission through the porcine lung. The Journal of the Acoustical Society of America, 134(5), 4121-4121.

[49] Liu, Yulu, et al. "Computational Study of Supported Cu-Based Bimetallic Nanoclusters for CO Oxidation." Physical Chemistry Chemical Physics (2018).

[50] Li, H. , Zhang, Z. , & Liu, Z. (2017). Application of artificial neural networks for catalysis: A review. Catalysts, 7(10), 306.

[51] Li, H. , & Henkelman, G. (2017). Dehydrogenation Selectivity of Ethanol on Close-Packed Transition Metal Surfaces: A Computational Study of Monometallic, Pd/Au, and Rh/Au Catalysts. The Journal of Physical Chemistry C, 121(49), 27504-27510.

[52] Li, H. , Luo, L. , Kunal, P. , Bonifacio, C. S. , Duan, Z. , Yang, J. , . . . & Henkelman, G. (2018). Oxygen Reduction Reaction on Classically Immiscible Bimetallics: A Case Study of RhAu. The Journal of Physical Chemistry C.

[53] Evans, E. J. , et al. "Mechanistic insights on ethanol dehydrogenation on Pd-Au model catalysts: a combined experimental and DFT study." Physical Chemistry Chemical Physics 19. 45(2017): 30578-30589.

[54] Cao, Y. , Zavattieri, P. , Youngblood, J. , Moon, R. , & Weiss, J. (2016). The relationship between cellulose nanocrystal dispersion and strength. Construction and Building Materials, 119, 71-79.

[55] Sobolev, K. , Lin, Z. , Cao, Y. , Sun, H. , Flores-Vivian, I. , Rushing, T. , . . . & Weiss, W. J. (2016). The influence of mechanical activation by vibro-milling on the early-age hydration and strength development of cement. Cement and Concrete Composites, 71, 53-62.

[56] Cao, Y., & Verian, K. P. (2017). A VEDA simulation on cement paste: using dynamic atomic force microscopy to characterize cellulose nanocrystal distribution. MRS Communications, 7(3), 672-676.

[57] Park, J. H., Nair, S., & Kim, D. (2017, April). Numerical analysis of helical dielectric elastomer actuator. In Electroactive Polymer Actuators and Devices(EAPAD) 2017(Vol. 10163, p. 101631A). International Society for Optics and Photonics.

[58] Park, J. H. (2015). Lumped Parameter Model for a Self Powered Fontan Palliation of the Hypoplastic Left Heart Syndrome.

[59] Chen, Y., Zhang, Y., Wang, Z., Xia, L., Bao, C., & Wei, T. (2017, August). Adaptive android kernel live patching. In Proceedings of the 26th USENIX Security Symposium(USENIX Security 17).

[60] Zhang, S., Meng, X., Wang, L., Xu, L., & Han, X. Secure Virtualization Environment based on Advanced Memory Introspection.

[61] Chen, Y., Khandaker, M., & Wang, Z. (2017, September). Secure in-cache execution. In International Symposium on Research in Attacks, Intrusions, and Defenses(pp. 381-402). Springer, Cham.

[62] Shen, W., Li, D., Zhang, S., & Ou, J. (2017). Analysis of wave motion in one-dimensional structures through fast-Fourier-transform-based wavelet finite element method. Journal of Sound and Vibration, 400, 369-386.

[63] CHEN B, ESCALERA S, GUYON I, et al. Overcoming Calibration Problems in Pattern Labeling with Pairwise Ratings: Application to Personality Traits[C]. Computer Vision-ECCV 2016 Workshops. Springer, Cham, 2016: 419-432.

[64] PONCE-LÓPEZ V, CHEN B, OLIU M, et al. ChaLearn LAP 2016: First Round Challenge on First Impressions-Dataset and Results[C]. Computer Vision-ECCV 2016 Workshops. Springer, Cham, 2016: 400-418.

[65] ESCALANTE H J, PONCE-LÓPEZ V, WAN J, et al. ChaLearn Joint Contest on Multimedia Challenges Beyond Visual Analysis: An overview [C]. 2016 23rd International Conference on Pattern Recognition(ICPR). 2016: 67-73.

[66] CHEN B, YANG Z, HUANG S, et al. Cyber-physical system enabled nearby traffic flow modelling for autonomous vehicles[C]. 36th IEEE

International Performance Computing and Communications Conference, Special Session on Cyber Physical Systems: Security, Computing, and Performance(IPCCC-CPS). IEEE. 2017. December 10-12,2017,San Diego,California,USA. p. 1-6.

[67] CHEN B,WANG B. Location Selection of Logistics Center in e-Commerce Network Environments[J]. American Journal of Neural Networks and Applications,Science Publishing Group,2017,3(4):40-48

[68] WANG L-P,CHEN B-Y,CHEN C,et al. Application of linear mean-square estimation in ocean engineering[J]. China Ocean Engineering, Chinese Ocean Engineering Society,2016,30(1):149-160.

[69] WANG L-P,CHEN B,ZHANG J-F,et al. A new model for calculating the design wave height in typhoon-affected sea areas[J]. Natural Hazards,Springer Netherlands,2013,67(2):129-143.

[70] CHEN B,LIU G,WANG L. Predicting Joint Return Period Under Ocean Extremes Based on a Maximum Entropy Compound Distribution Model, International Journal of Energy and Environmental Science,2017,2(6): 117-126.

[71] WANG L,XU X,LIU G,et al. A new method to estimate wave height of specified return period[J]. Chinese journal of oceanology and limnology =Zhongguo hai yang hu zhao xue bao / edited by the Chinese Society of Oceanology and Limnology,Science Press,2017,35(5):1002-1009.

[72] Zhang SF,Shen W,Li DS,et al. Nondestructive Ultrasonic Testing in Rod Structure With a Novle Numerical Laplace Based Wavelet Finite Element Method[J]. Latin American Journal of Solids and Structures. 2018.

[73] V. Ponce-López,B. Chen,M. Oliu,C. Corneanu,A. Clapés,I. Guyon,X. Baró,H. J. Escalante,and S. Escalera. Chalearn lap 2016: First round challenge on first impressions-dataset and results,Computer Vision-ECCV 2016 Workshops. Springer,2016.

[74] 王莉萍,陈柏宇,刘桂林,等. 一种基于最大熵原则的台风影响海域设计波高推算新方法:中国,CN102063564B,CN 201010595815,ZL 2010 10595815. 0[P],Patent,2011-05-18。

[75] 王莉萍,刘桂林,陈柏宇,等. 一种考虑台风影响的海洋极值联合重现期推算方法:中国,CN102063527A,CN 201010595807,ZL 2010 10595807. 6

[P],2011-05-18. Patent,2013-03-20.

[76] 刘桂林,郑振钧,王莉萍,等. 一种动力消波装置及使用方法:中国,CN105113452 A,CN 201510575336,ZL 2015 1 0575336. 5[P],Patent,2015-12-02.

[77] 陈柏宇,刘桂林,张建芳. 一种体现台风三因素影响的设计波高推算方法:中国,CN107103173A,CN201610972118,ZL 2016 1 0972118. X[P],Patent,2017-08-29.

[78] ANTHONY BARRS, CHEN BAIYU. How Emerging Technologies Could Transform Infrastructure[N]. http://www. governing. com/gov-institute/voices/col-hyperlane-emerging-technologies-transform-infrastructure. html

[79] 陈柏宇. 定量固体洗涤剂和定量固体洗涤剂投放装置. CN 205676678U,CN 201620580812. 2 ,ZL 2016 2 0580812. 2[P],2016-06-15. Patent,2016-11-09.

[80] 陈柏宇. 定量固体洗涤剂投放装置. CN 106400404A,CN 201610423202. 6 ,ZL 2016 1 0423202. 6[P],2016-06-15. Patent,2017-02-15。

[81] 陈柏宇,刘桂林,孙效光. 一种无窄谱约束条件下海浪设计波高的推算方法,CN 106326526A,CN 201610641155. 2 ,ZL2016 1 0641155. 2 [P],2016-07-29. Patent,2017-01-11.

[82] Chen,Y. ,Wang,Z. ,Whalley,D. ,& Lu,L. (2016). Remix:On-demand live randomization. In Proceedings of the Sixth ACM Conference on Data and Application Security and Privacy:50-61.

[83] Chen,Y. ,Zhang,Y. ,Wang,Z. ,Xia,L. ,Bao,C. ,& Wei,T. (2017). Adaptive Android Kernel Live Patching. In Proceedings of the 26th USENIX Security Symposium(USENIX Security 2017).

[84] Chen,Y. ,Khandaker,M. ,& Wang,Z. (2017). Pinpointing Vulnerabilities. In Proceedings of the 2017 ACM on Asia Conference on Computer and Communications Security:334-345.

[85] 王新彦,戈余丽,桂天,等. 基于响应面法的液压平板车车架结构优化[J]. 中国机械工程,2013(16):2261-2265.

[86] 王新彦,赵培,桂天,等. 轻型电动汽车新型制动能量回收系统的研究[J]. 江苏科技大学学报(自然科学版),2013(02):129-136.

[87] 王新彦,朱唯奕,李庆和,等. GPS 技术在测量汽车参数上的应用[J]. 广西大学学报(自然科学版),2011(02):241-245.

[88] T. Gui, C. Ma, F. Wang, Jinyang Li and D. E. Wilkins, "A novel cluster-based routing protocol wireless sensor networks using Spider Monkey Optimization," IECON 2016-42nd Annual Conference of the IEEE Industrial Electronics Society, Florence, 2016, pp. 5657-5662.

[89] T. Gui, C. Ma, F. Wang and D. E. Wilkins, "Survey on swarm intelligence based routing protocols for wireless sensor networks: An extensive study," 2016 IEEE International Conference on Industrial Technology (ICIT), Taipei, 2016, pp. 1944-1949.

[90] C. Ma, Z. Zhao, T. Gui, Y. Chen, X. Dang and D. Wilkins, "A generative Bayesian model to identify cancer driver genes," 2015 IEEE International Conference on Bioinformatics and Biomedicine (BIBM), Washington, DC, 2015: 351-356.

[91] Guohui Zhang, Gaoyuan Liang, Fang Su, Fanxin Qu, Jing-Yan Wang, "Learning convolutional attribute embedding for domain-transfer learning", Lecture Notes in Artificial Intelligence, 2018.

[92] Guohui Zhang, Gaoyuan Liang, Weizhi Li, Jian Fang, Jingbin Wang, Yanyan Geng, Jing-Yan Wang, "Learning Convolutional Ranking-Score Function by Query Preference Regularization", International Conference on Intelligent Data Engineering and Automated Learning, pp. 1-8, 2017.

[93] Yanyan Geng, Guohui Zhang, Weizhi Li, Yi Gu, Ru-Ze Liang, Gaoyuan Liang, Jingbin Wang, Yanbin Wu, Nitin Patil, Jing-Yan Wang, "A Novel Image Tag Completion Method Based on Convolutional Neural Transformation", International Conference on Artificial Neural Networks, pp. 539-546, 2017.

[94] Yanyan Geng, Ru-Ze Liang, Weizhi Li, Jingbin Wang, Gaoyuan Liang, Chenhao Xu, Jing-Yan Wang, "Learning convolutional neural network to maximize pos@ top performance measure", ESANN 2017-Proceedings, pp. 589-594, 2016.

金融领域应用篇

第8章　股指期货风险预警研究

8.1　研究背景

8.1.1　问题的提出

金融风险一直是人们关注的焦点。亚洲金融风暴过后，世界经济再次面临巨大挑战。随着美国次贷危机的爆发及加深，新一轮的金融风暴席卷了全球，世界经济体系面临着前所未有的危机。正如美联储前任主席格林斯潘所说，这是百年一遇的金融灾害[1]。作为世界经济发展动力的重要来源，中国经济正经受着增速放缓、通货膨胀等诸多问题的困扰。有报道指出，我国6家大型商业银行在次贷危机中可能损失高达49亿元。面对次贷危机带来的巨大损失，现行的预警方法未能作出有效的反应，使得人们对风险控制提出了更高的要求。

风险是风险控制的出发点，识别风险是控制风险的前提。对于风险的定义，主要有以下一些观点：① 风险是结果的不确定性；② 风险是损失发生的可能性；③ 风险是结果对期望的偏离；④ 风险是导致损失的变化；⑤ 风险是受损失的危险。总的来说，风险是某一特定危险情况发生的可能性与后果的组合。事实上可简单地认为，风险就是损失。我们通常所指的风险都预示着负收益趋势或者资本量的"贬值"。在现今市场经济高度发达的阶段，货物市场的兴盛与资本市场的繁荣同时推动着经济的发展，人们更多地参与到经济行为中来，既有赢取风险利润的欲望，又有规避风险的要求。这种金融投资自由化的扩大，来自金融市场间关联性的日益密切，同时也促使了金融风险的增多。股指期货作为对冲金融风险（股票市场风险）的期货品种，是股票与期货的有机结合，在整个金融生态系统中，起着连接股票市场与期货市场的桥梁作用；一方面是人们追求风险利润的工具，一方面为人们规避风险提供手段。在美国次贷危机引起的全球金融动荡中，股指期货在危机关键时刻交易量暴增，不但为市场提供了充分的流动性，而且有效地减缓了次贷危机的冲击力度，发挥了为股票市场保驾护航的作用。股指期货风险预警研究有助于提高其风险控制的能力。

近年来，中国经济持续发展与国际化、市场化的推进，为期货市场的升温提供了巨大机遇。2004 年 1 月，国务院颁布了《国务院关于推进资本市场改革开放和稳定发展的若干意见》，将期货市场正式纳入整个资本市场。2010 年 4 月股指期货的正式推出，标志着我国期货市场品种与功能的进一步完善。但仍需指出的是，我国股指期货推出初期，数据少、风险大是其主要特点，目前的预警方法存在相应的不足。作为经济风险防御体系中的核心部分，控制股指期货风险，有利于提高股票市场风险的转移效率、增强股票市场应对风险的弹性。在此前提下，进行股指期货风险预警研究，对于保障股指期货市场的安全运行、增强股指期货风险控制能力，有着重要的实际意义。

8.1.2 基本概念

1. 期货及股指期货

期货是与现货相对应的一种概念货物，通常指以农产品、黄金、外汇、股价指数等为标的物的标准化合约，规定交易双方在未来某一时刻，依据合约价格进行标的物的买卖。

股票指数期货(Stock Index Futures)简称股指期货，属于金融衍生投资工具的一种。它是以股票市场的价格指数作为交易标的的一种期货产品，是买卖双方根据事先约定好的价格，同意在未来某一特定时间进行交割的一种合约化交易方式。股指期货是股票市场和期货市场相结合的产物，既具有期货的特点，又包含股票的特征，是一种间接买卖股票的经济活动。股指期货的实质是投资者将其对整个股票市场的预期风险转移至期货市场，用期货市场来冲抵股票市场的风险[2]。

股指期货作为金融期货的一种，其所具备的风险控制特性越发明显。以“9·11 事件”为例，事件发生后，NYSE 股票交易与 CBOT 的 S&P500 股指期货交易均暂停数日。但经过复盘，S&P500 股指期货的交易量与持仓量均大幅增加。这说明在极端市场条件下市场参与者对风险控制的强烈需求，同时表明股指期货的存在提高了经济体应对危机的弹性，加强了金融市场抵御风险的能力，这与期货市场本身的功能是密不可分的。

2. 期货市场的功能

期货市场是市场经济发展到一定阶段的必然产物，是一种成熟的高级贸易组织形式；其两大经济职能，在市场经济体系里发挥着至关重要的作用。股指期货是期货市场成熟阶段的标志，是期货市场两大经济职能的直接体现。

(1) 风险转移功能。

由于价格与价值对立统一的特性,我们所称的价格波动,是指价格以价值为中心上下的波动。在交易过程中,买卖双方都要承担价格波动带来的隐形损失,也就是通常意义上的价格风险。期货市场为规避价格风险提供了非常重要的手段——套期保值。

(2) 价格发现功能。

期货市场具有公开、公平、公正的特征,它将众多影响供求关系的因素纳入交易范围,通过公开竞价,形成一个公正的交易价格。它反映各种因素对所交易的今后某一时期、某一特定商品的影响。这一交易价格被用来作为该商品价值的基准价格,通过现代化的信息手段迅速传递,帮助人们来制定各自的生产、经营、消费决策[3]。

股指期货的功能,特别是风险转移功能,在股票市场与期货市场之间发挥着协调作用。这也使得股指期货风险预警研究首先要解决股指期货面临何种风险及风险来源的问题。

3. 股指期货风险

股指期货风险指造成股指期货市场益损的不确定性,依据风险的成因可以分为两类:一类是非系统风险,是由于市场参与者的信用条件、经营状况等市场外在因素变化,导致价格与财务上的不确定性而形成的;另一类是系统风险,通常指价格风险。股指期货的高风险是由期货交易本身的性质决定的,来源于期货交易中的三个方面。

(1) 价格波动。市场经济的发展促使商品交换方式趋于多样化,使得交易过程中充满了不确定性。现货市场价格机制与市场调节的时间滞后,表现在市场价格变化以及与生产、消费的非同步性上,增加了上述经济行为的风险。期货市场正是来自价格风险用以回避价格风险的场所。

(2) 保证金制度。期货市场中,买卖双方按合约规定缴纳一定比例的保证金,而无须具有履行期货合约的全部资本,即可完成一次期货交易。举例来说,我国股指期货 if1009 保证金率为 18%,交易中只需要缴纳期货合约价值 18%的保证金作为财务担保,就可以推动约 6 倍的合约价值。这就是保证金制度“以小搏大”的杠杆作用。保证金制度的存在,一方面增强了市场的活力,加快了资本的流动性;另一方面,促使交易难以控制,成倍地放大收益或损失,造成暴盈暴亏,导致穿仓,这是期货投资区别于其他金融工具的主要标志,也是股指期货风险产生的重要原因。

(3) 非理性投机。依据市场参与者对风险喜好程度的高低,非理性投资可以分为风险投机者与套期保值者。其中，风险投机者承担了期货市场的主要风险，并追求在市场价格波动过程中的获利。由于市场机制的不平衡与管理手段的欠缺，风险投机者受到损失的可能性更高，破产违约的风险更大。这说明非理性投机是股指期货风险的一个来源[4]。

综上所述，价格波动、保证金制度与非理性投机是股指期货风险的组成部分。建立股指期货风险预警系统应当综合考虑这三方面的影响，特别是保证金率的设定问题关系到市场运行的安全与效率，是股指期货风险预警研究需要解决的问题。

8.1.3 本章完成的工作

前面介绍了股指期货风险预警研究的意义及股指期货的相关背景，指出了我国股指期货具有数据少、风险大的特点。本章的工作主要集中在以下几个方面。

(1) 对现有保证金率计算模型及期货预警方法进行了总结回顾，表明现有模型针对扭转我国股指期货数据少、风险大的状况表现不佳。

(2) 总结分析了广义极值分布与广义 Pareto 分布在数据选取方式上的不同，说明广义 Pareto 分布以超阈值为研究对象可以更好地保留极值数据信息。

(3) 为此，应在复合极值理论的基础上，通过将离散型随机变量与连续型随机变量的复合，建立既能反映风险发生次数又能反映股指期货价格波动的 Poisson-GP 复合超出量分布，并应用到股指期货保证金率的计算中。实证分析得出的做法是新模型可较好地解决我国股指期货数据少、风险大的问题。

(4) 对于价格波动、保证金制度、非理性投资三个股指期货风险的来源，本书提出了考虑日收盘价、保证金率、持仓率三因素联合影响的股指期货违约风险预警系统，利用 Poisson-Pareto 随机和分布描述了一段时间内高风险之和的特征，并运用 *VaR* 技术给出了预警等级的划分标准，为相关研究提供参考。

8.2 保证金率计算模型及期货风险预警方法

8.2.1 保证金率计算模型

1. 保证金制度

保证金制度是股指期货风险预警研究的核心内容，同时也是影响市场运行效率的关键因素。保证金在期货交易中起到杠杆作用，其设置水平的高低将直接影响市场的流动性，并最终影响市场的效率。设置水平太低，将无法涵盖价格波动风险，破坏交易的安全性；设置水平太高，将增加交易成本，降低交易的活跃性，削弱期货市场的对冲功能。由于影响市场价格的因素是多维的，所以期货市场的整体风险是动态变化的，因此如何确定一个合适的保证金水平，使其能够有利于提高市场的流动性，增强市场的安全性，降低交易成本及有效控制潜在风险，就成了期货市场科学管理的重要内容[5]。

保证金制度的主要内容包括保证金计算方式、保证金结算频率、保证金率计算方法以及保证金水平等多个方面。保证金计算方式是指保证金的计算基础是净头寸还是总头寸，采用不同计算基础而得到的保证金分别称为净额保证金和总额保证金。保证金结算频率是指保证金的每日结算次数，多数结算机构都是每日结算一次。即通常的逐日盯市，而近几年许多结算机构根据交易状况，采用盘中盯市，即一日之内结算两次及两次以上。保证金率计算方法是指保证金率计算所采用的定量方法及数学模型。保证金水平是指在综合考虑保证金计算方式与结算频率的基础上，采用合适的保证金率计算方法，得到的保证金率，满足公式：

$$保证金=合约价格\times保证金率$$

需要指出的是，保证金作为投资者履约的信用保证，是投资者对风险损失的一种“预垫付”。保证金与风险损失在股指期货风险预警研究中是统一的。我们可以认为，通过适当计算方法得到的最佳保证金，应具有支付几乎全部风险损失的能力而不至于穿仓违约。因此，保证金率计算及预警系统风险评价过程，均以保证金可涵盖几乎全部风险为前提假设。

我国采用静态保证金收取方式，以最大化地控制风险为原则，制定高保证金率，用以保障市场安全运行。由于我国行政调控手段对市场的强力监管，我国保证金率的设定带有一定的政策性。例如，为了便于管理，主要商品期货交易品种保证金率均为5%；为了保证股指期货上市初期的市场安全，if1009、if1012保证金率高达18%，远超国外股指期货保证金率。制定合理的保证金率，既能有效地利用资本、提高资本活力，又能极好地抵御风险。针对我国股指期货推出初期数据少、风险大的特性，现有保证金率计算模型存在低估风险或无法针对小数据量建模的缺陷。股指期货风险预警研究，特别是保证金率计算模型，需要解决数据少、风险大的双重问题。

2. 保证金率计算模型

伴随着期货市场的形成与发展，有关期货风险的研究也取得了很多成果。目前保证金率计算模型主要有以下几种。

(1) 风险价格系数法[6]。

台湾期货交易所采用风险价格系数法计算保证金率，公式如下。

结算保证金＝合约价格×风险价格系数

风险价格系数也就是保证金率，用来衡量合约价格变动量的大小。其估计方法为：取30天、60天、90天的期货合约收益率$(h_t)_{(t=1,2,\cdots n)}$ $n=30,60,90$为研究对象，假设收益率服从正态分布$h_t \sim N(\mu,\sigma^2)$，并估计置信水平99.74%下收益率的置信区间R_n。

$$R_n = \max(|\mu - 3\sigma|, |\mu + 3\sigma|)_{n=30,60,90} \tag{8-1}$$

最终求得的风险价格系数（保证金率）为$\max(R_{30}, R_{60}, R_{90})$。

(2) 基于EWMA模型的保证金率计算模型（指数加权移动平均值法）[7]。

香港期货结算所采用EWMA模型计算保证金率。EWMA模型是在SMA模型（简单移动平均值法）的基础上，针对价格波动自相关这个广泛接受的事实，通过对最近若干天的收益率赋予较重的权重，对远期的收益率赋予较轻的权重，引入权重衰减系数λ得到的更为精确的保证金率计算模型，其模型如下。

$$\sigma_t = \sqrt{\frac{\sum_{i=1}^{n} \lambda^{i-1} \times (h_{t-i} - \hat{\mu}_t)^2}{\sum_{i=1}^{n} \lambda^{i-1}}} \tag{8-2}$$

$$\hat{\mu}_t = \frac{\sum_{i=1}^{n} \lambda^{i-1} \times h_{t-i}}{\sum_{i=1}^{n} \lambda^{i-1}} \tag{8-3}$$

式中：h_{t-i}为第$t-i$日的收益率；$\hat{\mu}_t$为第t日收益率的预测值（加权移动平均值）；σ_t为收益率波动幅度的预测值；λ为衰减因子，通常取0.96，n为迭代天数，香港期货结算所设为90天。

计算结果如下：

保证金率为$|\hat{\mu}_t| + 3\sigma_t$。

EWMA模型要求收益率服从正态分布，在保证金率为$|\hat{\mu}_t| + 3\sigma_t$时，依据3倍标准差准则判断，可以覆盖99.74%的风险。由于引入衰减因子λ，对近期数据赋予较大权重，对远期数据赋予较小权重，EWMA模型对近期数据的波动更为敏感，较风险价格系数法与SMA模型，可更为准确地捕捉价格的突然变化，是一种更为先进的计算方法。

(3) 基于GARCH(1,1)模型的保证金率计算模型[8]

研究表明，价格风险来自价格的波动性，波动性研究是金融风险控制的热点。1982年，恩格尔提出了自回归条件异方差(Autoregressive Conditional Heteroscedasticity)模型,简称 ARCH 模型,并成功应用于英国通货膨胀指数的波动性研究。ARCH 模型的核心思想是,某一特定时期的随机误差的方差不仅取决于以前的误差,还取决于其早期的方差,即相当于对误差项的方差,使用一个自回归模型来描述。误差项不再是随机波动,而是有“记忆”的特征。1986 年,波勒斯列夫在 ARCH 模型的基础上,提出了另一种适应性更强的模型以描述对数回报,即广义 ARCH 模型,简称 GARCH 模型。

GARCH(1,1)模型是 GARCH 模型的特例,多用于金融序列的分析。基于 GARCH(1,1)模型的保证金率计算模型定义如下。

$$\begin{aligned} h_t \sim N(\tilde{\mu},\sigma_t), \quad h_t = \tilde{\mu} + \varepsilon_t \\ Z_t \sim N(0,1), \quad \varepsilon_t = Z_t\sigma_t \end{aligned} \tag{8-4}$$

$$\sigma_t^2 = \omega + \alpha\varepsilon_{t-1}^2 + \beta\sigma_{t-1}^2 \tag{8-5}$$

式中:$\omega > 0$,α,$\beta \geqslant 0$,$\tilde{\mu}$ 为待估参数(可采用极大似然法估计)。

满足上述条件的模型称为 GARCH(1,1)模型,称$\{\varepsilon_t\}$服从 GARCH(1,1)过程(特别是 $\beta=0$ 时称 GARCH(1,1)过程为 ARCH(1)过程)。上述公式中,h_t 为第 t 日收益率的估计值(即保证金率),ε_t 为残差项,σ_t 为第 t 日残差项的条件方差。由上式可以看出,σ_t^2 的较大波动性是由于 σ_{t-1}^2 和 ε_{t-1}^2 引起的,具有记忆性质。

近年来,以 GARCH 模型为基础,结合其他方法建立的相关模型也取得广泛的应用。

① 基于 GARCH-VaR 原理的保证金率计算模型[9]。该模型使用 GARCH 模型确定条件方差 σ_t,计算 VaR(保证金率)公式如下。

$$VaR = \mu + \sigma_t F^{-1}(a) \tag{8-6}$$

式中:μ 为收益率均值,$F^{-1}(a)$为置信水平 a 下 F 分布的分位数。实际应用中 F 分布为标准正态分布。

② 基于 GARCH-EWMA 原理的保证金率计算模型[10]。该模型的特点是利用 GARCH 模型对 EWMA 模型中的关键参数衰减因子 λ 进行测定,解决使用 EWMA 模型时对该参数人为赋值而导致模型人为因素较强的问题。

③ 基于 GARCH 人工神经网络的保证金率计算模型[11]。该模型通过建立一个神经网络(如 BP 网络),并使用 GARCH 模型求出收益率序列的均值和条件方差,然后以求得的均值和方差训练神经网络;神经网络训练完毕后,将新的均值和方差样本输入神经网络,计算出预测的保证金率。

(4) 极值理论在保证金率计算中的应用。

以上模型均以收益率序列服从正态分布为前提。大量实证研究表明,金融数据无法通过正态性检验,具有尖峰厚尾性(图 8-1,蓝色实线为正态分布密度函数曲线。尖峰厚尾性表明该分布相比正态分布，当样本量趋于无穷时，有更多的机会使得样本出现在分布的尾部）。金融数据的尖峰厚尾性说明在正态性假定下进行风险测度将会大大低估风险水平。因此，对金融数据分布尾部特征的研究就显得相当重要[12]。许多学者提出可用尖峰厚尾性的分布模型（如 t 分布、广义误差分布等）解决尖峰厚尾问题[13~14]。它们可以在一定程度上解释金融数据的尖峰厚尾现象，不过，这些方法无法对灾难信息给出准确的估计，即无法反映那些一旦发生就产生极大影响的极值事件，如经济、金融领域内某些现象的重大变化导致某个系统失效的随机冲击。股指期货是与股票市场密切相关的期货品种，其价格波动具有明显的尖峰厚尾性，以正态性假定为前提的保证金率计算方法无法准确地对其建模。

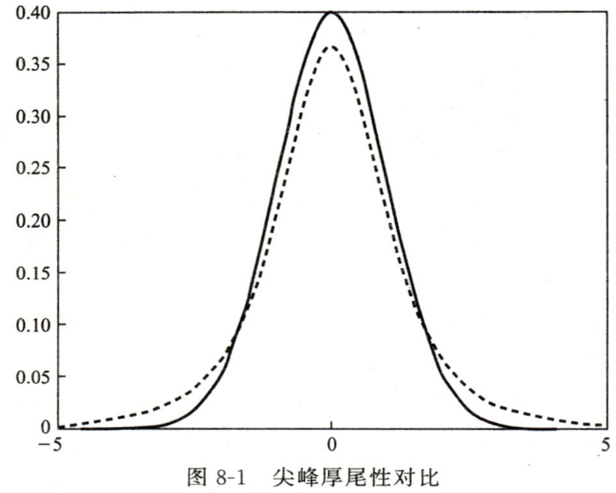

图 8-1　尖峰厚尾性对比

极值理论是一种尾部估计的参数方法，它不研究收益率序列的底分步 F，只是关心收益率序列的极值分布。

设 $X_1, X_2, \cdots$ 是独立同分布的随机变量，分布函数为 $F(x)$（称为底分步），对自然数 n，令

$$M_n = \max\{X_1, X_2, \cdots, X_n\}$$

表示 n 个随机变量的最大值。如果存在常数列 $\{a_n > 0\}$ 和 $\{b_n\}$，使得

$$\lim_{n \to \infty} \Pr\left(\frac{M_n - b_n}{a_n} \leqslant x\right) = H(x), \quad x \in \mathbf{R} \tag{8-7}$$

成立，其中 $H(x)$ 是非退化的分布函数，则称 $H(x)$ 是极值分布，$H(x)$ 的具体形式将在 § 8.3 进行讨论。

设 $X_1, X_2, \cdots, X_n$ 是独立同分布的金融收益率序列，$M_{k,i}$（$kr = n$，$i = 1, 2,$

$\cdots,r$）表示第 i 组内 k 个金融收益率的最大值，则 $M_{k,i}$ 近似服从极值分布 $H(x)$。由于 VaR 为可能损失分布的 p 分位数，即

$$VaR = H^{-1}(1-p) \tag{8-8}$$

近年来，随着 VaR 技术在风险控制中的广泛应用，极值理论亦被用来研究保证金率设定的问题。例如，王乃生应用极值理论对上海期货交易所三个月期铜和期铝的保证金率进行了研究，实证结果表明用极值理论计算我国商品期货保证金率是可行的[15]；徐国祥、吴泽智用极值理论研究了以全国统一 300 指数为标的物的指数期货的保证金率，并与风险价格系数法、EWMA 等其他估算方法进行实证对比，结果表明在违约概率为 1%的情况下，有正态性假定的估算方法都低估了价格波动风险，极值理论估算的保证金率则很好地涵盖了 99%的价格波动风险[6]。目前极值理论是一种较好的具有理论依据的计算股指期货保证金率的方法，具有很好的全局安全性，但由于 $n\to\infty$才能保证 M_n 服从极值分布，即说明 M_n 对样本量有很大的要求，这使得对小样本量而言极值理论并不适用。

8.2.2 期货风险预警方法

在§8.1 中，我们分析了股指期货风险的三个来源，可知股指期货的系统风险相比非系统风险，具有更强的破坏性，合约价格的随机游走现象来自价格风险的冲击。预警是一种在风险发生之前，根据以往总结的规律或观测得到的可能性前兆对风险进行预测的方法，可为降低风险损失提供保障。依据核心技术手段的不同，预警方法大致可以分为四类。

1. 信号分析法

此方法主要通过建立一套风险评价的指标体系及对应的风险阈值标准，当指标值超越了风险阈值，则发出风险预警信号。研究主要集中在对这些指标值的处理上（如聚类分析与加权平均法的改进等）。信号分析法的经典模型是 KLR 模型，其核心思想是首先通过研究风险发生的原因来确定哪些变量可以用于风险的预测，然后运用历史数据进行统计分析，确定与风险有显著联系的变量，以此作为风险发生的先行指标；然后，为每一个选定的先行指标根据其历史数据确定一个安全阈值。当某个指标的阈值在某个时点或某段时间被突破，就意味着该指标发出了一个风险预警信号。风险预警信号发出越多，表示在未来一段时间内风险发生的可能性就越大。2006 年，迟国泰应用 KLR 信号分析法研究了期货逼仓风险，建立了期货逼仓风险预警模型[16]。

2. 回归法

该预警方法的理论依据是假设风险发生是一个 $n(n\geqslant2)$元的离散事件，设

计一个受限的回归模型(线性或非线性)来估计风险发生,代表模型如线性的OLS(最小二乘法)回归模型及非线性的 Logistic 回归模型[17]等。相对信号分析法从先行指标的加权处理中提取风险信号,回归法模型特别是非线性模型一般可通过估计给定指标的条件概率直接预测风险。1986 年,波勒斯列夫(Bollerslev)提出了 GARCH(广义自回归条件异方差)模型,用以刻画金融时间序列的异方差性,适用于波动性的研究。

3. 神经网络法

神经网络法是通过模拟人类学习模式,利用计算机程序设计类人化思维网络,以解决在不确定性、不精确性和不完全信息下的预决策问题。目前主要有两个发展方向:其一是利用人工神经网络及其他算法对其的改进研究,其二是综合模糊推理规则和神经网络方法而构建的模糊神经网络方法等。神经网络具有非线性逼近功能,以及很好的黑色预测能力[18~19]。

4. 风险价值法

风险价值法[20](*VaR* 理论)是一种估计给定置信水平下的资产最大损失,并依此发出预警信号的方法。*VaR* 指在正常的市场条件下,在给定的置信水平与持有期限内,某一投资组合预期可能发生的最大损失;或者说,在正常的市场条件和给定的时间段内,该投资组合发生 *VaR* 值损失的概率为给定的概率水平(置信水平)。

根据风险价值的定义,投资组合的 *VaR* 可由下式确定。

$$VaR = \sum_{i} \omega_i \times VaR_i$$

通常我们认为,*VaR* 就是可能损失的极端分位数。设随机变量 X 是一组金融时间序列,分布函数为 F ,则称 *VaR* 为该分布 F 的 p 分位数。即

$$VaR = F^{-1}(1-p)$$

式中:F^{-1}是分布函数 F 的反函数,又称为分位数函数。

风险价值法是一种用规范的统计技术全面综合地衡量风险的方法,与其他传统风险预警方法相比,能更准确地反映金融机构面临的金融状况,大大增加了风险控制的科学性。较前三种预警方法,风险价值法可将未来风险发生的大小与该风险发生的可能性结合起来,具有明确的统计特征;适用范围更加广泛,特别在利率风险、汇率风险、股票价格风险和金融衍生工具价格风险等方面应用效果显著;能通过调整置信水平,得到不同置信水平下的 *VaR* 值,可满足不同风险下的管理要求。结合该风险发生的可能性,定量分析风险大小,是风险价值法在预警研究中的优势。

8.2.3 小结

本节指出保证金制度是股指期货风险预警研究的核心内容，并介绍了风险价格系数法、基于 EWMA 模型的保证金率计算模型、基于 GARCH 模型的保证金率计算模型等，说明以上方法以正态性假定为前提，不适合描述具有尖峰厚尾性的股指期货，存在低估风险的可能。极值理论是一种能够体现金融数据尖峰厚尾特征的统计方法，着重刻画分布尾部，能体现极值数据造成的巨大影响。而经典极值理论在使用过程中，对数据量的要求比较苛刻，针对我国股指期货数据较少的情况，结果可能存在较大误差。我国股指期货市场以最大化控制风险为原则，对保证金率设定的要求有较高的标准，如何解决我国股指期货推出初期数据少、风险大的现实问题，是股指期货保证金率计算模型的重点。在§8.1 中，我们分析了股指期货风险预警系统应当考虑的三个因素；现有的四种预警方法中，风险价值法是一种具有明确的统计特征、适用于结合风险的概率分布的定量分析的方法。三因素联合影响下的股指期货风险预警系统，适合通过风险价值法确定其预警的阈值。

8.3 Poisson-GP 分布及其应用

8.3.1 Poisson-GP 复合超出量分布

广义 Pareto 分布与复合极值理论可以更好地保留数据信息，针对我国股指期货数据少、风险大的特点，可以运用复合的思想，建立一种既能反应价格波动的尖峰厚尾性又能反映极端价格波动出现次数的新模型。建模过程如下。

设 $X_1, X_2, \cdots, X_n$ 是独立同分布的随机变量序列，分布函数为 $\hat{F}$。将 $X_1, X_2, \cdots, X_n$ 均分为长度为 m 的 k 组，则有 $X_{m(i-1)+1}, X_{m(i-1)+2}, \cdots, X_{mi} \in U_i\ (i=1,2,\cdots,k)$，$Z_i = \max(X_{m(i-1)+1}, X_{m(i-1)+2}, \cdots, X_{mi})$ 为区间 U_i 上的最大值。根据定理 3.2，可知在 m 足够大时，$\{Z_i\}_{i=1,2,\cdots,k}$ 近似服从广义极值分布(GEV)。对足够大的阈值 u，有超出量 $X-u\ (X>u)$ 近似服从广义 Pareto 分布(GP)，分布函数为

$$G(x;\mu,\sigma,\xi)=\begin{cases} 1-\left(1+\xi\dfrac{x-\mu}{\sigma}\right)^{-\frac{1}{\xi}} & \xi\neq 0 \\ 1-\exp\left(-\dfrac{x-\mu}{\sigma}\right) & \xi=0 \end{cases}$$

简记为 $G(x)$。

记 $K_i=\sum_{X\in U_i}I(X>u)$ 。其中，$I(X>u)$ 是示性函数，K_i 表示区间 U_i 中超过 u 的超阈值个数。由于 Poisson 分布反应稀有事件的发生次数，对于较大的阈值 u ，事件 $\{X>u\}$ 较少发生，假设超过阈值的次数 K_i 服从 Poisson 分布[26-29]，有分布列

$$p_k=\frac{\lambda^k}{k!}e^{-\lambda},\quad k=0,1,2\cdots$$

由公式(8-5)，可得 $F(x)=\exp\left(-\lambda\left[\left(1+\xi\frac{x-\mu}{\sigma}\right)^{-\frac{1}{\xi}}\right]\right)$，我们称 $F(x)$ 为体现二因素联合影响的 Poisson-GP 复合超出量分布。其中，ξ 为形状参数，σ 为尺度参数，μ 为位置参数。

给定置信水平 $1-p$ 的 VaR 可由下式得到：

$$VaR=F^{-1}(1-p)=\sigma\left(\frac{\left[\frac{-1}{\lambda}\ln(1-p)\right]^{-\xi}-1}{\xi}\right)+\mu$$

8.3.2 Poisson-GP 分布在保证金率计算中的应用

1. 数据分析

本小节以 2005 年 1 月 4 日至 2010 年 5 月 14 日期间沪深 300 指数日收盘价为原始数据(数据来源：文化财经期货交易软件)，共计 1 303 个数据。令 $\{P_t\}$ 表示数据序列，$R_t=\ln(P_t/P_{t-1})$ 为日对数收益率序列。由于我国股指推出不足一年，为了使分析结果更具一般性，采用指数现货价格代替指数期货价格，其中隐含了无套利假设。依据 § 8.1 对期货风险来源的划分，可知风险投机者承担了市场的多数风险。以空头交易为例，对于投机者而言，股指期货价格越低，收益越高，并期望损失不超过某一阈值。一旦损失超过阈值即认为是一次高风险事件。

图 8-2 是日对数收益率序列的波动图。由图 8－2 可以看出，日对数收益率序列在一段时间剧烈振动后会趋于缓和，再因一定刺激大幅振动起来，具有明显的丛集性。这说明以区组极大值为研究对象的广义极值分布，在处理此类问题时可能会造成数据的浪费从而丢失信息。而广义 Pareto 分布以超阈值数据为研究对象，可以较好地保留极值数据信息，即便对于小数据的情况也可以有较为准确的结果。图 8-3 是日对数收益率序列的自相关性检验图，表明收益率序列基本上是不相关的。

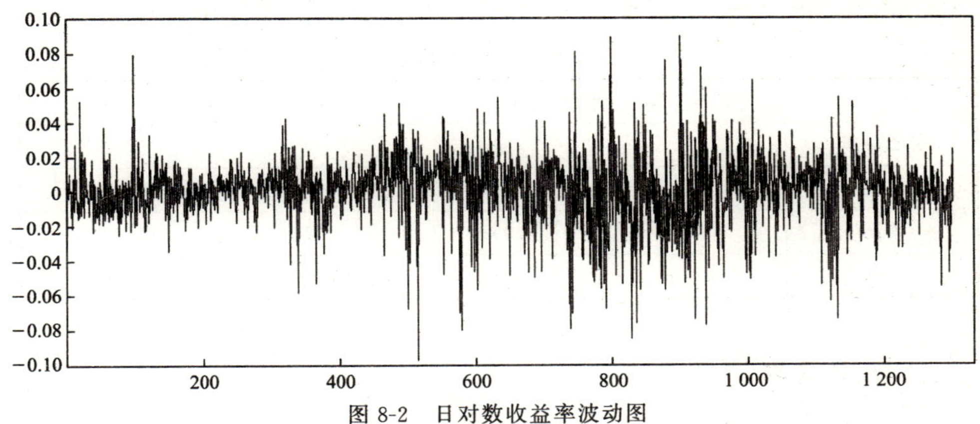

图 8-2 日对数收益率波动图

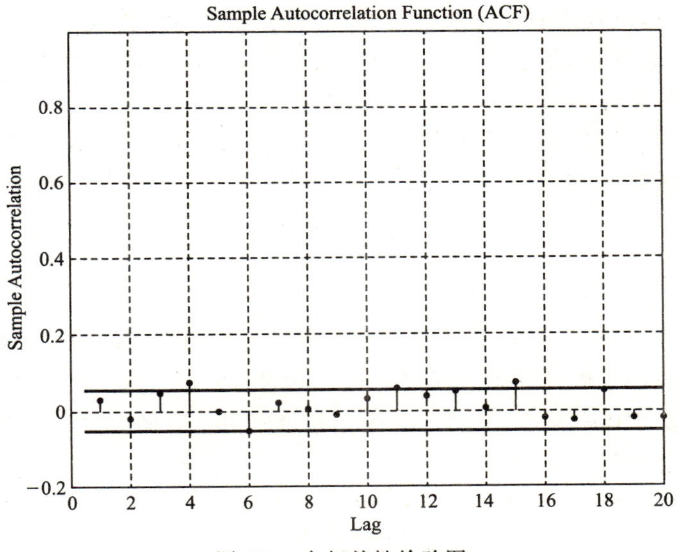

图 8-3 自相关性检验图

表 8-1 给出了日对数收益率序列的统计特征。其中，w 值为进行正态性检验的 JB 统计量。在正态性假定下，JB 统计量应服从 $\chi^2(2)$，当显著水平为 0.5%时，其临界值为 10.597。日对数收益率序列的偏度为−0.402 0<0，分布特征为负偏斜，即概率密度函数不对称，略向左偏；峰度为 5.205 9>3，说明日对数收益率序列应存在尖峰后尾性。以上信息表明股市下跌是市场在本时段内的趋势，同时数据波动程度高于正态分布的水平会造成尾部较长，潜在高风险增加。就具体市场而言，这些是由极端价格所引起的。计算得到的 w 值为 269.6493，远远大于 10.597，表明若假定日对数收益率序列服从正态分布是不恰

当的。在正态性假定下计算保证金率，会低估风险、忽视尾部信息。

表 8-1 统计表

	样本个数	偏度	峰度	w 值
正态分布		0	3	10.597
左尾	560	−1.640 0	5.922 3	874.40
右尾	742	1.902 8	8.453 5	2 540.6
全部	1 302	−0.402 0	5.205 9	269.65

2. 阈值选取

"对足够大的阈值 u"是保证定理 3.2 成立的前提，阈值 u 的选取需要权衡偏与方差的关系，只有阈值 u 足够大时，超出量分布才可由广义 Pareto 分布表示；然而，阈值 u 较大时，超过阈值的数据就会较少，又会影响到估计量的精度。本书采用平均剩余寿命图法选取适当的阈值 u[30]。

在定义 3.2 的基础上，我们称 $e(u)=E(X-u\mid X>u)$ 为随机变量 X 的平均剩余寿命函数。二参数的广义 Pareto 分布 $G(x;\sigma,\xi)$ 有平均剩余寿命函数为

$$e(u)=\frac{\sigma+\xi u}{1-\xi}$$

式中：$u\in D(\sigma,\xi)$，$\xi<1$。

由上式可知 $G(x;\sigma,\xi)$ 的平均剩余寿命函数是阈值 u 的线性函数。

设 $X_1,\cdots,X_n$ 是一组样本，记 $M_n=\max\{X_1,\cdots,X_n\}$，$N_n(u)$ 表示超过阈值 u 的样本个数，$\Gamma_n(u)=\{i;X_i>u\}$ 表示超过阈值 u 的样本的下标集合，定义样本的平均剩余寿命函数为

$$e_n(u)=\frac{1}{N_n(u)}\sum_{i\in\Gamma_n(u)}(X_i-u),\quad u>0$$

若某个足够大的阈值 u_0，使得超出量近似服从广义 Pareto 分布 $G(x;\sigma,\xi)$，则对于满足 $u_0<u<M_n$ 的阈值 u 而言，样本的平均剩余寿命函数应是线性的。此时的 u_0 可作为比较适当的阈值。

图 8-4 是日对数收益率序列的平均剩余寿命图及相应的 95%置信区间。由图 8-4 可见，在 $-10<u\leqslant 0$ 的变化范围内，图形近似一条直线，但是负阈值对于考量风险没有价值，所以没有意义；从 $u=0$ 开始到 $u=3$，图形几乎为一条水平线；从 $u=3$ 开始到 $u\approx 5$，图形又近似一条直线；当 $u>5$ 时，图形震荡急剧下降。这说明选取阈值 $u\in[3,5]$ 是合理的。由于足够大的阈值才可以保证超出量近似服从 GP 分布，所以 $u=5$ 理论上是最佳选择；但是，$u=5$ 时，超阈值只有 17

个，数据量过小，得到的估计量方差过大。在 $u=3$ 的右侧，图形开始具有线性特征，并有超阈值 78 个，所以选取阈值 $u=3$。

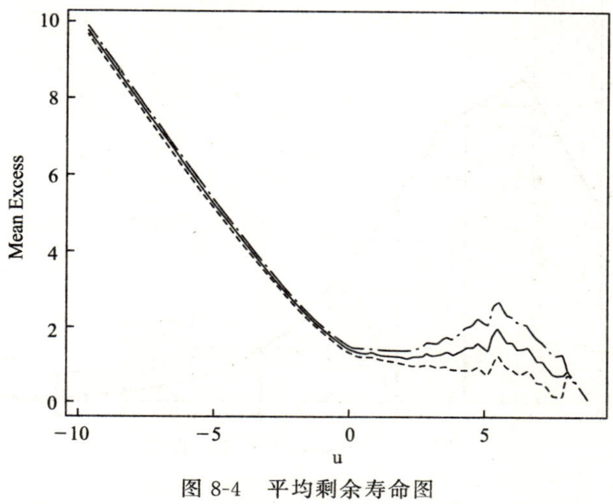

图 8-4 平均剩余寿命图

3. Poisson-GP 保证金率计算模型及与相关模型的比较

选取阈值 $u=3$，根据期货市场的一般做法使用 30 日作为单位时间跨度，表 8-2 为单位时间跨度内超阈值出现的次数，并拟合 Poisson 分布（图 8-5），通过 KS 检验。

表 8-2 超阈值表

超阈值个数	0	1	2	3	4	5	6	7	λ	KS 检验
次数	16	11	6	4	2	2	3	1	1.733 3	0.178 9

图 8-6 为广义 Pareto 分布诊断图，认为日对数收益率序列的超出量服从广义 Pareto 分布是合理的，通过极大似然估计可得广义 Pareto 分布的参数为 $(\hat{\sigma},\hat{\xi})=(1.242,0.043)$。文献[31]证明了形状参数 $0<\xi\leqslant 0.5$ 时，广义 Pareto 分布具有尖峰厚尾性。

表 8-3 给出了违约率 1%条件下，Poisson-GP 模型与目前相关模型计算得到的保证金率。可以看出，GEV 模型、GP 模型与 Poisson-GP 模型更注重分布尾部，计算结果明显高于其他方法，有较好的安全性。比较 GP 模型与 Poisson-GP 模型的计算结果，发现引入刻画风险发生次数的离散变量，使模型更为完整地保

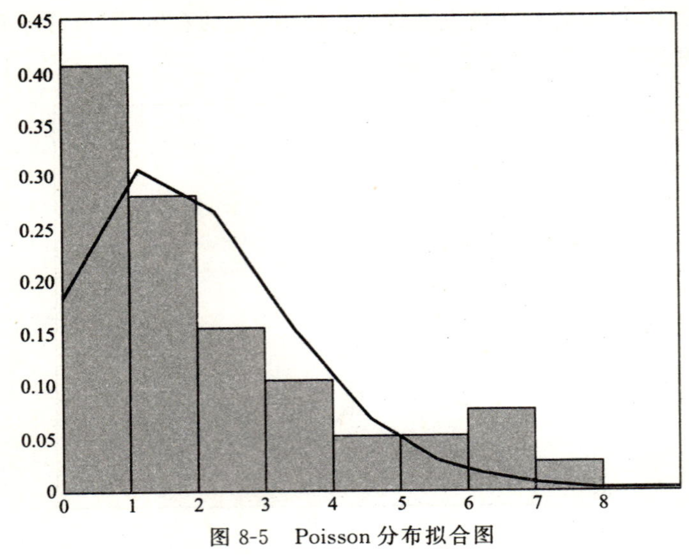

图 8-5　Poisson 分布拟合图

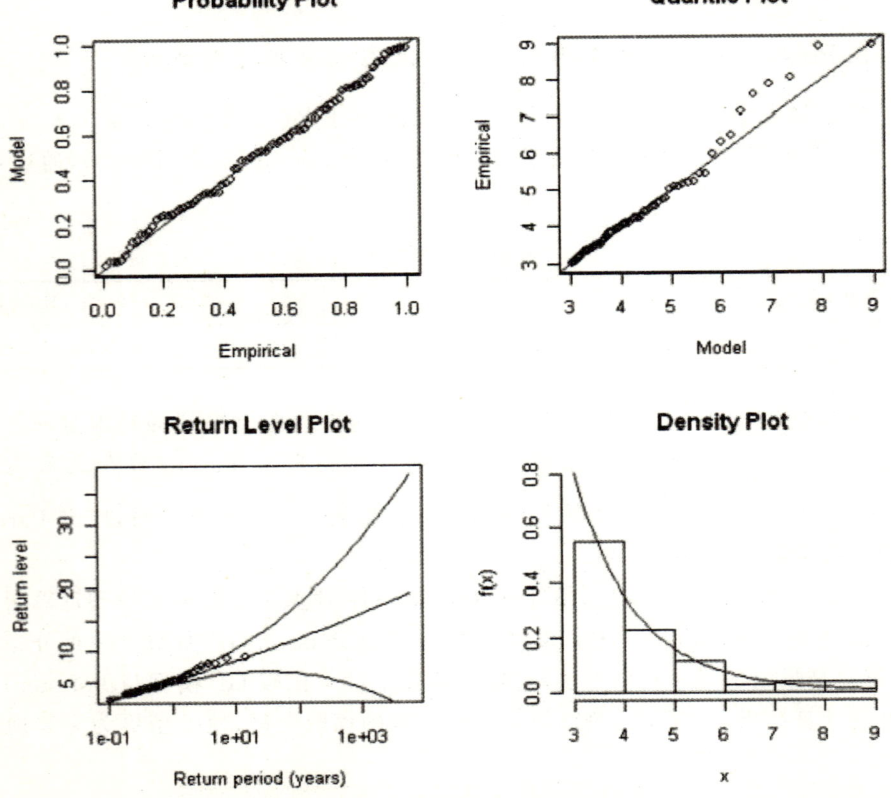

图 8-6　广义 Pareto 分布诊断图

表 8-3 结果检验表

模 型	保证金率(/%)	超出天数	实际违约率(/%)
风险价格系数法	4.368 9	72	5.5
EWMA 模型	5.158 9	39	3.0
GARCH 模型	3.375 9	142	10.9
GEV 模型	11.890 9	0	0
GP 模型	6.328 1	19	1.5
Poisson-GP 模型	7.164 7	13	1

留了极值数据信息,安全性更好。为了表明结果的不同特点,还需进行回测检验。可见,有正态性假定的估算模型(前三种)都低估了价格波动风险,价格波动超过保证金率的日期数目均高于 1%,即实际违约率大于理论违约率,可能造成更大的人为损失,从而降低市场的安全性。GEV 模型、GP 模型与 Poisson-GP 模型可较好的覆盖风险,但 GEV 模型的计算结果明显超过违约率 1%的要求,可能会增加交易的成本,造成资金的浪费,从而影响市场的流动性。GP 模型相对 Poisson-GP 模型,没有考虑到风险发生次数对价格波动风险的影响,在安全性方面存在一定缺陷。Poisson-GP 模型在安全性与经济性两个方面都表现得较为稳定,具有很好的应用价值。

由于我国股指期货仍处在起步阶段,相关数据较为缺乏,增加了应用模型的难度。由稳定性分析表 4.4 可知,Poisson-GP 模型,在 75%数据的条件下计算得到的保证金水平误差不超过 5%,说明 Poisson-GP 模型能充分利用数据信息,削弱了短数据引起的稳定性波动。相比 GEV 模型,Poisson-GP 模型计算得出的保证金水平更有效,稳定性更好。

表 8-4 稳定性分析表

模型	数据 100%	75%(1,1000)	75%(300,1302)	误差
GEV 模型	11.890 9%	12.215 8%	14.520 3%	22.1%
Poisson-GP 模型	7.164 7%	7.285 6%	6.936 3%	3.2%

8.3.3 小结

在相关保证金制度及无套利假设的前提下,本节应用复合极值理论建立了可以体现二因素联合影响的 Poisson-GP 复合超出量分布模型,通过对沪深 300 指数的研究,给出了股指期货保证金率设定的新方法,结论如下。

(1) 通过统计检验，说明日对数收益率序列具有尖峰厚尾特征，不服从正态分布。判断以正态性假定为前提的模型，都存在低估风险的可能。

(2) 基于复合极值理论建立的 Poisson-GP 复合超出量分布模型，综合考虑了价格波动风险与风险发生次数的联合影响，避免了单纯应用极值理论的缺陷，使模型更完善，具有更好的实际应用价值，解决了我国股指期货数据少、风险大的现实问题。

(3) 在保证金率设定方面，GEV 模型和 Poisson-GP 模型的计算结果均在 7%之上，可以有效地涵盖 99%的风险；同时，Poisson-GP 模型又具有良好的经济性。较之 GEV 模型，新模型可以充分利用过阈数据，通过复合的方法对风险发生次数和风险本身建立联合度量，体现了金融数据的分布特征，结果更准确。另外，新模型有短数据稳定性，适合进行我国股指期货保证金率的计算。

8.4 股指期货风险预警系统的建立

8.4.1 股指期货违约风险预警系统

在§8.1 中，我们分析了股指期货风险的三个来源，分别是价格波动、保证金制度、非理性投机。在实际模型中，分别对应着日收盘价、保证金率、持仓率三个概念。为了建立综合考虑三因素的股指期货违约风险预警系统，我们先分析一类可能造成违约的期货交易。

例如 某客户账户原有资金 20 万元。某日，空头开仓卖出某股指期货合约 15 手，均价 1 200 点(每点 100 元)。当日结算价为 1 205 点，保证金比例为 8%。当日开仓持仓盈亏＝(1 200－1 205)×15×100＝－7 500 元，当日权益＝200 000－7 500＝192 500 元，保证金占用＝1 205×15×100×8%＝144 600 元，资金余额＝192 500－144 600＝47 900 元。

次日，该客户没有交易，但该股指期货合约的当日结算价为 1250 点。当日账户情况为：历史持仓盈亏＝(1 205－1 250)×15×100＝－67 500 元，当日权益＝192 500－67 500＝125 000 元，保证金占用＝1 250×15×100×8%＝150 000 元，资金余额＝125 000－150 000＝－25 000 元。显然，要维持 15 手的空头持仓，保证金尚缺 25 000 元。这意味着如果该客户在下一交易日开市之前没有将保证金补足，那么期货经纪公司将对其持仓实施部分强制平仓。经过计算，125 000 元的权益可以保留的持仓至多为 12.5 手。这样，期货经纪公司至少要将其 3 手持仓进行强制平仓。如果当日结算价超过 1 334 点，则会直接导致穿仓，发生违约风险。下面我们建立股指期货违约风险预警系统。

定义 8.1 $u(t)$为某客户账户第 t 日的资金数目(权益)。满足：

$$u(t)=u(t-1)+l(t) \tag{8-9}$$

$$\overline{u(t)}=u(t)-m(t) \tag{8-10}$$

式中：$\overline{u(t)}$ 为第 t 日的资金余额，$l(t)$ 为第 t 日的盈亏，$m(t)$ 为第 t 日维持持仓的保证金。另记 $u(0)$ 为初始资金数目，$m(0)$ 为初始保证金 P_0 为初始价格，$r_n=\dfrac{m(0)}{u(0)}$ 表示持仓率，r_m 为保证金率，P_t 为第 t 日的结算价格，$R_t=\ln\left(\dfrac{P_t}{P_{t-1}}\right)$ 为第 t 日的收益率，则 5.2 式进一步推出 $\overline{u(t)}$ 与 P_t、r_n、r_m、$u(0)$ 四个因子的关系：

$$\begin{aligned}\overline{u(t)}&=u(t-1)+l(t)-m(t)=u(0)+\sum_{1\leqslant i\leqslant t}l(i)-m(t)\\&=u(0)+\frac{m(0)}{r_m}\left[\ln\left(\frac{P_1}{P_0}\right)+\frac{P_1}{P_0}\ln\left(\frac{P_2}{P_1}\right)+\cdots+\frac{P_{t-1}}{P_0}\ln\left(\frac{P_t}{P_{t-1}}\right)\right]-\frac{m(0)P_t}{r_mP_0}r_m\\&=u(0)+\frac{r_nu(0)}{r_mP_0}\sum_{1\leqslant i\leqslant t}\left[P_{i-1}\ln\left(\frac{P_i}{P_{i-1}}\right)\right]-\frac{r_nu(0)P_t}{P_0}\end{aligned} \tag{8-11}$$

式中：$\dfrac{m(0)}{r_m}$ 表示客户开仓时股指期货合约的实际价值，$\dfrac{m(0)P_t}{r_mP_0}$ 表示第 t 日股指期货合约的实际价值。

在§8.2 中，我们讨论了保证金一定程度上是对风险损失的预支。所以在风险预警的问题上，保证金与风险损失是统一的；通俗地说，通过部分或者全部平仓的手段，以损失部分或者全部保证金的方式完成期货交易，不至于使损失超过承受范围。那么，对于一个健康的低风险账户而言，我们认为强制平仓是一种非本意的交易要求，标志着风险已经发生，则避免强制平仓的最低要求为第 t 日的资金余额 $u(t)=0$，而事实上此时账户已不具备抵御日后风险的能力。若次日发生负收益事件，只有通过平仓或者强制平仓的方式解决，这不是我们希望看到的。为了避免强制平仓，需要提高资金余额 $u(t)$ 的数额，这与持仓率 r_n 有着很大的关系。任何重仓形式 $r_n>50\%$ 期货交易，都承担着较高的风险，是市场参与者对风险喜好程度的体现。那么，对某客户而言，在给定持仓率 r_n 的前提下，为了保持账户的健康状况，资金余额 $u(t)$ 应具有抵御第 t 日后一段时间内全部风险的能力 C，满足下式：

$$\overline{u(t)}\geqslant C\frac{m(0)P_t}{r_mP_0} \tag{8-12}$$

式中：$\dfrac{m(0)P_t}{r_mP_0}$ 表示第 t 日股指期货合约的实际价值，将式 5.3 代入可得

$$C\leqslant\frac{r_mP_0}{r_nP_t}+\frac{1}{P_t}\sum_{1\leqslant i\leqslant t}\left[P_{i-1}\ln\left(\frac{P_i}{P_{i-1}}\right)\right]-r_m \tag{8-13}$$

可以看出，抵御风险的能力 C 只与日收盘价、保证金率、持仓率有关。

满足式(8-12)需要储备大量的资金，并不科学。根据上面实例分析中的结

果，我们称超阈值事件为高风险事件，则上述要求可以转化为资金余额$\overline{u(t)}$应具有抵御第 t 日后一段时间内全部高风险的能力，意味着最低限度也可在次日保证不发生强制平仓，则抵御风险的能力 C 对于股指期货违约风险预警系统至关重要。下面研究 C 的概率分布。

设 $\{X_i\}$ 是独立同分布的带有时间标记 T_i 的随机变量序列，对于足够大的阈值 u，称$\{X_i - u : X_i > u\}$ 为$\{X_i\}$ 的带有时间标记 T_i 的超出量序列，近似服从广义 Pareto 分布，分布函数记为 $G(x)$。称 $X_1, X_2, \cdots, X_n$ 为 $\{X_i\}$ 的前 n 个观测值，将 $X_1, X_2, \cdots, X_n$ 均分为长度为 m 的 r 组，则有 $X_{m(j-1)+1}, \cdots, X_{mj} \in U(T_{m(j-1)+1}, T_{mj})$，称 $T_{m(j-1)+1}$，T_{mj} $(j=1,2,\cdots,k)$ 为一组标准时间间隔点，满足 $T_1 \leqslant T_{m+1} \leqslant \cdots \leqslant T_n$。

定义 8.2[32] $N(T_{m(j-1)+1}, T_{mj}) = card\{i, T_{m(j-1)+1} < T_i \leqslant T_{mj}, X_i > u\}$ 为超阈值计数过程，并与 $\{X_i - u : X_i > u\}$ 独立，表示时间段 $(T_{m(j-1)+1}, T_{mj})$ 中超阈值的个数。

对于独立同分布的 $\{X_i\}_{i=m(j-1)+1,\cdots,mj}$，$B_j = N(T_{m(j-1)+1}, T_{mj}) = \sum\limits_{i=m(j-1)+1}^{mj} I(X_i > u)$，表示 X_i 中成功实现 $X_i > u$ 的次数，其计数变量为二项变量，$p_j = \Pr(X_i > u)$ 是成功的概率。由 Poisson 定理可知，如果 $p_j \sim \dfrac{\lambda}{m}$，$B_j \sim Poi(\lambda)$。

定义 8.3[22] $S(T_{m(j-1)+1}, T_{mj}) = \sum\limits_{i=1}^{N(T_{m(j-1)+1}, T_{mj})} (X_i - u)$，$X_i > u$ 为上述超阈值计数过程导出的随机和，则随机和分布函数为

$$\Pr(S(T_1, T_n) \leqslant x) = \sum_{k=0}^{n} e^{-\lambda} \frac{\lambda^k}{k!} G^{k*}(x), \quad n \to \infty \tag{8-14}$$

由文献[33~36]可证明在 $\xi \neq 0$ 时，Pareto 分布属于次指数函数类，具有性质：对于所有的 $n \geqslant 2$，都有

$$\lim_{x \to \infty} \frac{\overline{G^{n*}}(x)}{\bar{G}(x)} = n$$

成立，则在 $\xi \neq 0$ 时随机和分布函数可以进一步推导。

$$\begin{aligned}
\Pr(S(T_1, T_n) \leqslant x) &= \sum_{k=0}^{n} e^{-\lambda} \frac{\lambda^k}{k!} G^{k*}(x), \quad n \to \infty, x \to +\infty \\
&= \sum_{k=0}^{n} e^{-\lambda} \frac{\lambda^k}{k!} (1 - \overline{G^{k*}}(x)) \\
&= \sum_{k=0}^{n} e^{-\lambda} \frac{\lambda^k}{k!} (1 - k\bar{G}(x))
\end{aligned}$$

$$
\begin{aligned}
&=\sum_{k=0}^{n} e^{-\lambda}\frac{\lambda^{k}}{k!}(1-k+kG(x))\\
&=1-\lambda+\lambda G(x)\\
&=1-\lambda(1-G(x))
\end{aligned}
$$

称 $F(x)=\Pr(S(T_1,T_n)\leqslant x)$ 为 Poisson-Pareto 随机和分布。易证 $F(x)$ 是单调不减右连续的函数，且 $F(+\infty)=1$，$F(-\infty)=e^{-\lambda}$，可知在 $x\to+\infty$过程中，也就是分布尾部，总是可以接受的[26]。

后面实例分析的结果表明了沪深 300 日对数收益率序列的超出量序列服从广义 Pareto 分布是合理的，并且参数 $\hat{\xi}=0.043\neq 0$，其超出量序列的随机和应服从 Poisson-Pareto 随机和分布。由式 5.5 得

$$
\Pr\left\{C\leqslant\frac{r_m P_0}{r_n P_t}+\frac{1}{P_t}\sum_{1\leqslant i\leqslant t}\left[P_{i-1}\ln\left(\frac{P_i}{P_{i-1}}\right)\right]-r_m\right\}=F\left(\frac{r_m P_0}{r_n P_t}+\frac{1}{P_t}\sum_{1\leqslant i\leqslant t}\left[P_{i-1}\ln\left(\frac{P_i}{P_{i-1}}\right)\right]-r_m\right)
$$

根据我们之前的分析，资金余额 $\overline{u(t)}$ 抵御某段时间内全部高风险的能力 C，可定义为

$$
C(p)=F^{-1}(p) \tag{8-15}
$$

8.4.2 实例分析

在股指期货风险预警系统中，我们称 C 为某客户账户的风险抵御能力或健康状况指数。C 值越大，抵御风险的能力越强，账户健康状况越好，预警级别越低，其评判标准称为预警值。预警值 $C100\%$、$C90\%$、$C70\%$、$C40\%$、$C0\%$ 由表 8-5 给出，从而划分了四个预警等级，如图 8-7 所示。

表 8-5 预警值表

$C100\%$	$C90\%$	$C70\%$	$C40\%$	$C0\%$
∞	0.037 694	0.022 627	0.013 481	0

根据以上计算步骤，对沪深 300 指数 2010 年 4 月 26 日后每日客户账户预警等级进行判定，假设该客户空头开仓。表 8-6 为保证金率相同，不同持仓率下的预警等级判定结果。从结果可以看出，持仓率越大，客户账户的风险越大，预警等级越高，说明市场中风险投机者承担着更多的风险，同时表明 Poisson-GP 模型计算得出的保证金率是安全有效的。在持仓率超过 83%时，仅在 5 月 13 日，该账户会被部分强制平仓。表 8-7 为相同持仓率，不同保证金率下的预警等级判定结果。这说明保证金率的高低直接影响到期货交易的安全性。相比而言，低

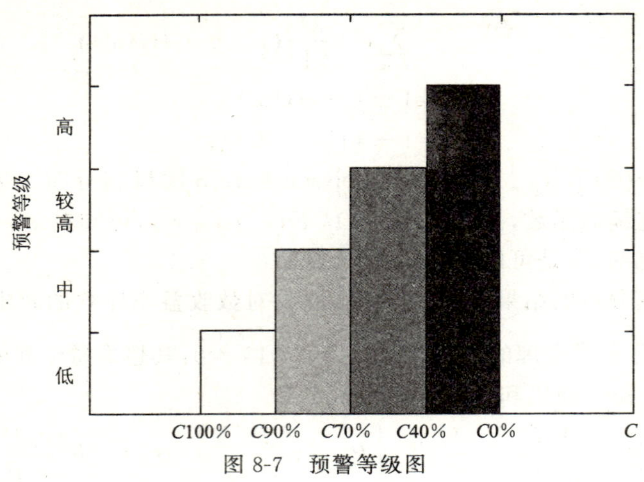

图 8-7　预警等级图

保证金率会导致客户账户的预警等级判定整体较高，对风险的抵御能力也较差，不利于期货交易的安全进行。对于持仓率更高的情况，这种作用就越发明显。综合以上的结果，我们得出客户账户的健康状况与日收盘价，保证金率及持仓率有关，解释了价格波动，保证金制度及非理性投机三种期货风险来源的综合影响。基于风险价值法与 Poisson-GP 模型的股指期货违约风险预警系统可很好地描述这三者的关系，有很好的应用价值。

表 8-6

保证金率 7.164 7%		持仓率 80%的客户		持仓率 60%的客户	
序　号	日　期	C 值	预警等级	C 值	预警等级
1	4.27	0.040 4	低	0.070 8	低
2	4.28	0.023 6	中	0.054 2	低
3	4.29	0.033 4	中	0.064 4	低
4	4.30	0.018 4	较高	0.049 2	低
5	5.4	0.038 6	低	0.069 9	低
6	5.5	0.016 3	较高	0.047 5	低
7	5.6	0.075 7	低	0.108 4	低
8	5.7	0.049 9	低	0.083 2	低
9	5.10	0.020 3	较高	0.053 4	低
10	5.11	0.050 5	低	0.084 3	低
11	5.12	0.023 0	中	0.056 6	低

续表

保证金率 7.164 7%		持仓率 80%的客户		持仓率 60%的客户	
序 号	日 期	C 值	预警等级	C 值	预警等级
12	5.13	0.003 2	高	0.036 0	中
13	5.14	0.034 0	低	0.067 0	低

表 8-7

持仓率 60%		保证金率 3.375 9%		保证金率 7.164 7%	
序 号	日 期	C 值	预警等级	C 值	预警等级
1	4.27	0.044 3	低	0.070 8	低
2	4.28	0.027 4	中	0.054 2	低
3	4.29	0.036 8	中	0.064 4	低
4	4.30	0.021 9	较高	0.049 2	低
5	5.4	0.041 5	低	0.069 9	低
6	5.5	0.019 5	较高	0.047 5	低
7	5.6	0.077 2	低	0.108 4	低
8	5.7	0.050 6	低	0.083 2	低
9	5.10	0.021 2	较高	0.053 4	低
10	5.11	0.050 7	低	0.084 3	低
11	5.12	0.023 4	中	0.056 6	低
12	5.13	0.004 5	高	0.036 0	中
13	5.14	0.035 1	中	0.067 0	低

8.4.3 本节小结

在 Poisson-GP 保证金率计算模型的基础上，通过对期货交易账户资金构成的分析，以实例分析了违约风险是如何产生及如何避免风险，指出一个低风险的账户资金构成，应具有较好抵御风险的能力，并定义该能力为某日后一段时间内的全部高风险之和，最低限度也可保证次日交易不出现违约风险；通过对超出量序列随机和的分析，推导出 Poisson-Pareto 随机和分布，运用 VaR 技术建立了股指期货违约风险预警系统，得到如下结论。

(1) 客户账户的健康状况值 C 体现了账户资金余额 $\overline{u(t)}$ 对于一段时间内高风险事件的抵御能力。

(2) 高保证金率有助于提高市场安全运行。通过实例分析。可以看出保证率与预警等级存在反向关系，即保证金率越高，账户越健康，预警等级越低。这与我们设定高保证金率的初衷是吻合的。

(3) 持仓率体现了期货交易者对风险的喜好程度，重仓交易甚至满仓交易都要承担更多风险，结合引言对风险来源的划分，我们得到结论：风险投机者承担了市场中较多的风险。

(4) 股指期货违约风险预警系统，体现了日收盘价、保证金率、持仓率与预警等级之间的关系，综合解释了期货风险的三个来源，具有较好的实际应用价值。

8.5 总结与展望

本章以次贷危机的爆发为起点，引入风险控制、风险预警的话题。通过对股指期货概念、功能等方面的介绍，指出股指期货风险预警研究对于控制金融风险有重要的意义。通过第 2 节对相关预警方法的比较，表明风险价值法是一种具有明确统计意义的风险度量方法，进一步指出股指期货风险预警研究的核心内容是保证金制度，也就是保证金率的设定问题。对比现有保证金率计算模型，我们得出以正态性假定为前提的模型都存在低估风险的可能，在第 4 节的实例分析中，沪深 300 指数日对数收益率序列的统计特征表明其不服从正态分布，具有尖峰厚尾性。第 3 节介绍了极值理论是描述分布尾部特征的统计方法，其在对具有尖峰厚尾性的数据建模时具有很大优势，但经典极值理论的数据选取方法决定了其对小数据建模并不适用。基于复合极值理论，本章建立了可以体现价格波动与风险发生次数联合影响的 Poisson-GP 复合超出量分布，并应用到保证金率设定的计算中。通过与现有模型的比较，发现新模型的计算结果更准确，在给定置信水平的前提下能够更合理地设定保证金率，可以较好地解决我国股指期货数据少、风险高的特点。第 5 节研究了股指期货违约风险预警系统的建立；通过对比实验，说明了保证金率、持仓率对客户账户健康状况的影响，体现了价格波动、保证金制度、非理性投机三种期货风险来源的综合作用。

针对本章存在的不足，希望可以在日后的研究中进一步完善。

(1) 第 4 节建立的 Poisson-GP 超出量分布，虽然很好地诠释了二因素的影响，但是模型始终是人为假定的，存在着人为因素的干扰，期待更好的方法解决这一问题。

(2) 第 5 节股指期货违约风险预警系统中的持仓率是一个人为设定的概念，实际应用中，应综合考虑客户性格、交易状况等多个方面，对持仓率建立数学模型，减少人为干预，保证结果的科学性。

参考文献

[1] 雷家骕. 美国金融危机对中国的启示[J]. 国有资产管理 2008,(11):36-38.

[2] 唐衍伟,陈刚. 股票指数衍生工具[M]. 北京:科学出版社,2009.

[3] 中国期货业协会. 期货市场教程[M]. 北京:中国财政经济出版社,2002.

[4] 宋彩霞,吴越. 我国期货市场风险管理问题研究[J]. 财会通讯,2006(10):71-72.

[5] Gay G D,Hunter W C,Kolb R W. A comparative analysis of futures contract margins. Journal of Futures Markets,1986,15:805-831.

[6] 徐国祥,吴泽智. 我国指数期货保证金水平设定方法及其实证研究——极值理论的应用[J]. 财经研究,2004(11):63-74.

[7] 李泽梅. 基于 EWMA 模型的沪锌期货波动率计算实证研究. 上海期货交易所博士后工作站,2011.

[8] 邵延平. GARCH 模型对期铜市场风险的研究[J]. 运筹与管理,2007,16(2):108-112.

[9] 顾雪松. 基于 GARCH-VAR 的股指期货保证金模型[J]. 统计与决策,2009(12):65-68.

[10] 刘轶芳,迟国泰. 基于 GARCH-EWMA 原理的期货交易保证金随动调整模型[J]. 中国管理科学,2005(3):6-14

[11] 张京. 期货风险预警系统[D]. 上海:上海交通大学计算机系,2007.

[12] 周开国,缪柏其. 应用极值理论计算在险价值——对恒生指数的实证分析. 预测,2002(3):37-41.

[13] 刘庆福,钟伟俊. EGARCH-GED 在计量中国期货市场风险价值中的应用[J]. 管理工程学报,2007(1):117-121.

[14] 王吉培,旷志平. 偏态 t 分布下的 FIGARCH 模型的动态 VaR 计算[J]. 统计与信息论坛,2005,24(5):75-79

[15] 王乃生. 我国商品期货保证金设定的极值方法. 上海期货交易所博士后工作站,2001.

[16] 迟国泰,刘轶芳. 基于 SV 模型和 KLR 信号分析的期货逼仓预警模型. 系统工程,2006,(7)

[17] 严瑾孟,蒋志海,林信达,彭坤. Logit 模型改进及其在财务困境中的应用[J]. 财会通讯,2009,(8)

[18] 聂丽洁,张毅,樊丹丹. BP 神经网络与因子分析的财务危机预警应用. 财

会月刊[J],2009,(9)

[19] 李树根. 基于 BP 神经网络的财务预警方法探究[J]. 中国管理信息化,2007,10(11)

[20] 韩德宗. 基于 VaR 的我国商品期货风险的预警研究[J]. 管理工程学报,2008,(1)

[21] Balakrishnan N Cohen A C. Order Statistics and Inferences: Estimation Methods. Academic Press,1991

[22] 史道济. 实用极值统计方法[M]. 天津:天津科学技术出版社,2006

[23] 林楚雄. 台湾期货市场保证金水准之研究:[硕士学位论文]. 台湾:高雄第一科技大学,2002

[24] 欧阳资生,龚署明. 广义帕累托分布模型:风险管理工具. 财经理论与实践,2005,17(6):16-24

[25] Leadbetter M R, Lindgren G and Rootzen H. Extremes and Related Properties of Random Sequences and Processes. New York: Springer-Verlag,1983

[26] 马逢时,刘德辅. 复合极值分布理论及其应用[J]. 应用数学学报,1979,(4)

[27] 叶五一,缪柏其,惠军. 应用复合极值理论计算[J]. 运筹与管理,2007,16(1)

[28] 刘德辅,王莉萍,宋艳,庞亮. 复合极值分布理论及其工程应用[J]. 中国海洋大学学报,2004,34,(4)

[29]盛骤,谢式千,潘承毅. 概率论与数理统计[M]. 北京:高等教育出版社,2001

[30] 徐付霞. Copula 理论与极值统计的应用:[博士学位论文]. 天津:天津大学,2008

[31] 桂文林,徐芳艳. 广义 Pareto 分布尾部厚度的分析与应用[J]. 统计与决策,2006,(6).

[32] 斯奈德. 随机点过程[M]. (·梁之舜,邓永录译)北京:人民教育出版社,1982.

[33] Embrechts P, Kluppelberg C and Mikosch T. Modelling Extremel Events for Insurance and Finance. New York: Springer,1997. 36-39.

[34] E. J. G. Pitman. Subexpoential distribution functions. Austral. Math. Soc,1980.

[35] 史道济,高峰. 股票收益率的次指数分布拟合[J]. 数理统计与管理,2003,(6).

[36] Teugals J L. The class of subexponential disttributions. Ann. Probab, 1975.

[37] 朱国庆,张维,张小薇,敖路. 极值理论应用研究进展评析[J]. 系统工程学报,2001,(1).

[38] 李一智,邹平,肖志英,邓超. 风险价值法在期货市场风险评估中的应用[J]. 中南工业大学学报,2001,7(4).

[39] 刘传哲,张丽哲. 金融危机预警系统及其应用[J]. 系统工程,1999,17(5).

[40] 黄仁辉,张集,张粒子,李兆丽. 整合 GARCH 和 VaR 的电力市场价格风险预警模型[J] 中国电机工程学报,2009,29(19).

[41] 徐明棋,冯小冰,陆丰. 上海期货交易所风险预警系统的再建[J]. 上海经济研究,2005,(4)

第 9 章　股指期货保证金水平设定研究

9.1　研究背景

9.1.1　保证金制度

作为风险管理和控制的有效工具，适时、科学地推出交易所衍生品是完善我国金融体系的必经之路。从新兴市场经济国家和发展中国家发展金融衍生产品的经验来看，股指期货是新兴市场开设金融衍生品交易的首选品种。股指期货的全称是股票价格指数期货，股价指数期货、期指，是指以股价指数为标的物的标准化期货合约，双方约定在未来的某个特定日期，可以按照事先确定的股价指数的大小进行标的指数的买卖。作为期货交易的一种类型，股指期货交易与普通商品期货交易具有基本相同的特征和流程。

我国股票市场的发展、机构投资者的逐步壮大、监管体系和期货市场的完善，都为股指期货开展提供了良好的基础。另外，包括上证 180 指数、上证 50 指数在内的各种指数已经或者正在得到市场的广泛认同，沪深 300 指数也已经开发成功并在试运行。因此，我国开设股指期货的基本条件已经具备，可以择机推出。

在股指期货各种风险控制制度中，保证金制度的设计成为直接影响期货市场运作效率的关键因素。依照期货交易所的规定，投资者在进行期货交易时，为确保合约如期、正常的履行，需要先在交易所指定账户存入一定数额的初始保证金，以用作履行合约的资金证明。在交易过程中，投资者还要随着合约价格的变化而追加一定数量资金，这部分追加资金，被称之为变动保证金。为了使期货交易能够不间断进行，投资者还需要将保证金维持在交易所要求的某一特定比例之上，这部分资金被称为维持保证金。保证金在期货交易中起到了杠杆作用，其设置水平的高低将直接影响市场的流动性，并最终影响市场的效率。确定得太低，将无法涵盖指数波动风险，影响到交易的安全运行；若确定得太高，则将增加交易成本，削弱指数期货的杠杆效应，从而影响到交易的活跃性。由于影响市场价格的因素是多维的，所以期货市场的整体风险是动态变化的。因此，如何确定一个合适的保证金水平，使其能够有利于提高市场流动性，抑制市场波动性，降低市场的交易成本及有效控制市场的风险，就成了期货市场组织者进行有效管理的重要内容。

保证金制度的内容主要包括保证金计算方式、保证金结算频率、保证金计算方法、保证金水平、保证金账户管理等诸多方面。保证金计算方式是指保证金的计算基础是采用净头寸还是总头寸，不同基础计算而得到的保证金分别称为净额保证金和总额保证金。保证金结算频率是指保证金的每日结算次数，大多数结算机构都是每日结算一次，即通常的逐日盯市，而近几年许多结算机构根据交易状况，采用盘中盯市，也即一日之内结算两次及以上。

保证金计算方法是指保证金计算所采用的数量模型和定量方法，目前国际市场上保证金计算方法主要有两类：一类是基于整户风险的保证金计算程序，如风险标准组合分析（Standard Portfolio Analysis of Risk，简称 SPAN）系统和理论上的市场间保证金（Theoretical Intermarket Margin System，简称 TIMS）系统；另一类是采用单一模型仅计算指数期货头寸的风险，如台湾指数期货的风险价格系数法、香港清算所的指数加权移动平均法（Exponentially Weighted Moving Average，简称 EWMA）等。保证金水平是指在综合考虑保证金计算方式、结算频率的基础上，采用合适的保证金计算方法，得到的具体保证金数量。

整个保证金制度中，保证金水平是核心，最直接地影响保证金制度的有效性。保证金作为投资者履约的信用凭证，其水平是否合理对于保障交易的正常非常重要。保证金水平过低，期货价格波动幅度可能会很容易超过保证金水平，导致面临价格不利变动的一方违约可能性增加，影响投资者的信心，并会使交易所或经纪商面临很大的违约风险。而保证金水平过高也是不合适的，它会增加交易者的交易成本，降低交易者的交易意愿，影响流动性。因此，一个折中的方法就是保证金能够在一定概率下涵盖指数波动风险。从而在保证金水平的定量研究中采用了许多统计学方法。

9.1.2 国内外研究综述

国外学者对期货保证金水平设定提出了许多模型和数量方法。Figlewski[1]（1984）假定标的资产的价格变动服从对数扩散过程，提出了计算最优维持保证金水平的违约风险侦测模型 A；Gay、Hunter 和 Kolb[2]（1986）对 Figlewski（1984）模型作了修正，提出了违约风险侦测模型 B；Booth、Broussard、Martikainen、Puttonen[3]应用极值理论研究芬兰股票指数期货价格变动超过预设的保证级水平的几率，研究结果显示极值法所估计的超过理论保证金水平与实际的概率分布十分接近；Broussard、Booth[4]检查德国股价指数期货合约（FDEX）的极值行为，实证结果显示 FDEX 日内价格变动遵循 Frechet 极值分布，以及运用极值分布概率帮助订定日内保证金水平是可信赖的；Longin[5]以极值理论为基础发展了一个估计期货保证金的参数方法，并应用到在 COMEX 交易的白银期货契约保证金水平的估计，研究结果发现正态分布比极值法会严重低估保证金水平；Cotter[6]采用极值理论的研究了在欧洲交易所挂牌的数个主要股价指数期货的保证金水平，实证证明这些股价指数期货保证金水平的设定是充分的，但是，必须对多空头寸采取不同的保证金水平，反映多空头对风险的不同承受程度。

关于指数期货的讨论和研究是国内近年来研究热点，许多研究者都提出了我国推出指数期货的合约规格和相关风险控制制度，但对设置保证金水平的定量研究比较少，以商品期货的研究方法为依据来探讨股指期货保证金水平的设定是经常采用的方法。例如，李晓渝等[7]利用极值理论广义帕累托分布（GPD）下，研究了上证以 180 指数为标的的股指期货的保证金水平，并且与正态分布假设下的保证金水平进行比较；徐国祥、吴泽智[8]用极值理论研究了以全国统一 300 指数为标的的指数期货的保证金水平，并与风险价格系数、EWMA、Risk-metrics 等其他估算方法进行实证对比。

金融资产收益序列的尖峰、厚尾现象[9]使得传统的正态分布假定受到严重的质疑。因此，如何有效地刻画金融资产收益序列的尾部特征，给出其渐近分布形式，成为金融机构改进风险度量方法、制定风控政策的首要基础工作。因此，对金融资产收益率序列分布尾部特征的研究就相当重要了。许多学者提出了用具有厚尾特征的分布模型学生 t 分布、GED 分布等，通过假定的分布与样本均值、方差的匹配对参数进行估计，或者是假设收益率序列符合某种特定的过程如 RW、ARMA、GARCH 等，它可以在一定程度上解释收益序列的尖峰厚尾和波动率聚类现象，具有比较好的整体拟合效果。不过，这些方法只能对已经到来的灾难信息给出准确的估计，对于即将到来的灾难信息无法进行准确的预测。极值理论（EVT）与前面方法有着明显的区别，它并不研究收益序列的整体分布情况，只关心收益序列的尾部特征，利用广义帕累托分布来逼近收益序列的尾部分布。它可以在总体分布未知的情况下，依靠样本数据，得到总体中极端值的变化性质，具有一定的稳健性。

极值理论考虑分布的尾部，由于分布的尾部反映的是潜在的灾难性事件导致的金融机构的重大损失，风险管理者注重的正是分布的尾部。虽然极值理论很好地考虑了分布的尾部，但不能反映大的发生频率对损失的影响；通过引入离散型变量，建立复合极值模型，可以解决此问题。本书采用了复合极值理论研究我国股指期货保证金的设置问题，并进行了实证研究。

9.1.3　研究的主要内容

随着 VaR 技术在风险控制中的应用，相关数量方法也被引入到指数期货保证金水平的设定上来，特别是近年来极值理论开始应用于保证金水平设定的研究中。本文的想法是，首先介绍传统的几种传统的计算 VaR 的方法，并对这几种方法进行比较，再推出复合极值方法，并基于采集的数据，采用股指日收益率作为风险的原始数据，通过复合极值方法得出风险值，并与极值方法进行比较，从而确定保证金水平。

本文所要研究的是一种比传统的风险模型更为优秀的新金融风险度量模型——基于复合极值理论来处理风险数据的极值方法。选用这种方法原因主是因为该模型能够很好地反映尾部风险，与传统方法相比更为优秀也更符合实际，引入离散型变量，反映了大的损失的发生频率对保证金水平有一定影响。本篇论文对采用极值理论确定的保证金水平的经验与问题进行了总结，应用复合机制理论对沪深 300 指数期货的保证金水平的设定进行了进一步的研究。应用复合极值理论是一种比极值理论更为保守的保证金水平设定方法。实证研究证明，它对我国股指期货的推出与保证金的设定有一定的借鉴意义。

9.2　风险价值(VaR)的方法

VaR 定义是在正常的市场条件和给定的置信水平上，在给定的持有期间内，某一投资组合预期可能发生的最大的损失；或者说，在正常的市场条件和给定的时间段内，该投资组合发生 VaR 值损失的概率仅为给定的概率水平(置信水平)。

根据风险价值的定义，投资组合的风险价值可由下式确定

$$VaR = \omega_0 \times VaR_r \tag{9-1}$$

这是一般情况下的 VaR 定义，VaR 也可以看作是计算估计极端分位数的方法，假设随机变量 X 满足模拟资产收益和损失的某一分布函数 F 的模型，则 VaR 可以被定义为可能损失分布的第 p 分位数(一般选取 p 为 0.05 或 0.01)，即

$$VaR = F^{-1}(1-p) \tag{9-2}$$

F^{-1}是分布函数 F 的反函数，在风险价值计算中，也称为分位数函数。

9.2.1 传统 VaR 的计算方法

VaR 的计算有很多种方法，适用于不同的市场条件、数据水平、精度要求等。下面来介绍几种比较常用的传统的 VaR 计算方法[10]：方差协方差方法、历史模拟法、蒙特卡罗模拟法。

1. 方差-协方差法

方差-协方差法（Variance-Covariance Method）。方差-协方差法也称为德尔塔—正态法，它是一种参数方法，需要对资产组合的收益分布做出假设，一般假定影响资产组合的市场风险因子服从多元正态分布。这种方法的核心是基于对资产报酬的方差—协方差矩阵进行估计。

对于单一资产 VaR 可以被估计为

$$H_{\mu,\beta,\xi}(x)=\exp\left[-\left(1+\xi\frac{x-\mu}{\sigma}\right)^{-1/\xi}\right],\xi\neq 0$$

$$VaR(\alpha)=F^{-1}(\alpha)\sigma_t\sqrt{\Delta t} \tag{9-3}$$

对于上面 VaR 计算公式，σ_t 为组合回报的标准差。这里用一系列组合权重 ω 和协方差矩阵 $\sum$ 计算，计算公式为 $\sigma_t=\sqrt{\omega'\sum\omega}$。因此，计算 VaR 主要是对 F^{-1}，σ_t 和协方差矩阵 $\sum$ 的估计。

在方差-协方差法中，方差和协方差可以通过几种方法获得。一是固定加权法。它假定风险因子的协方差与方差在估计与预测期是常数，因此就可以利用固定长度的历史数据来计算样本的方差与协方差作为总体方差的一个估计。一个无偏与有效的估计量就是利用全部数据且对每一个数据等值加权。这种常数性的假定显然与观察到的金融数据所提供的经验型结论往往不一致。一些统计学家建议对历史数据进行截尾，并且证明了当协方差的分布是平稳的时，这一方法确实是一个改进。二是指数平滑法。这一方法因 J·P 摩根在其 RiskMetrics 模型中实用而流行。它实质上具有一阶自回归结构。因此，对协方差阵的短期变动反应迅速；同时，也可根据协方差的变化情况调整平滑系数。三是多变量广义自回归条件异方差模型。由于上面两种方法都未能很好解决协方差矩阵的集聚性，一些统计学家建议实用 GARCH 模型来更好地描述金融数据波动率的集聚性。可是，在多元 GARCH 中被估计的参数随着变量的增加而迅速增加，这样给参数的估计带来难度，并且估计误差也随着变量的增加而增加，因此一些学者又尝试给协方差阵施加一些约束，减少被估计参数的数量，降低模型在估计上的困难。

2. 历史模拟法

历史模拟法(Historical simulation method,简称 HS 法)。与德尔塔—正态法不同,历史模拟法对基本的市场风险要素的统计分布不要求任何假定,而是直接利用历史数据模拟分布,从而估计 VaR 的值,其隐含的假定是历史变化在未来可以重现。最广泛使用的基本历史模拟法就是使用市场风险因子的历史值计算现有资产组合的每日损失,这样只要假定在这一计算期上一直持有现有的资产组合,这些损失值就可以被当成是这一资产组合的一组实现值;然后,再将这组损失值由小到大排列,依据预先指定的概率值,就可以从这一序列中直接读得 VaR 的值。因此,利用基本历史模拟计算 VaR 可以分以下三步完成。

(1) 确认基本的市场风险要素,获得根据市场风险要素表达资产组合市值的公式;

(2) 根据获得的过去 n 期市场风险要素的历史数据,计算现有资产组合的损失值;

(3) 将损失值按照从小到大排序,根据给定的概率(95%或 99%)选择相应的分位点,此即为该资产组合的 VaR 值。

3. 蒙特卡罗模拟法

蒙特卡罗模拟法(Monte Carlo simulation method)。蒙特卡罗模拟法与 HS 法很相似,主要区别是:历史模拟法是使用市场风险要素在过去 N 个间隔期限被观察到的变化量来对资产组合的损失值作模拟,以生成资产组合的 N 个假想的损失值;蒙特卡罗模拟法是预先选择一个能抓住或近似地描述市场风险要素的可能变化的分布,然后,利用计算机模拟出成千上万个市场风险要素的假想变化数,再利用这些假想的变化数构建该资产组合假想的损失及其可能的分布,从而依照指定的概率确定 VaR。实用蒙特卡罗模拟法的基本步骤可以概括如下。

(1) 确认基本的市场风险要素,从中获得表达资产组合市场值的公式,这与在历史模拟法中一样。

(2) 对基本的市场风险要素确定或假设一个具体的分布,从而估计分布的参数。实际操作中,由于多元正态分布易于处理,因此,在大多数情况下,所挑选的是多元正态分布。当然,风险管理者完全可以根据他们对市场风险要素未来可能的变化的理解和判断,选择他们认为合理的分布。事实上,所选择的分布在很大程度上也是对历史数据的一种模拟。

(3) 根据选择的分布模拟市场风险要素的 N 个假想的变化值,然后利用这些数据计算资产组合的损失值。

(4) 将这些损失值从小到大排序,按照指定的概率,直接读得 VaR 值。

4. 三种方法的比较

现在我们对三种不同的计算方法进行简要评价。

历史模拟方法:该方法是基于历史数据的经验分布,它不需要对资产组合的价值变化的分布作特定假设。该方法简单、直观、易于操作,但同时 HS 方法也有很多缺陷。具体变现在:第一,收益分布在整个样本时限内是固定不变的,如果历史趋势发生逆转时,基于原有数据的 VaR 值会和预期最大损失发生较大的偏离。第二,HS 法不能提供比所观察样本中最小收益还要坏的预期损失。第三,样本的大小会对 VaR 值造成较大的影响,产生一个较大的方差。第四,HS 法不能作极端情景下敏感性测试。

方差—协方差法:该方法计算简单,只需要估计每个资产组合的标准差和相关系数,就可得到任意资产组合的 VaR 值。然而,这种方法基于两个基本的假设:线性假设和正态假设。实际运用时,还要有零均值的假定,大量研究表明:①实际的收益率数据分布并不关于原点对称;② 实际的收益率数据分布的尾部要比正态分布的厚。所以,使用这种方法的后果是低估风险。

蒙特卡罗模拟法方法:由于蒙特卡罗方法能较好地处理非线性问题且估计精度较高,随着计算机的高速发展,该方法已得到越来越多的重视和实用;但该方法有两个缺陷:一是计算量太大,二是当维数高时,传统的抽样技术变得非常困难,使得蒙特卡罗法难于实现。

9.2.2 极值法计算 VaR

评估 VaR 的极值方法就是将极值理论用于 VaR 计算。极值方法是一种尾部估计的参数方法。联系极值理论和风险价值度量的纽带就是,对于金融数据的厚尾现象而言,极值方法比常规方法更适合极端分位数,因而更适合用来计算 VaR。

一般来说,在利用极值理论度量金融风险时主要有两类模型。一类是 BMM 模型(block maxima model)。这类模型主要对组最大值(block maxima)建模。例如,我们有某一资产若干年的日损失值,BMM 则用来分析月度、季度甚至年度的最大值的统计规律。另一种极值模型是广义 Pareto 模型,简称 GPD 模型(也称为 POT(peaks-over-threshold))。这一模型对观察中所有超过某一较大阈值的数据建模。由于 GPD 模型有效地实用了有限的极端观察值,因此,通常认为在实践中很有用的。无论 BMM 模型还是在 GPD 模型,进一步还可以划分两类不同的分析方法,即围绕 HILL 估计、Pickands 估计和矩估计展开的半参数模型与基于一般的极值分布和广义帕累托分布的参数模型。

由于极值方法对数据的尾部拟合一个极值分布函数，一旦知道尾部参数，我们就能扩张到样本外的分布来考虑历史上尚未观察到的，但是可能出现的极值运动。正因为极值方法只考虑分布的尾部，因而能够精确地估计极端分位数。

由于 VaR 可以被定义为可能损失分布的第 P 分位数（一般选择 P 值等于 0.05 或 0.01），即 $VaR = F^{-1}(1-p)$，我们分两种情况来分别进行讨论。

（1）当 F 分布是广义极值分布（GEV）。

由广义极值分布（GEV）公式 $H_{\mu,\beta,\xi}(x)=\exp\left[-\left(1+\xi\frac{x-\mu}{\sigma}\right)^{-1/\xi}\right],\xi\neq 0$ 时计算分位数函数即求这个函数的反函数，并把 $VaR = F^{-1}(1-p)$ 代入，可求 VaR 得

$$VaR=\mu-\frac{\sigma}{\xi}\{1-[-\ln(1-p)]^{-\xi}\} \tag{9-4}$$

（2）当分布是广义 Pareto 分布（GPD）

我们由 Pareto 分布（GPD）的尾部估计公式求反函数（分位数函数），再把 $VaR = F^{-1}(1-p)$ 代入，得出 VaR，即

$$VaR_p=\begin{cases}\mu+\dfrac{\sigma}{\xi}\left[\left(\dfrac{N}{N_\mu}p\right)-\xi-1\right],\xi\neq 0\\ \mu-\sigma\ln\left(\dfrac{N}{N_\mu}p\right),\xi=0\end{cases} \tag{9-5}$$

对于阈值法来进行分析的时候，有两个问题是需要解决的：第一个问题是阈值该如何选取，第二个问题是对参数 μ,σ,ξ 的估计。

解决第一个问题，阈值的选取。

在使用 GPD 分布近似前，阈值 μ 的选取非常关键，它是正确估计参数 σ,ξ，进而精确度量 VaR 的前提。过高的 μ 值会导致超出数据太少，从而估计参数的方差会偏高。而太小的 μ 值则会产生有偏的估计量。通常有以下两种方法来确定阈值 μ。在实际中，通常可以把两种方法同时使用以更准确的方法来确定阈值。

其一是广义 Pareto 分布的超额均值函数（Mean Excess Function，MEF）。

若随机变量 X 服从 $G_{\xi,\sigma}(x)$，则其超额均值函数（MEF）为

$$e(u)=E(x-\mu\mid X>\mu)=\frac{\sigma+\mu\xi}{1-\xi} \tag{9-6}$$

其中，有 $\xi<1$，且当 $\xi\geqslant 0$；$\xi<0$ 时，$0\leqslant x\leqslant-\sigma/\xi$。所以可以看出 $e(u)$ 是 μ 的线性函数。

对于给定的样本 $X_1,\cdots,X_n$ 时，$k=\min\{i\mid x_i>\mu\}$，$e(u)$ 可以由样本超额

均值函数估计。

$$e_n(\mu)=\frac{\sum_{i=k}^{n}(X_i-\mu)}{N_\mu} \qquad k=\min\{i \mid x_i>\mu\} \tag{9-7}$$

即 $e_n(\mu)$ 为超过阈值 μ 的超额数 $X_i-\mu$ 之和除以超过阈值 μ 的样本个数，可以通过样本超额均值函数图形选取适当的阈值 μ。当作散点图 $\{\mu, e(\mu)\}(X_1<\mu<X_n)$，选取 μ，使得当 $x\geqslant\mu$ 时 $e(u)$ 是近似线性的。如果根据所选取阈值得到的经验平均超额函数的线性程度很好，那么就认为该阈值的选取是理想的；反之，就认为该阈值的选取是不能令人满意的。

但是很显然，如果经验平均超额值函数的线性程度较好，就认为阈值的选取是合适的这句话是很模糊的。当选取两个不同的阈值 μ_1 和 μ_2 后，如果根据 μ_1，得到的经验平均超额值比 μ_2 好，那么可以认为选取阈值 μ_1 是比较好的选择。但是，如果根据两个阈值计算的平均超额值函数的线性程度相差不大，那么就无法判断具体哪一个更好。

其二是根据 Hill 图。令 $X_{(1)}>X_{(2)}>\cdots>X_{(n)}$，表示独立同分布的降序统计量。尾部指数的 Hill 统计量定义为

$$H_{k,n}=\frac{1}{k}\sum_{i=1}^{k}\ln\left(\frac{X_{(i)}}{X_{(k)}}\right) \tag{9-8}$$

Hill 图定义为点 $\{(k, H_{k,n}^{-1}), 1\leqslant k\leqslant n-1\}$ 的集合。阈值 μ 选择图形中尾部指数的稳定区域的起始点的横坐标 k 所对应的数据 X_k。

下面解决第二个问题，参数估计的问题[11]。

式(9−8)中参数 μ, σ, ξ 分别是对 GPD 进行估计而得出的，用来估计参数的方法很多。Rao(1987)提出了在 $\xi<\frac{1}{2}$ 下广义 Pareto 分布参数 ξ, β 的矩法估计表达式。Hosking 和 Wallis(1987)[12]给出了广义 Pareto 分布参数 ξ, β 使用概率权重矩法估计的表达式，并且说明此方法对小样本估计具有很多优良特性，其估计的表达式为

$$b_0=\bar{X}$$

$$b_1=\sum_{i=1}^{n-1}\frac{(n-i)X_i}{n(n-1)}$$

$$b_2=\sum_{i=1}^{n-2}\frac{(n-i)(n-i-1)X_i}{n(n-1)(n-2)}$$

其中，X_i 是超额数，则有

$$\beta=2b_0b_1/(b_0-b_1)$$

$$\xi = b_0/(b_0 - 2b_1) - 2$$

Matthys，Beirlant(2003)[13]对 POT 的几种估计方法作了评论，结果认为在 $\xi > 0$ 时，极大似然估计的效果最佳，并且极大似然法估计的优点有两个：第一，用此方法估计的结果具有一致性、无偏性，并且是有效估计；第二，应用比较广泛，方法相对比较简单易接受。

广义 Pareto 分布的极大似然估计，其步骤如下。

（1）求得广义 Pareto 分布 $G_{\xi,\sigma,\mu} = 1 - \left(1 + \xi \dfrac{x-\mu}{\sigma}\right)^{-1/\xi}$ 的概率密度函数为

$$f_{\xi,\sigma,\mu} = \frac{1}{\sigma}\left(1 + \xi \frac{x-\mu}{\sigma}\right)^{-1/\xi - 1} \tag{9-9}$$

（2）得到其极大似然函数的解析表达式为

$$L = -n\ln(\sigma) - (1 + 1/\xi)\sum_{i=1}^{n}\ln[1 + \xi/\sigma(x_i - \mu)] \tag{9-10}$$

（3）上式函数值最大的 ξ, σ 即为所求的估计量。

9.2.3 复合极值法确定 VaR

复合极值分布由离散分布和连续分布两部分组成。下面我们讨论如何确定这两部分。

假设 m 为一自然数，每 m 个数据作为一段观测值，假设共有 N 段，在每段数据中统计出满足 $x_t > x_0$ 的 x_t 的个数为分别为 $n_1, n_2, \cdots, n_N$，将得到这一系列观测值作为 n 的样本，用泊松分布和二项分布来拟合。x_0 为阈值，阈值的确定方法参见 2.2。

本书离散分布采用泊松分布，由极大似然估计（或者矩估计）可以得到离散分布参数的估计值：$\hat{\lambda} = \bar{n}$，其 $\bar{n} = \dfrac{1}{N}\sum_{i=1}^{N} n_i$。拟合优度检验可以用 Pearson-$\chi^2$ 检验。连续分布阈值和参数的确定参照 2.2。离散分布和连续分布确定后，得到复合极值分布 $F(x)$，由(2-2)得到欲求的 VaR。

9.2.4 确定 VaR 并计算期货保证金水平

假设我们已经有了股指期货合约价格收益率的历史数据$\{r_t, t = 1, \cdots, n\}$，在计算股指期货合约空头保证金水平时需要考虑的是对应数据$\{r_t\}$中较大的数据，计算股指期货合约多头保证金水平时需要考虑的是对应数据$\{-r_t\}$中较大的数据，合约多头合约空头采用同一保证金水平时需要考虑的是对应数据中

$\{|r_t|\}$中较大的数据。这三种不同保证金水平的计算过程基本上是一致的。本书考虑对期货多头和空头采用不同保证金水平的情况,即左尾和右尾的情况。

首先考虑右尾的情况,记 $x_t = r_t$,$(t=1,\cdots n)$。假定交易所能够忍受的保证金耗尽概率为 p,则由上面(2-2)得到 x_t 上的 p 分位点 $\hat{x}_p$,即 VaR 为

$$\hat{x}_p = F_0^{-1}(1-p) \tag{9-11}$$

由 VaR 的定义知,(2-11)式解出的 $\hat{x}_p$ 即为保证金水平。左尾的情况取相反数后,仿照右尾即可。

9.3 极值分布理论及复合极值理论

9.3.1 极值理论简介[14]

1. ***次序统计量与极值分布***

极值理论(Extreme Value Theory,以下简称 EVT)是次序统计学的一个分支,主要处理严重背离分布均值的统计数据。传统上,极值理论被用来预测海啸、地震等自然灾害。最近,极值理论被广泛地应用于金融、保险以及因特网交通管理。极值,从统计学意义上讲,是指某一时期的随机过程的最大值和最小值,通常位于金融收益分布的尾部。这些极值的产生可能与许多因素有关。例如,金融市场上的极值,可能与正常市场的价值回归有关,也可能与非常时期的股票市场、债券市场或者外汇市场的冲击有关。

极值理论主要研究的是极值分布及其特性,尤其是分布的尾部特征。从实践的观点看,研究金融收益分布的尾部的重要意义在于能帮助我们估计极值的运动规律,一旦知道了尾部特征,我们就可以应用风险测量的工具进一步分析可能的极值运动。极值理论是测量极端市场条件下风险损失的一种方法,它具有超越样本数据的估计能力,并可以准确地描述分布尾部的分位数。

设 $X_i, i=1,\cdots,n$ 是取自分布函数为$F_X(x)$的总体的一个样本,将其按大小顺序 $X_{(1)} \leqslant X_{(2)} \leqslant \cdots \leqslant X_{(n)}$,称$(X_{(1)}, X_{(2)}, \cdots, X_{(n)})$为次序统计量,$X_{(1)} = \min(X_{(1)}, \cdots, X_{(n)})$,$X_{(n)} = \min(X_{(1)}, \cdots, X_{(n)})$分别称为样本极小值和样本极大值,它们的分布称为极值分布。由极值构成的样本数据具有独立同分布的特点。

设 $F_X(x)$为总体的分布函数,$F_1(x)$为极小值分布函数,$F_n(x)$为极大值分布函数,则总体分布与它们之间有如下关系。

$$\begin{aligned} F_1(x) &= \Pr(X_{(1)} \leqslant x) = 1 - \Pr(X_{(1)} > x) \\ &= 1 - \Pr(X_1 > x, X_2 > x, \cdots, X_n > x) \end{aligned}$$

$$=1-[1-F_x(x)]^n$$

$$F_n(x)=\Pr(X_{(n)}\leqslant x)=\Pr(X_1\leqslant x,X_2\leqslant x,\cdots,X_n\leqslant x)$$
$$=F_x^n(x)$$

也就是，说由以上两式，可以从总体分布得到极值分布。但大多数情况下，总体分布是未知的，这就导致了依据渐近理论的方法，人们常用的是 $n\to\infty$ 时所得到的极值渐近分布。

2. 样本极值的选取方法

应用极值理论于风险测量，离不开样本极值，通常选取金融收益的极值有以下两种方法(本部分只讨论极大值情形，极小值前面加上负号就变成极大值情形，所以本书省略不提)。

第一种方法是区间选取方法，即 BMM 模型(Block Maxima method)。

首先，把金融收益时间序列分为不重叠的几个小区间，然后从每个区间里选取一个极值。如图 9-1 所示，在假设的 9 天收益 R_1-R_9 中，每 3 天划分为一个小区间，共有 3 个不重叠区间，每一区间选取一个极值，得到 R_2,R_6,R_8 三个极值。

第二种方法是超越阈值的方法，即 POT 模型(peak over threshold)将大于给定的阈值 μ 的金融收益都选为极值。如图 9-2 所示，R_2,R_3,R_4,R_7,R_8 构成极值的集合。

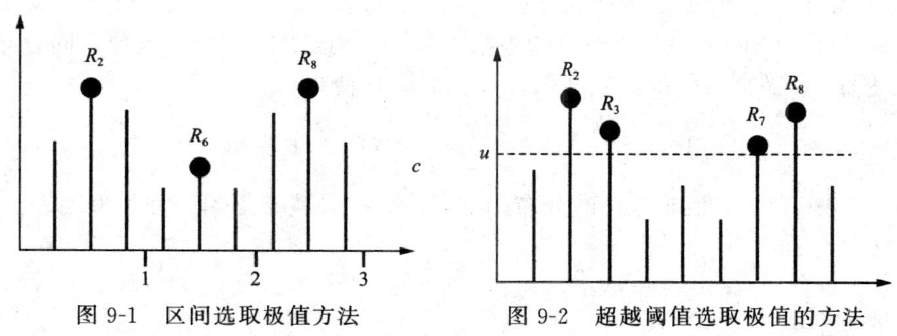

图 9-1 区间选取极值方法　　图 9-2 超越阈值选取极值的方法

BMM 模型和 POT 模型这两类模型的主要区别如下。

(1) 极值数据的获取方法上的区别，BMM 模型通过对数据进行分组，然后在每个小组中选取最大的一个构成新的极值数据组，并以该数据组进行建模；POT 模型则通过事先设定一个阈值，把所有观测到的超过这一闭值的数据构成数据组，以该数据组作为建模的对象，两个模型的共同点是只考虑尾部的近似表达，而不是对整个分布进行建模。

(2) 两个模型分别采用极值理论中的两个不同的定理作为其理论依据，同时也因为获取极值数据的不同方法导致两个模型分别采用不同的分布来拟合极值数据。

(3) BMM 模型是一种传统的极值分析方法，主要用于处理具有明显季节性数据的极值问题上，POT 模型是一种新型的模型，对数据要求的数量比较少，是现在经常使用的一类极值模型。

(4) BMM 模型主要用于对未来一段较长的时间内的 VaR 预测，而 POT 则可以进行单步预测，给出在未来一小段的时间内 VaR 的估计值。

(5) BMM 模型的前提条件是样本独立同分布，POT 模型的前提条件是超限发生的时间服从泊松分布，超限彼此相互独立，服从 GPD(generalized Pareto distribution)分布，且超限与超限发生的时间相互独立。样本独立同分布可以保证 POT 模型的前提条件。

可见，采用不同的选取方法就会得到不同的极值样本集合，在极值理论中存在两种常见的分布：广义极值分布和广义帕雷托分布，它们分别用来处理这两种样本极值。

3. 广义极值分布

BMM 模型通过对数据进行分组，然后在每个小组中选取最大的一个构成新的极值数据组，并以该数据组进行建模。

假设表示我们采用 BMM 方法获得的极值数据组，其中 n 表示每个子样本的大小，则有下面的极限定理成立：

定理 1 (Fisher-Tippett[15] 的极限类型定理)设 $X_1,\cdots,X_n$ 是独立同分布的随机变量序列，如果存在长数列$\{a_n>0\}$和$\{b_n\}$，使得

$$\lim_{n\to\infty}\Pr\left(\frac{X_n-b_n}{a_n}\leqslant x\right)=H(x),x\in\mathbf{R} \tag{9-12}$$

成立。其中，$H(x)$是非退化的分布函数，那么 H 必属于下列三种类型之一。

Ⅰ型分布：

$$H_1(x)=\exp(-\exp(-x)),-\infty<x<+\infty \tag{9-13}$$

Ⅱ型分布：

$$H_2(x,\alpha)=\begin{cases}0,x\leqslant 0,\\ \exp\{-x^{-\alpha}\},x>0,\end{cases}\alpha>0 \tag{9-14}$$

Ⅲ型分布：

$$H_3(x,\alpha)=\begin{cases}\exp\{-(^{-}x)\alpha\},x\leqslant 0,\\ 1,x>0,\end{cases}\alpha>0 \tag{9-15}$$

其中，Ⅰ型分布称为 Gumbel 分布，Ⅱ型分布称为 Frénchet 分布，Ⅲ型分布称为 Weibull 分布。这三种分布通称为极值分布(extreme value distribution)。当 $\alpha=1$ 时，$H_2(x;1)$，$H_3(x,1)$分别为标准 Frénchet 分布与标准 Weibull 分布。

称 a_n,b_n 为规范化常数。

极值类型定理说明,如果 X_n 经线性变化后,对应的规范化变量 $X_n^* = (X_n - b_n)/a_n$ 依分布收敛于某一非退化分布,那么,不论底分布 $G(x)$ 是何种形式,这个极限分布必定属于极值分布的三种类型之一。因此,极值类型定理提供了类似于中心极限定理的极值收敛定理。证明参见文献[16]。

从模型的角度来看,三种极值分布类型 $H_1(x)$,$H_2(x,\alpha)$ 和 $H_3(x,\alpha)$ 完全不同,但从数学的角度来看,它们之间却存在着非常密切的关系。事实上,可以直接验证下面的结论。

设 $X>0$,则

$$X \sim H_2 \Leftrightarrow \log X^{\alpha} \sim H_1 \Leftrightarrow -X^{-1} \sim H_3 \tag{9-16}$$

因此在某些场合,为方便起见,可以假定其中任意类型的极值分布。

但是,在实际应用中对于一个给定的极值序列,我们应该如何在这三种标准极值分布中作出选择呢?一种最理想的方法是通过参数的形式把三种极值分布统一的表示成一个分布函数。这样,我们就可以在利用极大似然估计的时候,把该参数也一块估计出来,让数据去决定它们的选择,这将极大地增加模型估计的准确性。在这里我们采用 Jenkinson and Mises 的方法,用一个参数 $\xi=\frac{1}{\alpha}$ 来表示上面的三种分布(这里 ξ 是形状参数,α 是尾部参数),把三种分布表示成如下单参数的统一形式。

$$H_{\xi,\mu,\sigma}(x)=\begin{cases} e^{-(1+\xi x)^{-\frac{1}{\xi}}}, & \xi \neq 0 \\ e^{-e^{-x}}, & \xi = 0 \end{cases} \tag{9-17}$$

其中,$x \in \{x \mid 1+\xi x>0\}$。这一表达形式也被称为广义极值分布函数(简称 GEV,Generalized extreme value distribution)。广义极值分布的重要意义在于它为极大似然估计提供了可能,由于分布函数 F 通常写成 $F_{\mu,\sigma}(x)=F[(x-\mu)/\sigma]$ 形式,这里 μ 和 $\sigma>0$ 分别是位置参数和尺度参数,所以,完整的 GEV 模型表达成如下形式。

$$H_{\mu,\sigma,\xi}(x)=H_{\xi}[(x-\mu)/\sigma] \tag{9-18}$$

虽然尾部的分布可以分为三种类型,其实只用一个形状参数 ξ 就可以区分它们的尾部分布的特征:如果形状参数石 $\xi>0$,就是 Frénchet 分布,是一个厚尾的分布;如果 $\xi=0$ 就是 Gumbel 分布。如果 $\xi<0$ 就是 Weibull 分布,是一个薄尾的分布。Gumbel 分布的尾部厚度介于 Frénchet 分布和 Weibull 分布之间。

定理 2 无论原始序列服从什么分布,它的极值渐进分布一定趋向于服从 GEV 分布,而且这些极值事件之间是独立同分布的。

4. POT 的理论基础

POT 模型是通过事先设定一个阈值，把所有观测到的超过这一阈值的数据构成数据组，以该数据组作为建模的对象。

假设阈值 μ 已经确定，定义 $F_\mu(y)$ 为随机变量 X 超过阈值 μ 的条件分布函数，它可以表示为

$$F_\mu(y)=P(X-\mu\leqslant y|X>\mu)\quad y\geqslant 0 \tag{9-19}$$

其中，F_μ 被称为超越阈值的分布，其含义为随机变量大于阈值 μ 最大量的条件概率。这里的 X 是随机变量，μ 是给定的阈值，$y=x-\mu$ 是随机变量大于阈值 μ 的量，$x_F\leqslant\infty$ 是分位数 F 最右边的变量。我们可以用函数 F 来表示 F_μ，根据条件概率公式我们可以得到

$$F_\mu(y)=\frac{F(\mu+y)-F(\mu)}{1-F(\mu)}=\frac{F(x)-F(\mu)}{1-F(\mu)}$$

$$\Rightarrow F(x)=F_\mu(y)(1-F(\mu))+F(\mu)x\geqslant\mu \tag{9-20}$$

由于随机变量 X 的观察值绝大部分集中于 $0\sim\mu$ 之间，因而 F 的估计一般并没有问题，然而 F_μ 的估计可能存在困难，因为此时 X 的观察值必须落在区间 $(\mu,+\infty)$ 内，而经验证据表明在这个区间的观察值又很少，因此下面的定理解决了这一难题。

定理 3 (Pickand(1975)[17]，Balkema and de Haan(1974)[18])对于一大类分布函数 F(几乎包括所有的常用分布)而言，当阈值 μ 相当大时，阈值超出量的分布函数 $F_\mu(y)$ 可以很好地近似为广义 Pareto 分布 $G_{\xi,\beta}(y)$，即 $F_\mu\approx G_{\xi,\beta},\mu\rightarrow\infty$，其中 $x=\mu+y$，得出下面的公式。

$$F_\mu(y)\approx G_{\xi,\beta}=\begin{cases}1-({}^1+\xi)-1/\xi, & \xi\neq 0\\ 1-e^{-(x-\mu)/\sigma}, & \xi=0\end{cases}\qquad \mu\rightarrow\infty \tag{9-21}$$

其中，$x\in\begin{cases}[\mu,\infty],\xi\geqslant 0\\ [\mu,\mu-\sigma/\xi],\xi<0\end{cases}$，当 $\mu=0,\sigma=1$ 时，就是标准的 Pareto 分布。

如果 $\ln H_\xi(x)>-1$，则标准的 Pareto 分布 $G_\xi(x)$ 和广义极值分布 $H_\xi(x)$ 有下面的关系。

$$G_\xi(x)=1+\ln H_\xi(x) \tag{9-22}$$

下面是广义 Pareto 分布在 $\sigma=1,\xi$ 取 0.3，0，−0.3 的图形。

从图 9-3 我们可以看出，随着形状参数 ξ 的变化，广义 Pareto 分布也发生变化；当形状参数由小变大(从负值变到正值)时，尾部逐渐变厚(这里 ξ 分别取-0.3，0，0.3)。在这三种分布中最薄的分布是当 $\xi=-0.3$ 时的分布，而最厚的分布是当若 $\xi=0.3$ 时的分布，即 Pareto 分布的尾部厚度随着 ξ 增大而增加。

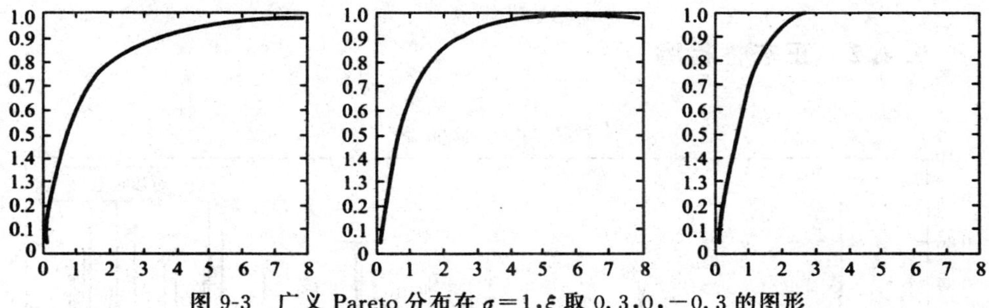

图 9-3 广义 Pareto 分布在 $\sigma=1,\xi$ 取 0.3,0,－0.3 的图形

Pareto 分布的尾部估计：

对于一个充分大的阈值 μ，函数 $F_{\mu}(y)$ 渐进集中于 Pareto 分布，由公式

$$F(x)=F_{\mu}(y)(1-F(\mu))+F(\mu) \tag{9-23}$$

得

$$F(x)=(1-F(\mu))G_{\mu,\xi,\sigma}+F(\mu) \tag{9-24}$$

把 GPD= $F_{\mu}(y)$，右边最后一项 $F(\mu)$ 可以被式子 $(n-n_{\mu})/n$ 代替，n_{μ} 是样本数据大于一个充分大的阈值 μ 的数目，n 是样本的数目。最后我们有下面的估计量。

$$F(\hat{X})=\left[1-\frac{n-n_{\mu}}{n}\right]G_{\mu,\hat{\sigma},\hat{\xi}}(x-\mu)+\frac{n-n_{\mu}}{n}=1-\frac{n_{\mu}}{n}[1-G_{\mu,\hat{\sigma},\hat{\xi}}(x-\mu)] \tag{9-25}$$

这样，我们就得到尾部的估计公式

$$F(\hat{X})=1-\frac{n_{\mu}}{n}\left[1-\hat{\xi}\,\frac{x-\mu}{\ }\right]^{-1/\hat{\xi}} \tag{9-26}$$

9.4 实证分析 1

9.4.1 数据来源

本节将我国指数期货标的确定为沪深 300 指数，以便投资者可以在沪深两市进行避险操作。该实例选取沪深 300 指数日收盘价，数据时间跨度为 2005 年 01 月 04 日到 2008 年 12 月 10 日共 954 个数据为基础数据，得出沪深 300 指数日自然对数收益率 $\left(R_t=Ln\,\frac{p_t}{p_{t-1}}\right)$ 共 953 个数据。所有数据均取自分析家软件。

9.4.2 正态性检验

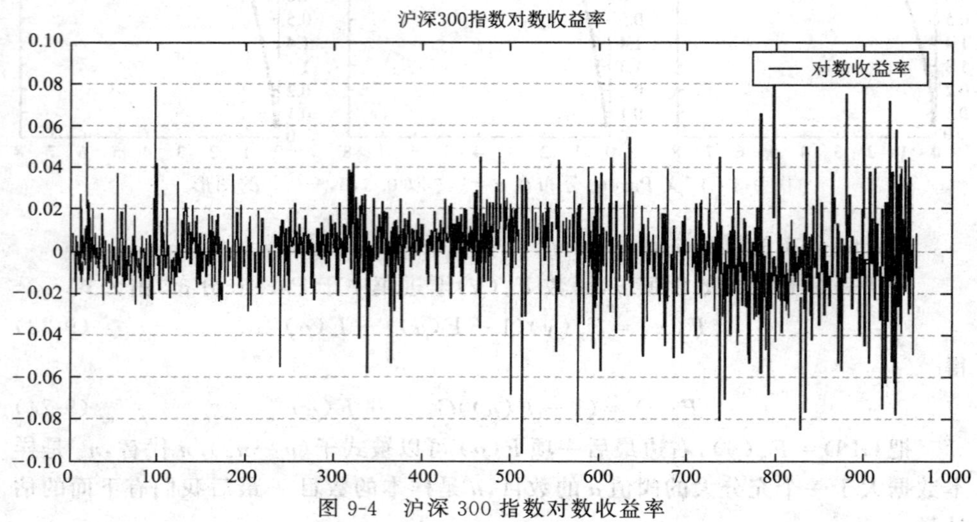

图 9-4 沪深 300 指数对数收益率

表 9-1 沪深 300 指数收益率基本统计量

	全 部	左 尾	右 尾
观察值数目	953	416	537
平均值	0.000 8	−0.017 1	0.014 7
标准差	0.021 9	0.016 8	0.013 8
最大值	0.089 3	−0.000 006	0.089 3
最小值	−0.096 9	−0.096 9	0.000 03
峰 度	5.366 8	6.217 6	8.528 8
偏 度	−0.354 8	−1.720 5	1.960 4

由表 9-1 可知，峰度值为 5.366 8 说明收益率序列分布存在尖峰(leptokurtic)特征，这些都是极端价格波动所引起的。左尾为 6.217 6，右尾峰度为 8.528 8，若在收益率为正态分布的假定下计算保证金水平，则会低估保证金水平。

虽然使用偏度、峰度可以进行正态分布假设，但是对尾部分布特征还是比较模糊。为了更清楚地说明左尾和右尾的厚度，我们用 QQ 图来表达股票指数收益并不服从正态分布。从图 9－5，9－6 可以明显看出样本数据点偏离直线，而且出现弯曲曲线，再次说明序列分布的非正态性。

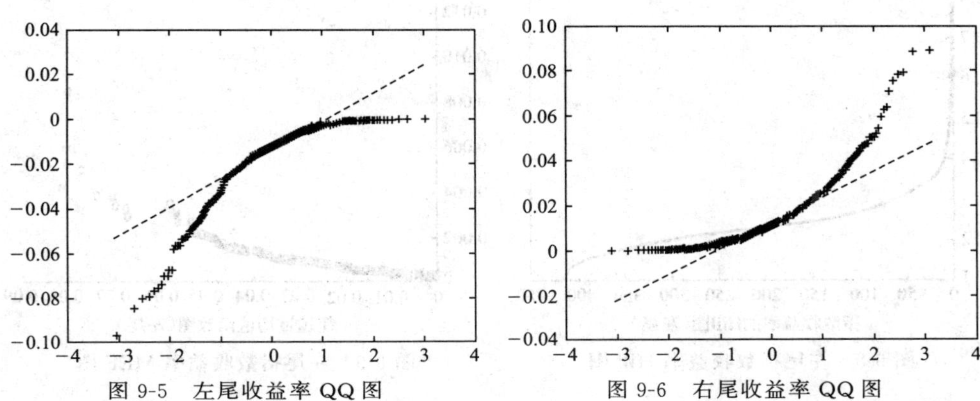

图 9-5 左尾收益率 QQ 图　　图 9-6 右尾收益率 QQ 图

9.4.3 GPD 及尾部参数估计

对沪深 300 指数日收益率样本数据进行 POT 和尾部参数估计，图 9-8，图 9-9 为指数收益率左尾的 Hill Plot 图和 MEF 图，图 9-10、图 9-11 为指数收益率右尾的 Hill Plot 图和 MEF 图，得出样本的阈值（表 9-2）及尾部参数的估计值（表 9-3），$\hat{\xi}$ 和 $\hat{\sigma}$ 表示收益率分布的尾部参数。

尽管应用极值理论可以解决小样本带来的样本不足的问题，但是最关键的问题是选择阈值 μ。极值理论告诉我们，要选择一个充分大的阈值，才能满足超越阈值的分布函数近似等于帕雷托分布；但是选取的阈值越大，剩下用来估计尾部分布函数的观察值就越少，这样就会导致估计的精确性越差。

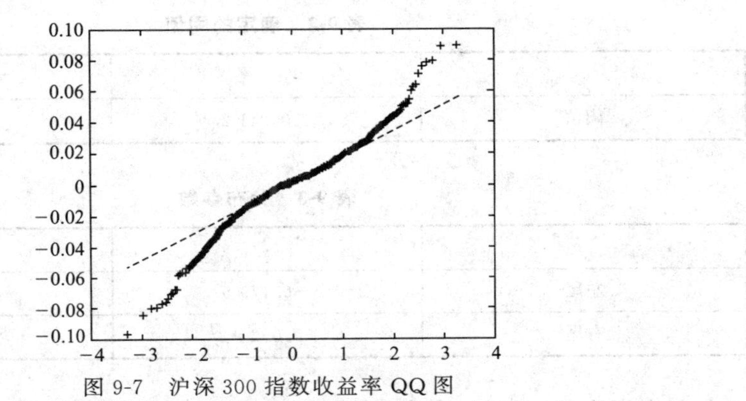

图 9-7 沪深 300 指数收益率 QQ 图

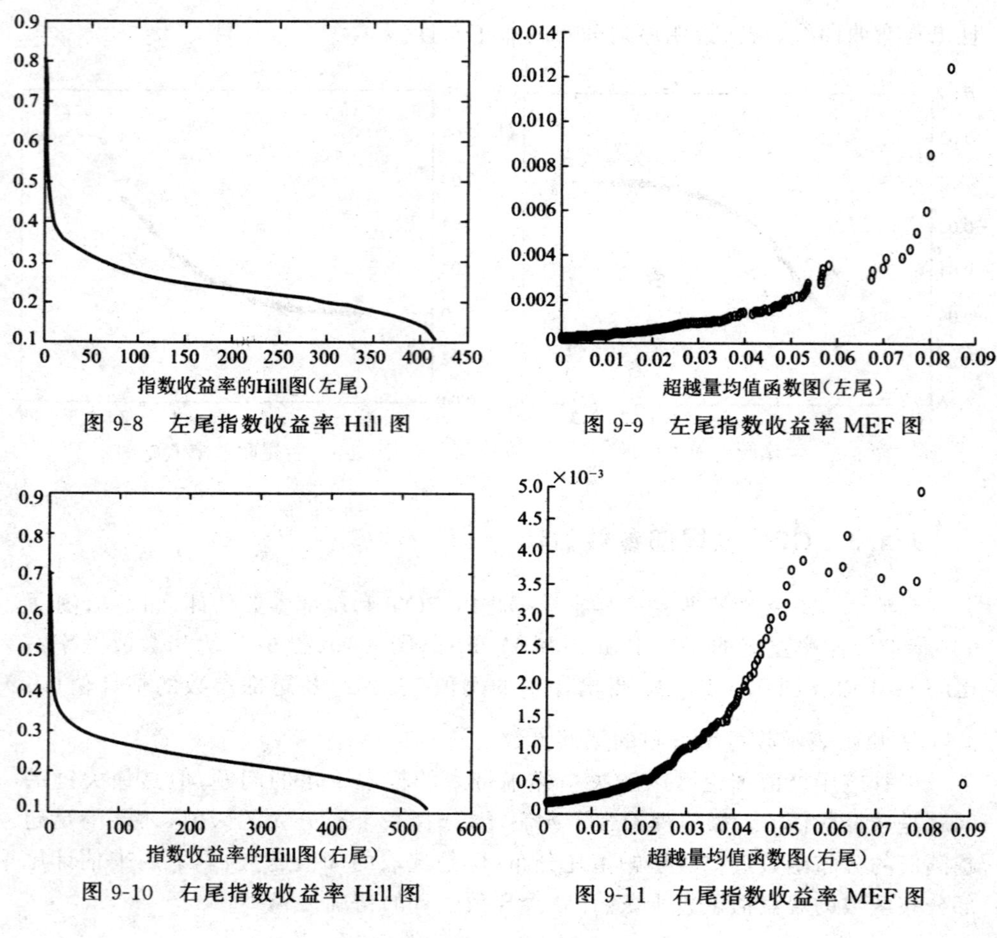

图 9-8　左尾指数收益率 Hill 图

图 9-9　左尾指数收益率 MEF 图

图 9-10　右尾指数收益率 Hill 图

图 9-11　右尾指数收益率 MEF 图

表 9-2　确定的阈值

	左　尾	右　尾
阈值	−0.041 2	0.032 0

表 9-3　分布参数

	$\hat{\xi}$	$\hat{\sigma}$
左尾	−0.179 5	0.017 8
右尾	0.052 9	0.013 2

以右尾为例，图 9-10 是样本观察值帕雷托分布分位数检验图。我们假设阈值 μ=0.032 0，如果大于阈值 u 的样本分布满足帕雷托分布，则其表现是应该接

近直线；相反，如果其大部分表现偏离直线比较远，则样本分布与帕雷托分布是不同的分布。从图 9-10 可以看出，大于阈值 u 的样本大部分分布在直线附近，且表现相同的趋势。因此我们得出结论：这个样本分布服从帕雷托分布。

图 9-11 是超越量均值函数图，因为在 u 附近样本超越量均值函数由水平状态向正的斜率变化，所以确定估计的阈值 $\mu=0.032\,0$。取左尾收益率的绝对值，同样可得到左尾的阈值为 $-0.041\,2$。

将估计出的参数值代入公式计算得 90%、95%和 99%置信水平下的 VaR 并确定其保证金水平，见表 9-4。

表 9-4 确定的保证金水平

保证金水平(%)	左尾(%)	右尾(%)
90	4.14	3.21
95	5.30	4.14
99	7.49	6.44

9.4.4 保证金水平确定

1. 离散变量 n 的确定

以右尾为例，取与阈值进行统计比较，建议子区间长度为 25 天的长度，将差分后的对数收益率数据分成 16 段(将某区间内理论值太小的去掉)，在每段数据中统计出满足 r_t 大于阈值的 r_t 个数作为 $n_1, n_2, \cdots$，将得到这一系列观测值作为 n 的样本，我们用泊松分布进行拟合，拟合优度检验用普通的 Pearson-χ^2 检验。由极大似然估计得到泊松分布的参数 $\hat{\lambda}=\bar{n}$。

表 9-5 泊松分布拟合

n(每段数据大于阈值的个数)		0	1	2	3	4	5	6	7	8	9	$\hat{\lambda}$	χ^2
左尾阈值	−0.041 2	6	0	0	3	0	1	1	0	2	0	2.769 2	5.801 0
右尾阈值	0.032 0	5	2	5	1	1	2	1	0	0	1	2.647 1	4.898 9

由表 9-4 可以看出，左尾：当阈值取 $-0.041\,2$ 时，查 χ^2 分布表可得到 $\chi^2_{0.01}(7)=18.48>5.801\,0$，即在 99%的置信度下也不能否定 n 服从泊松分布。

因此可取阈值为-0.0412,对应的$\hat{\lambda}=1.7500$。右尾:当阈值取0.0320时,泊松分布的拟合效果最好,查χ^2分布表可得到$\chi_2^2(0.75)=0.575>0.1476$,即在75%的置信度下也不能否定$n$服从泊松分布。因此可取阈值为0.0320,对应的$\hat{\lambda}=1.2500$。

2. ***尾部分布*** $G(x)$

由定理4可以看出,$G(x)$可以为任何一种连续分布,保证金水平主要由期货合约价格变动分布的尾部决定,正态分布往往会不足以拟合收益率的尾部特征,造成低估风险的可能。而极值理论是一种研究分布尾部特征的强大且稳健的方法,主要描述尾部收益的行为,本书取极值Gumbel分布:$G(x)=e^{-e^{-\alpha(x-\beta)}}$(式中$\alpha$、$\beta$为Gumbel分布的两个参数)。

Gumbel分布的两个参数α、β参数估计方法主要有极大似然估计法(Maximum Likelihood; ML)与概率加权矩方法(Probability Weighted Moments; PWM)估计法。我们用极大似然估计法。估计的参数为见表9-6。:

表9-6 估计的参数值

	右 尾	左 尾
α	0.6911	0.7539
β	-0.0243	0.0478

表9-7 确定的保证金水平

保证金水平(%)	左尾(%)	右尾(%)
90	5.71	4.45
95	6.72	5.47
99	8.58	7.92

由4.4.1部分的分析知,在相同的置信水平下,表8-4和表8-7可以看出,由复合极值理论方法得出的保证金水平比极值理论(GPD)方法得出的明显要大些,说明本方法得到的是比极值理论更为保守的值。大的损失的发生频率应该作为影响保证金水平的一种因素。

9.4.5 结论

本书使用复合极值分布,利用沪深300指数收益率序列,对我国股指期货保证金水平的设定进行了实证研究,并与极值理论下的结果进行了比较,可以得出以下结论。

(1) 收益率序列呈现尖峰厚尾的特征,并且明显拒绝正态性假设。

(2) 收益率的左、右尾具有不同的分布特征,在对尾部分布形态参数 ξ 的估计结果来看,右尾并不服从厚尾分布,而左尾则是明显的厚尾分布,收益率分布出现明显的偏态。

(3) 超越阈值的离散变量符合泊松分布,并且大的损失的发生频率应该作为影响保证金水平的一种因素。

(4) 根据复合极值分布确定的左尾和右尾保证金水平具有显著差异。

(5) 复合极值理论确定的保证金水平比极值理论确定的更加保守。

因此,基于对市场流动性与交易安全性的考虑,为了能确实反应持有不同头寸的风险,建议期交所可针对不同持有头寸来设定不同的保证金水平。

本书为股指期货保证金水平的设置提出了基于复合极值理论的估计方法。可以看出,此方法是一种比较保守估计方法,今后的研究应根据最新价格变动信息对保证金水平进行动态设置,确保指数期货市场高效安全地运行。

9.5 实证分析 2

9.5.1 概述及保证金水平计算原理

期货市场以保证金方式进行交易,它通过交纳少量保证金来操纵高过保证金十数倍的金额,具有高风险和高收益特性。期货交易所在正常情况下并不承担市场风险,但承担信用风险,即买卖双方不履行期货合约的风险。保证金是期货交易所管理和控制风险最为重要的手段。保证金的设置须权衡市场流动性和违约发生的可能性。保证金水平过低,机会成本就低,这会提高交易者的参与意愿,增加市场流动性;但是,期货价格波动幅度容易超过保证金要求的水平,导致面临价格不利变动的一方保证金短缺的可能性增加,进而增加违约事件发生的可能性。保证金水平过高会增加交易者的机会成本,降低参与者的交易意愿,减少市场的灵活性和流动性,进而影响期货市场的效率和功能的发挥。

目前主要有两种设置保证金水平方法。第一种设置方法是将保证金作为外生变量,建立一个经济模型来决定保证金水平。第二种方法则是利用统计方法设置保证金水平(包括参数与非参数两种方法)。Figlew ski(1984)提出的期货收益率序列是正态分布的情况下,保证金水平的设置方法为参数方法的典型代表[1]。非参数法对变量所服从的分布不做任何前提假定,而通过数据来最终确定保证金,从而避免了先入为主的模型风险,其中极值理论最近比较受关注。以下是几种在保证金设计中常用的方法。

(1) 极值方法:大量的金融文献表明[2][3],金融市场收益率并不服从正态分布,往往具有"厚尾"(Heavy Tails)的特征,在正态分布假设下进行风险测量,将大大低估风险水平。因此,对金融资产收益率序列分布尾部特征的研究就相当重要了。极值理论是一种研究分布尾部特征的强大且稳健的方法。极值理论模型主要包括两类:一类是传统的区块极值(Block-maximal)模型,即在连续的人为划分的各个区间段中考虑其极大观察值构成的极端事件,其分布为广义极值分布(Generalized Extreme Value,简称 GEV);另一类是近年来发展起来的超越门限(Peaks Over Threshold,简称 POT)模型,即观测超越了一定人为设定的门限值的观察值以及它们所构成的极端事件,其分布为广义帕累托分布(Generalized Pareto Distribution,简称 GPD)。区块极值模型是一种经常应用于季节性分析的传统方法,它是对大量同分布的观测值分块后的极值进行建模;而 POT 模型则更着重考虑数值本身,而较少考虑时间的因素(因为可以选取要求的一段时间来进行研究),可以更加有效的使用原始数据。并且,Balkema and De Haan 和 Pickands 提出的理论表明:只要有足够高的门限值,超越门限值的分布(尾部分布)都可以由 GPD 来近似描述,即随着门限值的增大,所有尾部分布都可以收敛于 GDP[4]。

近年来,国内有不少学者采用极值理论模型来计算期货保证金。例如,王乃生应用极值分布理论对上海期货交易所交易的三个月期铜和期铝的保证金水平进行了研究[3],实证结果认为用极值分布理论计算我国商品期货保证金水平是可行的;徐国祥、吴泽智用极值理论研究了以全国统一 300 指数为标的物的指数期货的保证金水平[2],并与风险价格系数、EWMA、Riskmetrics 等其他估算方法进行实证对比,结果表明在违约概率为 1%的情况下,有正态性假定的估算方法都低估了价格波动风险,极值理论估算的保证金水平很好地涵盖了 99%的价格波动风险。但极值理论方法存在一定的缺陷,对数据资料的需求相对较大,尤其用 Hill 估计法对数据尾部指数做估计时,需要大量的历史资料以得到较精确的尾部指数估计;另外,由于注重极端价格波动,某一日价格极端波动将对保证金水平产生较长时间的影响。

(2) EWMA 方法:2000 年 1 月 25 日香港清算所(HKCC)将保证金水平设定方法由基于变动率指标的简单移动平均法(Simple Moving Average,SMA)改为指数加权移动平均法(Exponentially weighted Moving Average,EWMA)。该方法根据历史数据来预测期货合约的价格波动,通常衰减因子(decay factor)取为 0.96,涵盖概率为 99.74%。指数加权移动平均法(EWMA)在一定程度上改进了简单移动平均方法,但它也表现出许多局限性:① 指数加权移动平均法指在一步向前预测时才有效;② 目前还没有最佳的理论方法来估计衰减因子兄;

③ 衰减因子是随着时间显著变化的，所以使用常数衰减因子是不合适的。

(3) 风险价格系数法：台湾期货交易所保证金计算方法为：结算保证金＝合约价格×风险价格系数，这里的风险价格系数实质上也就是保证金比率。风险价格系数用来衡量合约价格变动的大小，其估计方法为首先取过去确定的三个时间样本区间的价格变化率，然后假定合约收益率服从的分布，并估计置信度99.7%下收益率在一天内变动的置信区间。风险价格系数法的局限性体现在它假定了收益率服从的分布，这样的假设容易产生先入为主的模型风险。

期货保证金所涵盖的风险指正常交易状况下所持期货头寸的损失数额，极值理论考虑的是分布的尾部，它反映潜在的灾难性事件导致金融机构重大损失的程度，目前现有的研究方法大多是仅仅利用分布的尾部来讨论[8-9]，但是对交易过程中风险出现的次数没有加以考虑。本书通过离散型变量与连续变量的复合，建立了一个既能反映风险发生的次数又能反映价格波动的复合极值理论模型，并应用复合极值理论研究我国保证金的设置问题；实证研究表明，新模型可以有效避免单纯利用极值理论的缺陷。

合理的保证金水平必须能够有效弥补控制期货合约价格波动造成的损失，因此期货交易所需要控制的是保证金被耗尽的概率。令 R 是期货合约价格变动的幅度，α 是交易所能够容忍的保证金耗尽概率，$M(M>0)$是保证金水平，假设合约多头和空头收取相同的保证金，那么其满足的公式应为

$$\Pr\{-M < R < M\} \geqslant 1-\alpha$$

式中：Pr 表示 R 的概率分布。

由于交易所能够忍受的保证金概率一般都非常的小，因此保证金水平主要由期货合约价格变动分布的尾部来决定。由于期货价格波动程度一般与合约的价格水平有关，因此一般不直接采用 R，而是根据期货合约价格的收益率 r 来确定保证金水平。

设 P_t 为某时间段内 t 周的最高价格，r_t 表示其对数回报，即 $r_t=100\times\log(P_t/P_{t-1})$。实证分析时，期货合约价格收益率的历史数据$\{r_t,t=1,\cdots,n\}$是已知的，针对多、空头合约采用同一保证金水平，本文考虑对应数据中$\{|r_t|\}$中较大的数据。

令 $x_t=|r_t|$，设 m 为一自然数，每 m 个数据作为一段观测值，假设共有 N 段，在每段数据中统计出满足 $x_t>x_0$ 的数据 x_t 的个数，将得到的一系列观测值作为样本，假设它符合泊松分布，并进行检验。

假定交易所能够忍受的保证金耗尽概率为 p，则由上面(2)得到 x_t 上的 p 分位点 $\hat{x}_p$，即

$$\hat{x}_p=F_0^{-1}(1-p) \tag{4}$$

由(4)式得到保证金水平 $\hat{x}_p/100$。

1. ***数据来源及描述性统计***

本章采取的期货价格(大豆期货)数据来源全部来自期大连商品交易所网站的统计数据库,采用的是 2006 年 4 月 11 日到 2007 年 5 月 18 日的数据。收益率选用对数收益率,即 $r_t=\log(S_t/S_{t-1})$(S_t是第 t 天期货的收盘价格)。在计算期货合约空头保证金水平时,需要考虑的是$\{r_i\}$中较大的数据;计算期货合约多头保证金水平时,需要考虑的是$\{-r_i\}$中较大的数据。这三种不同保证金水平的计算过程基本上是一致的,这里我们只考虑对期货多头和空头采用同一保证金水平的情况,其他类似。

本章中期货收益率的统计量被计算出来,见表 9－8。由表可以看出,左尾和右尾的偏度都不为零,但是都不为零,说明对数回报的分布不是对数分布,但是偏度不大,而且峰度都比较小,说明收益率的尾部相对较轻。

表 9-8　收益率的基本统计量

	全　部	左　尾	右　尾
样本个数	238	112	126
方差	0.000	0.000	0.000
最大值	0.017 63	－0.016 97	0.017 63
最小值	－0.016 97	－0.000 15	0.000 00
偏度	0.004 236 59	0.002 925 74	0.003 075 77
峰度	0.002	－2.677	1.972

2. ***离散变量 n 的确定***

通过收益率图可以得知期货的收益率绝对值很小 ,我们以 0.005、0. 006、0. 007作为阈值进行统计比较,在股指的研究中建议子区间长度选为 10～15 个交易日或者一个月的长度(21 个交易日)。我们取 $m=10$,按照第三部分中 n 分布中参数的确定方法,只考虑右尾的情况得到 $\hat{\lambda}$。因此,我们只考虑泊松分布拟合的结果,将某区间内理论值太小的与两端的区间合并,得到了如下的拟合结果。

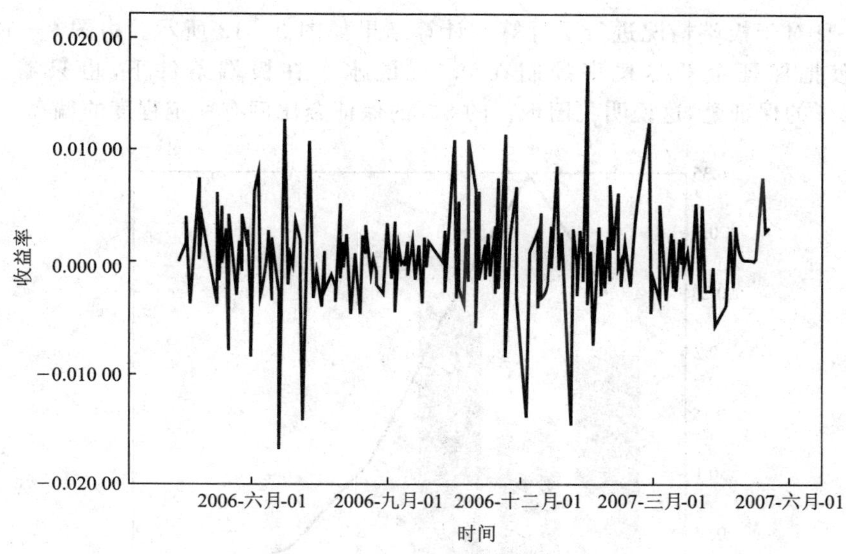

图 9-12 大豆期货收益率

表 9-9 超过阈值的 n 的个数

		0	1	2	3	4	5	$\hat{\lambda}$
	0.005	1	3	8	0	0	1	1.85
	0.006	4	3	5	0	0	0	1.38
	0.007	5	5	3	0	0	0	0.92

我们由泊松分布的拟合的图可以看出，当以 0.006 作为阈值时的效果最好。这时的 $\hat{\lambda}$ 值为 1.38。

3. 连续分布 $G(x)$ 的确定

极值理论是一种研究分布尾部特征的强大且稳健的方法。主要描述尾部收益的行为，金融数据都是厚尾的，因此我们取极值 Gumbel 分布：$G(x)=e^{-e^{-\alpha(x-\beta)}}$（式中 α、β 为 Gumbel 分布的两个参数）。

4. 保证金计算的结果

确定了复合极值分布的 $G(x)$ 之后，我们就可以计算交易所应该收取的保证金水平，在假定交易所能够忍受的保证金耗尽概率等于 10%，5.0%，…，0.5%共 5 种不同的水平下，我们分别计算了大豆的多头、空头各自应该交纳的保证金比例，并且对于极端情况进行了计算。计算结果如图 9－13 所示。由图 9－13 可知即使把保证金耗尽概率控制在 0.5％的水平在极端条件下，也只需交纳 2.985％的保证金，这说明我国现行的 5％的保证金比例有一定程度的偏高。

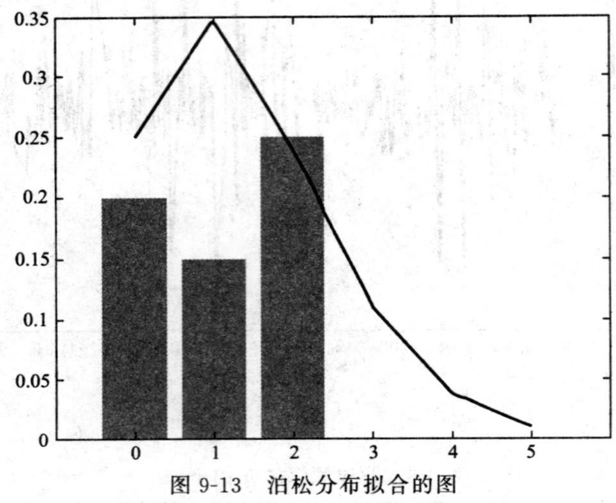

图 9-13　泊松分布拟合的图

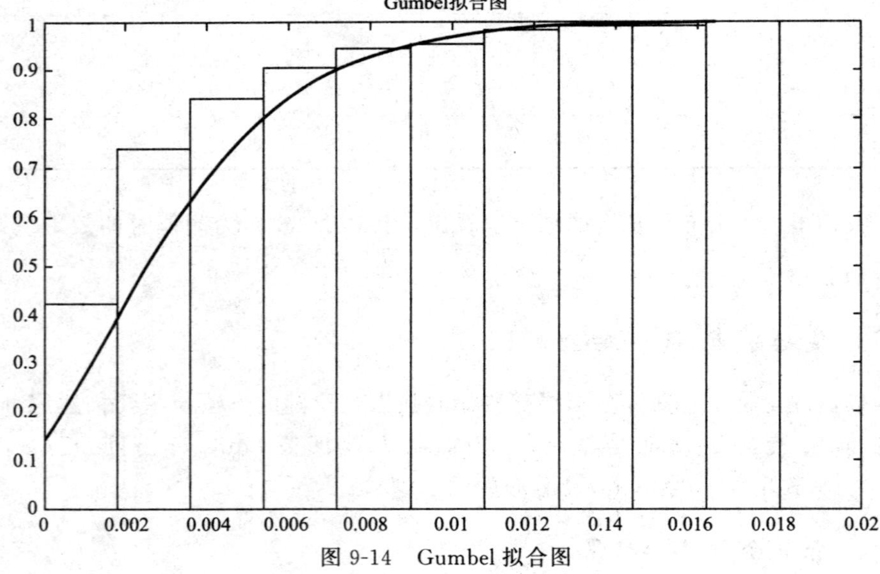

图 9-14　Gumbel 拟合图

表 9-10 复合极值分布下大豆的保证金水平(%)

保证金耗尽概率(%)	多头	空头	统一
10	0.776	0.746	1.522
5.0	0.956	0.918	1.874
2.0	1.185	1.136	2.321
1.0	1.355	1.298	2.653
0.5	1.525	1.460	2.985

9.5.2 结论

本章使用复合极值理论计算期货保证金,利用大豆期货指数收益率序列,对设定我国期货保证金水平进行了实证研究,可以得出以下结论。

(1) 在对其统计量结果来看,左、右尾是明显的厚尾分布,收益率分布出现不明显的偏态。

(2) 收益率的左、右尾具有不同的分布特征,根据复合极值分布确定的空头和多头保证金的差异不大,因此,基于对市场流动性与交易机动性的考虑,建议期交所对不同持有头寸来设定相同的保证金水平。

(3) 我国现行的保证金水平偏高。本章为期货保证金水平的设置提出了基于复合极值理论的估计方法。今后的研究将基于日内高频数据确定保证金水平;同时,还应考察如何根据最新价格变动信息对保证金水平进行动态设置,确保股指期货市场高效安全地运行。

合理的保证金制度应该与期货品种的风险程度相适应,保证金的水平应该根据期货品种风险特性的差异而有所不同,波动性大的品种收取的保证金应该较多,而波动较小的品种应该收取较少的保证金。目前我国商品期货实行的是固定比例的保证金收取方式,但基于价格风险的动态保证金收取方式被国际上许多大的交易所采用,也是未来保证金收取方式的主流发展趋势。我们相信,随着我国期货市场的发展和投资者风险收益意识的增强,复合极值分布等更精确的统计理论将会受到研究人员和业内人士的进一步重视。

9.6 实证分析 3

9.6.1 数据及其概率特性

本书选取大商所 0801 合约，2007 年 1 月 5 日至 2008 年 1 月 3 日周最高价和周收盘价两组数据。数据来源为大连商品交易所网站统计数据。

本书采用对数差分方法，将期货合约周最高价格时间序列和周收盘价标准化为周对数收益时间序列。数据标准化所用公式为 $r_t = 100 \times \ln(P_t / P_{t-1})$。其中，$r_t$ 代表对数收益率，P_t 代表每周期货合约的最高价格和周收盘价价格；得到两组对数收益率数据，分别记为数据Ⅰ和数据Ⅱ，对获得数据进行统计特性分析得表 9-1，图 9-1、图 9-2 表字的分别为对数收益率。

表 9-11 收益率的基本统计量

	均 值	标准差	偏 度	峰 度	方 差
数据Ⅰ	0.797 6	1.807 6	−0.0945	2.579 6	3.267 3
数据Ⅱ	0.801 4	1.657 6	0.510 1	3.430 5	2.747 6

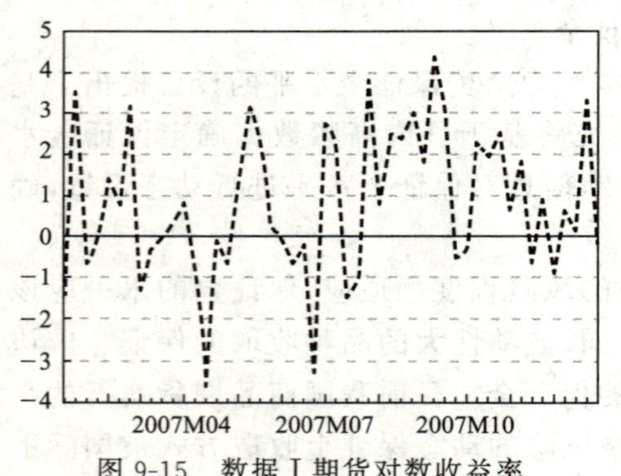

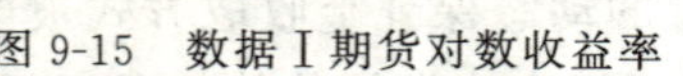
图 9-15 数据Ⅰ期货对数收益率

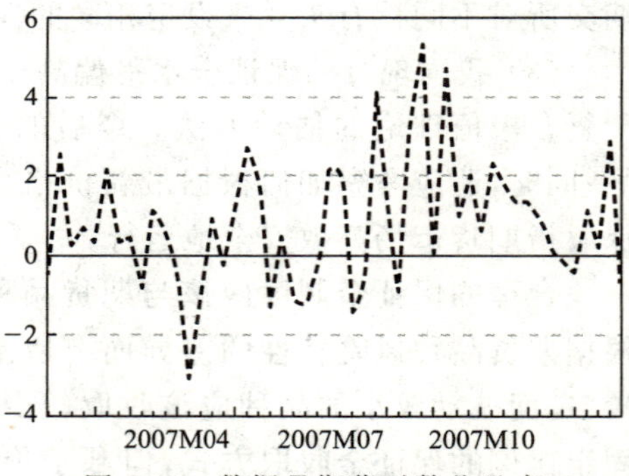

图 9-16 数据Ⅱ期货对数收益率

9.6.2 离散变量 *n* 的确定

本书复合分布函数中的离散型随机变量服从泊松分布。取 $mean + \mathrm{var}/5$，$mean + \mathrm{var}/3$，$mean + \mathrm{var}/2$ 作为阈值进行统计比较，建议子区间长度为 4 个周，将差分后的对数收益率数据分成 12 段，在每段数据中统计出满足 $|r_t|$ 大于阈值的 r_t 个数作为 $n_1, n_2, \cdots$，将得到的系列观测值作为 n 的样本，由极大似然估计得

到泊松分布的参数 $\hat{\lambda}=\bar{n}$，其中 $\bar{n}=\frac{1}{N}\sum_{i=1}^{N}n_i$，表 9－12 给出了置信度为 75％下阈值不同时的 χ^2 值，表 9-13 、表 9-14 给出了数据Ⅰ和数据Ⅱ进行泊松分布拟合时拟合优度检验值。

表 9-12 Pearson-χ^2 值

阈 值	*mean*＋var/5	*mean*＋var/3	*mean*＋var/2
Ⅰ	0.157 7	0.683 2	1.047 9
Ⅱ	0.335 9	0.147 6	0.398 7

表 9-13 数据Ⅰ$\hat{\lambda}$ 估计及数据Ⅰ泊松分布拟合

	n（每段数据大于阈值的个数）	0	1	2	3	4	$\hat{\lambda}$
阈值	1.451 1	1	4	4	2	1	1.750 0
	1.8867	1	6	3	2	0	1.500 0
	2.431 2	2	7	2	1	0	1.1667

表 9-14 数据Ⅱ $\hat{\lambda}$ 估计值及数据Ⅱ泊松分布拟合

	n（每段数据大于阈值的个数）	0	1	2	3	4	$\hat{\lambda}$
阈值	1.350 9	2	5	2	3	0	1.500 0
	1.488 3	3	4	4	1	0	1.250 0
	2.175 2	4	6	2	0	0	0.833 3

上述表可以看出，数据Ⅰ：当阈值取 1.451 1 时，泊松分布的拟合效果最好，查 χ^2 分布表可得到 $\chi_2^2(0.75)=0.575>0.157\ 7$，即在 75％的置信度下 n 服从泊松分布，因此可取阈值为 1.451 1，对应的 $\hat{\lambda}=1.750\ 0$。数据Ⅱ：当阈值取 1.488 3 时，泊松分布的拟合效果最好，查 χ^2 分布表可得到 $\chi_2^2(0.75)=0.575>0.147\ 6$，即在 75％的置信度下 n 服从泊松分布，因此可取阈值为 1.488 3，对应的 $\hat{\lambda}=1.250\ 0$。

9.6.3 确定连续分布 G(x)

保证金水平主要由期货合约价格变动分布的尾部决定，极值理论是一种研究分布尾部特征的强大且稳健的方法，主要描述尾部收益行为。本书复合分布函数中的连续型随机变量服从 Gumbel 分布：$G(x)=e^{-e^{-\alpha(x-\beta)}}$，两个参数 α、β 用极大似然估计法，结果见表 9-5。

表 9-15　估计的参数值

参　数	数据Ⅰ	数据Ⅱ
α	0.691 1	0.753 9
β	−0.024 3	0.047 8

其拟合效果如图 9－17、9－18 所示。

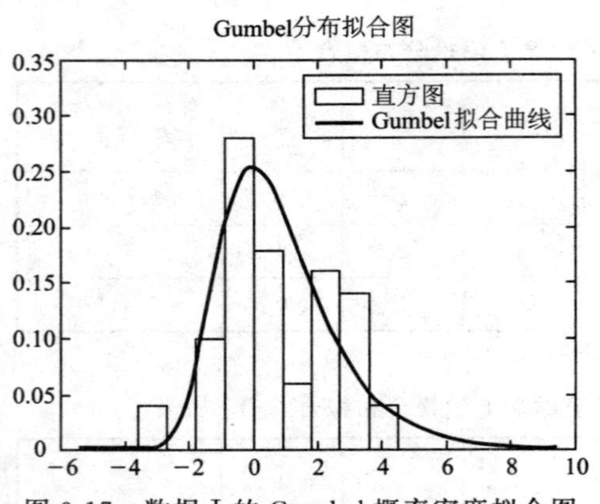

图 9-17　数据Ⅰ的 Gumbel 概率密度拟合图

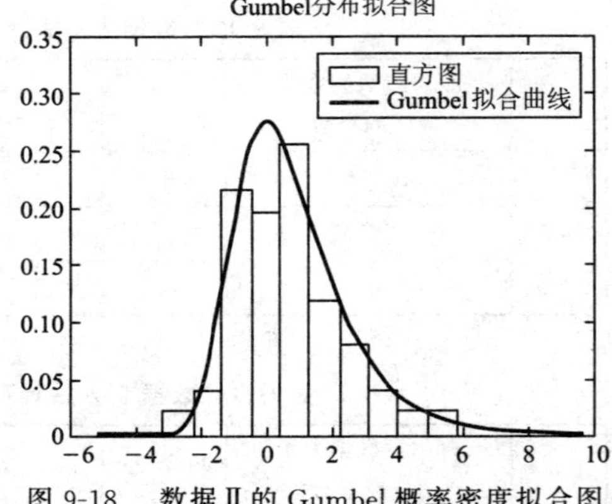

图 9-18　数据Ⅱ的 Gumbel 概率密度拟合图

极值分布和复合极值分布分布函数拟和情况如图 9-19，9-20 所示。

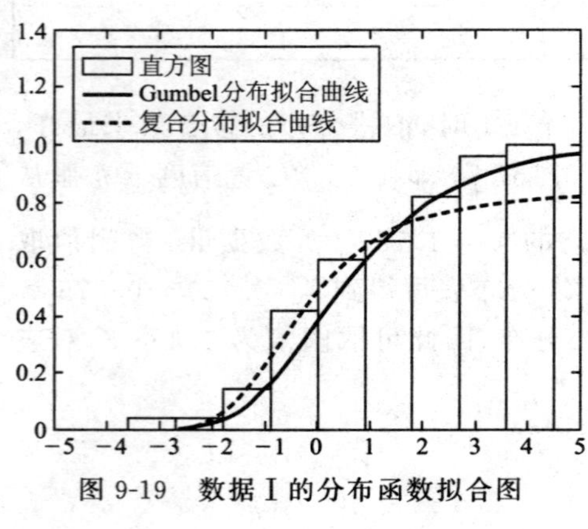

图 9-19　数据Ⅰ的分布函数拟合图

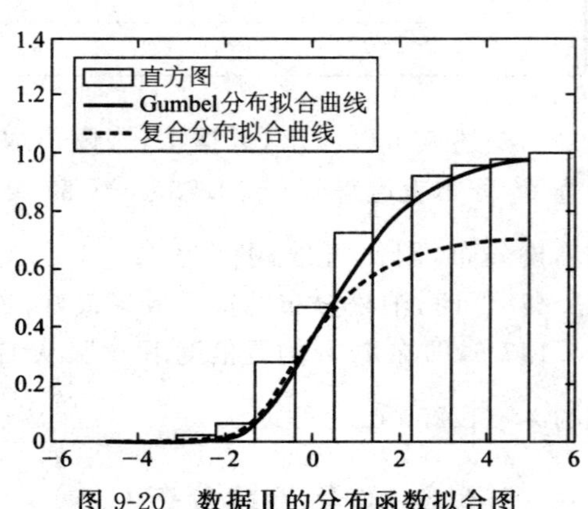

图 9-20　数据Ⅱ的分布函数拟合图

9.6.4　保证金水平

在假定交易所能够忍受保证金耗尽概率为5%或1%水平下，由前面确定的复合极值分布 $F(x)$，可计算交易所应收保证金水平，计算结果见表9－16。由表9－16可知把保证金耗尽概率控制在1%的水平下，复合极值和极值分布计算的保证金水平均大于5%的保证金。这说明我国现行的5%的保证金水平是可行的，但复合极值考虑了交易风险超过某规定值的次数。

表9-16　大豆的保证金水平

	保证金耗尽概率(%)	复合极值分布计算的保证金水平(%)	极值分布计算的保证金水平(%)
数据Ⅰ	5	5.06	4.27
	1	7.44	6.63
数据Ⅱ	5	4.26	3.99
	1	6.44	6.15

9.6.5　结论

使用复合极值理论计算期货保证金，首次考虑了某时段内风险发生的次数，利用大豆期货对数收益率序列，对设定我国期货保证金水平进行了实证研究，并与极值分布计算的保证金水平进行了对比。由此可以得出以下结论：当保证金耗尽概率为1%时，由复合极值得到的保证金水平大于最低交易保证金5%，显然复合极值得到的保证金水平比由极值计算的结果更加合理，并且结果也比较稳定。

合理的保证金制度是与期货品种的风险程度相适应的，保证金的水平根据期货品种风险特性的差异而有所不同，波动性大的品种收取的保证金应该较多，而波动较小的品种应该收取较少的保证金。复合极值理论可以有效反映价格的波动及风险发生的次数，当市场出现价格异常波动时，复合极值理论计算确定的期货保证金水平更符合实际情况。本书建立的模型为期货保证金水平的设置提出了一种新方法——基于复合极值理论的预测方法。

9.7　总结与展望

本书介绍了计算保证金水平的一种新的方法—复合极值法。这个方法是以复合极值理论基础、研究极值分布特征的一种参数方法。复合极值理论使风险管理者非常清楚的分析位于金融收益分布尾部的极端事件风险,并反映了大的损失发生频率对风险管理有重要影响,得出以下结论。

(1) 复合极值理论的另一个重要的特点是具有超越样本的预测能力。对于传统 VaR 方法中的经验分布曲线(历史模拟法)受样本容量的限制尤其是在分位数较小的情况下,无法提供分布尾部更详尽的信息,而复合极值理论是关于分位数的参数方法,即使在分位数极小、样本不足的情况下也能较准确地估计 VaR 值,克服了极端情况下经验分布曲线离散、粗糙的缺陷。

(2) 使用复合极值方法所得到的风险值比使用传统 VaR 模型以及极值理论得到的风险值会略微高估实际风险,而用传统 VaR 则是会低估实际风险,相比之下,在于风险防范方面,稍微多一点的风险准备总比不足的强。因此可以认为,复合极值方法是一种比极值理论更为保守的风险衡量方法。

(3) 通过引入离散型变量,得出大的损失的发生频率应该作为影响保证金水平的一种因素,建立复合极值理论。

随着一元极值理论及其复合极值理论在实践中的广泛应用,人们开始把目光转到多元极值理论及多元复合的应用上,但是和一元情形相比较,多元极值理论方法的应用复杂得多。在实证分析中,利用多元极值理论例如二元极值理论研究两个时间序列之间的极值相关性时,首先应检验随机变量是否渐近相关,如果是渐近独立的,则利用多元极值理论方法进行分析可能会导致高估风险,这只是多元极值理论在应用中存在的一个问题。随着研究的深入可能会出现更多问题,因而多元极值理论方法的应用有待深入研究探讨。

参考文献

[1] Figlewski S. Margins and Market integrity: Margin Setting of Stock Index Futures and Options. Journal of Futures Markets, 1984,4:385-416.

[2] Gay G D, Hunter W C, and Kolb R W. A Comparative Analysis of Futures Contract Margins. The Journal of Futures Markets, 1999,19:127-152.

[3] Booth G G, Broussard J P, Martikainen T, Puttonen. Prudent Margin Levels in the Finnish Stock Index Futures Market. Management Science, 1997,43:1177-1188.

[4] Broussard J P, Booth G G. The Behavior of Extreme Values in German Stock Index Futures: An Application to Margin Setting. Journal of Oper-

ational Research, 1998,104:393-402.

[5] Longin F. FuturesMargins Levels in Futures Markets: Extreme price movements. Journal of Futures Markets, 1999,19:127-152.

[6] Cotter J. Testing Distributional Models for the Irish Equity Market. Economic and Social Review, 1998,29: 257-269.

[7] 李晓渝,宋曦,潘席龙. 基于极值理论方法的中国股指期货保证金设定的实证研究[J].统计与信息论坛,2006.21(4):42-47.

[8] 徐国祥,吴泽智. 我国指数期货保证金水平设定方法及其实证研究—极值理论的应用[J]. 财经研究,2004(11).

[9] 朱国庆,张维,程博. 关于上海股市收益厚尾性的实证研究[J]. 系统工程理论与实践, 2001,4:25-31.

[10] 王春峰. 金融市场风险管理[M]. 天津,天津大学出版社,2001.

[11] 史道济,冯燕奇. 多元极值分布参数的最大似然估计与分布估计[J]. 系统科学与数学,1997,17:224-251.

[12] Hosking, J.R.M., and Wallis, J.R. Parameter and quartile estimation for the generalized pareto distribution. Techno metrics, 1987,29:339-349.

[13] Matthys G, Beirlant J. Estimating the extreme valueindex and high quantiles with exponential regressionmodels. Statistica Sinica. 2003.

[14] 史道济. 实用极值统计方法[M]. 天津:天津科学技术出版社,2006.

[15] Pickands, J. Statistical inference using extreme order statistics. Annals of Statistics. 1975, 3:119-131.

[16] Leadbetter M R, Lindgren G and Rootzen H. Extremes and Related Properties of Random Sequences and Processes. New York: Springer-Verlag,1983.

[17] Fisher, R.A. and Tippett, L.H.C. Limiting forms of the frequency distribution of the largest or smallest member of a sample. Proceeding of Cambridge Philosophical Society, 1928,24:180-190.

[18] Gnedenko, B.V. Sur La distribution limite du terme d'une serie aleatoire. Annals of Mathematics, 1943,44:423-453.

[19] 马逢时,刘德辅. 复合极值分布理论及其应用[J]. 应用数学学报,1979,2(4):366-375.

[20] Francis X., Diebold, Til Schuermann and Jhon D. stroughair, pitfalls and opportunⅡes in the use of Extreme value Theory in risk manage-

ment. In Decision Tecknologies for computational Finance, 1998,3-12.

[21] Keodij, K.G., Shafgans, M.M.A. and C.G. de Vries, The tail index of Extreme rate returns. Journal of International Economics, 1990,29:93-108.

[22] McNeil A J. CalculatingQuintile Risk Measure for Financial Return Series Using Extreme Value Theory. Department Mathematics, ETH, Zentrum, Working Paper,1998.

[23] McNeil A.T., Frey, R. Estimation of tail-ralated risk measures for heteroscedastic financial time series: An extreme value approach. Department Mathematic, ETH, Zentrum, Zurich.1998.

[24] Alexander J.,McNeil. Estimating the Tails of Loss Severity Distributions using Extreme Value Theory ASTIN Bulletin,1997, 27:117-137.

[25] Embrechts P. Resnick S. and Samorodnitsky G. Extreme value theory as a risk management tool. Manuscript, Department of Mathematics, ETH, Swiss Federal Technical University,1998.

[26] Embrechts P. Extreme value theory: potentials and limitations as an integrated risk management tool. Manuscript, Department of Mathematics, ETH, Swiss Federal Technical Unibersity,2000.

[27] Jenkinson, A.F. The Frequency Distribution of the Annual Maximum (or Minimum) of Meteorological Elements. Quarterly Journal of the Royal Meteorological Society,1955,81:158-17.

[28] Reiss,R.Dand M. Thomas. Statical Analysis of Extreme Values from Insurance, Finance, Hydrology and Other Fields. Birkhauser Verlag, Basel,2001.

[29] McNeil A J. Extreme Value Theory for Risk Managers. Risk Special Volume, ETHZurich Preprint, 1999.

[30] Artzner P, Delbaen F, Eber J M and Health D. Coherent measures of risk. Mathematical Finance,1999,9(3):203-228.

[31] 张春英. 应用极值理论计算风险价值—对上证指数的实证研究[J]. 天津城市建设学院学报,2005,217-219.

[32] 黄海. VaR 的主要计算方法述评[J]. 金融管理,2003,7:31-37.

[33] Broussard J P , Booth G G. The Behavior of Extreme Values in German Stock Index Futures: An Application to Margin Setting . Journal of Operational Research, 1998,104:393-402.

[34] 杨彬,张永任. 基于极值理论的股票 VaR 和 ES 测度[J]. 财经论坛,2006,3:117-118.

[35] R.Tyrrell Rockafellar, Stanislav Uryasev. Conditional Value-at-Risk for General Loss Distributions. Journal of Banking& Finance, 2002, 26: 1443-1471.

[36] 朱国庆,张维,张小薇,敖路. 极值理论应用研究进展评析[J]. 系统工程学报,2001,16(1):72-77.

[37] 刘慧宏, 糜仲春, 祁明德. 期货经纪公司保证金的一种确定方法[J]. 运筹与管理,2004,13(4):98-101.

[38] 叶五一,缪柏其,惠军. 应用复合极值理论计算[J].运筹与管理,2007,16(1):63-66.

[39] 周开国,缪柏其. 应用极值理论计算在险价值(VaR)[J]. 预测,2002,21(3): 37-41.

[40] 宋曦,杨长安. 我国股指期货保证金设定的方法及实证[J]. 统计与决策,2006,5:120-121.

[41] 刘德辅,王莉萍,宋艳,庞亮. 复合极值分布理论及其工程应用[J]. 中国海洋大学学报.2004,34(5):893-902.

[42] 王慧敏,刘国光. 基于极值理论的沪深股市 VaR 和 CVaR 分析[J]. 财贸研究,2005,2:68-72.

[43] 欧阳资生,龚署明. 广义帕累托分布模型:风险管理工具[J]. 财经理论与实践,2005,17(6):16-24.

[44] 肖春来,宋然. VaR 理论及其应用研究[J]. 数理统计与管理,2003,22(2):6-11.

[45] 封建强,干福新. 中国股市收益率分布函数研究[J]. 中国管理科学,2003,11(11):14-21.

[46] 王志诚,唐国正,史树中. 金融风险分析的 VaR 的方法[J].科学,1999,51(6):13-18.

[47] 王春峰. 金融市场风险测量模型—VaR[J]. 系统工程学报,2000,4:74-79.

[48] 徐国祥,檀向球. 全国统一股价指数编制研究—指数期货标的物选择实证分析[J]. 统计研究,2001,09: 46-53.

[49] 马逢时,刘德辅. 复合极值分布理论及其应用[J]. 应用数学学报,1979.

[50] 王春峰.《金融市场风险管理》[M]. 天津大学出版社,2001.

[51] 叶五一,缪柏其,惠军. 应用复合极值理论计算 VaR[J]. 运筹与管理,2007.

[52] 王乃生. 我国商品期货保证金设定的极值方法[J]. 系统工程与实践, 2001.

[53] Cotter, J. Marginexceedences for European stock index futures using extremes value theory[J], Journal of Banking and Finance, 2001.

[54] Fenn, G. D. & Kupiec, P. Prudent margin policy in a futures style settlement system[J], The Journal of Futures Markets, 1984.

[55] Figlew Skit, S. Margins and Market Integrity: Margin setting for stock Index Futures and Options[J]. The Journal Futures Markets, 1984, (4): l385-416.

[56] 闫东. 期货市场保证金制度研究[C]. 东北财经大学硕士论文, 2005.

[57] 王乃生. 我国商品期货保证金设定的极值方法[J]. 系统工程与实践, 2001.

[58] 徐国祥, 吴泽智. 我国指数期货保证金水平设定方法及其实证研究——极值理论的应用[J]. 财经研究, 2004 (11).

[59] 马逢时, 刘德辅. 复合极值分布理论及其应用[J]. 应用数学学报, 1979.

[60] 鲍建平, 王乃生, 吴冲锋. 上海期铜保证金水平设计的实证研究[J].系统工程理论方法应用, 2005(2－1).

[61] 王春峰.《金融市场风险管理》[M]. 天津大学出版社, 2001.

[62] Cotter, J. Margin exceedences for European stock index futures using extremes value theory[J], Journal of Banking and Finance, 2001.

[63] Fenn, G. D. & Kupiec, P. Prudent margin policy in a futures style settlement system[J], The Journal of Futures Markets, 1984.

第10章 风险分析模型的建立及在证券分析中的应用

10.1 前言

自20世纪70年代以来,金融市场的波动日益加剧,一些金融危机频繁发生,如亚洲金融危机和1998年美国长期资本管理公司损失事件,这使金融监管机构购和广大投资者对金融风险的发生尤为敏感,促使人们更加重视市场风险与信用风险的综合模型以及操作风险的量化问题,由此一种新的风险管理理念——全面风险管理模式引起人们的重视,同时对防范风险的技术和模型应用的有效性提出了更高的要求。

证券股票期货交易的高风险性为世人所公认,如何防范金融风险对投资者至关重要。在投资实践中,风险控制能力的强弱往往表现为对风险定量能力的强弱。目前,在市场风险管理的定量分析技术,大量运用数理统计模型来识别、度量和监测风险。在风险管理的各种方法中,VAR(Value At Risk)方法最为引人瞩目[1]。它比传统的风险测量技术有更大的适应性和科学性。VAR是给定的置信水平和目标时段下预期的最大损失,即VAR计量的是在一定概率水平下,各种投资组合价值在一段时期内最多可能损失的金额。它有如下的特征:给出总结性度量值;要求用随机形式表达一个组合未来的损益;它的值依赖于所选择的时间范围;它取决于所选择的概率水平。VAR为运用统计方法量化市场的工具,形成了很多种计算VaR的模型,但是没有一个大家一致公认的最好的方法。现在有三种普遍使用的方法:RiskMetrics,历史模拟方法和蒙特卡罗模拟方法。三种方法各有特定的假设条件和适用范围,有许多优点,同时也存在不少缺点;其中,一个较明显的缺点就是以常规的金融资产和以往创新金融工具的风险为基础的,并且大多数采用单一风险因素进行概率分析,忽略了不同风险来源,如信用风险和市场风险等各种风险联合出现的情况,因此不足以测量新的创新金融工具的风险,更不足以测量全面风险。

针对当前金融风险分析中普遍采用的单一因素 VAR 分析方法中存在的问题，本章提出了考虑基础性金融变量(如利率、汇率、商品价格、股票价格、期货价格)、基本性金融变量(如 GDP 值，现货价格)和市场风险因素(如周边相关价格影响风险，经营风险，系统网络风险)的联合风险预测模型。该模型以实际期货交易行情为背景，考虑了多种影响期货价格走势的不确定因素及其概率特征，应用多维联合概率理论，对非高斯过程、具有不同相关性的多维随机变量的联合概率模型，采用 Importance Sampling Procedure (ISP)法，模拟出投资者的风险与各种影响因素的关系，从而达到缩小投资损失的目的。

10.2 联合风险预测模型的理论概述

定义：等于或大于随机变量平均多少月一遇的月距，称为重现期。

假设某随机变量月最大值 η 的分布密度为 $f(x)$，若

$$p\{\eta \geqslant x_p\} = p' \tag{10-1}$$

记

$$T = \frac{1}{\;}, p = 1 - p' \tag{10-2}$$

则称 x_p 为"T 月一遇"值，T 称为重现期，p' 称为设计频率。在概率统计中常用的记号为

$$p\{\eta < x_p\} = p \tag{10-3}$$

故由 p 与 p' 的关系可知

$$p\{\eta < \chi_p\} = p = 1 - \frac{1}{T} \tag{10-4}$$

我们把 T 月中 η 所取的各值中最大者记为 ζ_T；ζ_T 值小于 x_p 的概率称为"保证率"，记为 $p_{保}$。为了以较大的把握保证 T 月内资金的安全，可以根据给定的 T 及 $P_{保}$，求出相应的 x 值来，我们设它为 x_q。则由式(3)知

$$P_{保=} p\{\zeta_T < x_q\} = q^T$$

必须指出，"T 月一遇"值 x_p，并不代表 T 月内恰好出现一次，更不是按照 x_p这样的值去设计就能保证 T 月内资金的安全。当 T 相当大时，$P_{保} \approx \frac{1}{e} = 0.368$，这就是说，按照 x_p去设计，T 月内保证安全的概率只有 36.8%，被破坏的概率(有时称为"危险率")则大约为 63.2%，反而超过了保证安全的概率。例如，为了以 90% 的把握保证 100 个月内资金的安全，即当 $T = 100$ 月，$P_{保} = 0.90$ 时，$1 - \frac{1}{q} \approx 949$ 月，所以大约取"千月一遇"值作设计使用。

设影响价格的各相关变量为 X_i，$i=1,\cdots,n$，则对多维联合概率的推求，就是求解公式

$$p_t=\int\limits_{g(x)<0}\int\cdots\int f(x_1\cdots x_n)\mathrm{d}x_1\cdots\mathrm{d}x_n \tag{10-5}$$

众所周知，除非上式中随机变量相互独立且均符合高斯过程时，才能以解析法求得；否则，其联合概率密度函数将因极端复杂而难以用函数式表达，对于非高斯具有不同相关性的多维随机变量联合概率问题，考虑用模拟法求解是行之有效的。随机模拟法是基于现实资料和一定的假定，通过计算机来重复某些过程的方法。蒙特卡洛法是其中的一种，但对于求解较小的联合概率问题，蒙特卡洛法必须耗费很长的机时且带来较大的误差，因此必须寻求新的方法。重点抽样法[Importance Sampling Procedure (ISP)]是降低方差、减少机时的一种行之有效的方法，其基本原理是集中对分布的最重要区域进行抽样，即对联合分布中超越部分概率做出主要贡献的部分抽样，而不是扩展到整个定义域内均匀地抽样。因此，ISP 方法须采用优化方法来求得设计点，从而采用加权样本即可计算出失效概率[2][3]。该方法较其他模拟技术有明显优点，即在小概率事件时，误差较小且机时短。

ISP 方法的最主要优点在于无须考虑基本随机变量的分布类型而适用于原始空间，对具有相关关系的随机变量，由其基本随机变量转换为独立的标准正态随机变量是比较困难的。但是，任何非高斯分布是不会影响到加权样本的，因为实际上失效概率的计算是使用原始分布，因此在使用任何非高斯分布和相关的随机变量时需进行下列变换

$$Z_i=\Phi^{-1}\left[F_{X_J}(X_i)\right],i=1,2\cdots,n, \tag{10-6}$$

式中：$Fx_i(X_i)$ 是基本随机变量 X 的原始累积分布函数；$\Phi^{-1}(\cdot)$是标准高斯累积分布函数的反函数。假定 Z 为标准正态，则联合概率密度函数可写为

$$f_x(X)=f_{x1}(X_1)f(X_2)\cdots f_{X_n}(X_n)\frac{\varphi_n(Z,R')}{\varphi(Z_1)\varphi(Z_2)\cdots\varphi(Z_n)}, \tag{10-7}$$

式中：Z_i 为式(6)的计算结果；$\varphi(\cdot)$为标准正态密度函数；$\varphi(Z,R')$为均值为 0、标准差为 1 的多维标准高斯密度函数；R'为 φ'_{ij} 构成的修正相关矩阵；φ'_{ij} 为由相关系数 φ_{ij} 系列定义的值。

$$\varphi_{ij}=\int_{-\infty}^{+\infty}\int_{-\infty}^{+\infty}\left(\frac{X_i-\mu_j}{\sigma_j}\right)\left(\frac{X_j-\mu_j}{\sigma_j}\right)f_{X_i}(X_i)f_{X_j}(X_j)\frac{\varphi_2(Z_i,Z_j,\varphi'_{ij})}{\varphi(Z_i)\varphi(Z_j)}\mathrm{d}X_i\mathrm{d}X_j \tag{10-8}$$

对每对边缘分布，式(10-8)可迭代求解。

应该指出，边缘分布密度和协方差对非高斯随机变量的联合密度并非为单

一定义，然而大多数情况可利用的信息仅仅局限于边缘分布和协方差。因此，任何适合的模式，只要不与资料矛盾都是可采用的，其使用范围依据变量间的相关系数，而无须考虑对任何模式的数学依据。

10.3 基础性金融变量、基本性金融变量和市场风险因素的随机模拟结果

根据以上所述理论，下面采用 ISP 方法，以大连商品交易所 2004 年 3 月至 2006 年 3 月时间跨度共 24 个月的大豆期货价格（简称期货价）、芝加哥商品交易所大豆期货价格（简称外盘价）和大豆现货价格（简称现货价）作为随机分析的基本系列，在本章实际应用中相应的外盘价、期货价格及现货价分别为 CBOT 连续合约价格、大商所连续三月期货价格及近月连续期货价格。容易验证大豆期货价、外盘价、现货价均符合 Gumbel 分布，其分布函数为

$$G(x) = \exp[-\exp(-A(x-B))] \tag{10-9}$$

通过概率相关性分析得相关参数，见表 10-1。

表 10-1

随机变量	分布形式	均值 $E(x_i)$	标准差 $\sigma(x_i)$	相关系数矩阵
期货价格元/吨	Gumbel	2800	209	$\begin{bmatrix} 1.000 & 0.5684 & 0.7602 \\ 0.5684 & 1.000 & 0.2541 \\ 0.7602 & 0.2541 & 1.0000 \end{bmatrix}$
外盘价格美分/蒲式耳	Gumbel	860	286	
现货价格元/吨	Gumbel	2850	198	

由收盘价的加权平均得到的期货价、对应现货价、对应外盘价同时出现的联合概率的模拟极限状态方程为

$$G = \mathrm{MAX}(G1, G2\ , G3), Gi = Ai - X(i)\ , i = 1,2,3 \tag{10-10}$$

调整不同的设置值 A_i，可得到不同的联合出现概率。如将 A_i 分别以各自变量 X_i 独立统计时所得到的特征参量代入，则可得到各变量 X_i 超过各自多月一遇值联合出现的概率；将表 1 的资料输入 ISPUD 软件，经过大量的试算及对模型中的外盘价、期价及现货价三变量系列进行的随机模拟分析，可得到期价、对应现货价、对应外盘价同时出现的联合概率，即表 2 的结果，从而得到某组期货价、现货价和外盘价的相关价格及相应的风险度量。

根据表 10-2，由所投入的资金数，即可自行决定投资的相应风险。

表 10-2

重现期	期货价格	外盘价格	现货价格
20	3 391	1 200	3 410
10	3 179	991	3 200
4	2 921	870	3 005

10.4 结论

（1）本章提出的考虑基础性金融变量、基本性金融变量和市场风险因素的多因素联合风险预测模型，突破了当前金融风险分析中普遍采用的单一因素 VAR 分析方法。在国内外尚未见有报道。

（2）本章从影响金融风险的多种因素及其相关影响的观点来解决 VAR 问题，对于非高斯、具有不同相关性的多维随机变量联合概率问题，建立了联合概率随机模拟的状态方程，求解多维联合概率分布，考虑金融市场风险的多样性，这样计算出的 VaR 值比较客观地反应了市场的风险，较客观地引导投资者进行风险规避

（3）本章以大商所期货交易为实例，采用 ISP 方法，利用多维随机联合概率模型计算得到 VaR。对于不同的指数，不同的金融产品，不同的资产组合，只须输入各种不同风险来源的概率分布模式、均值、方差和变量间的相关系数矩阵以及相应的状态方程，即可模拟出各种风险变量组合的联合概率，完成分析及预测。

参考文献

[1] Pietro Penza. Vipul K. Bansal，Measuring Market Risk with Value at Risk . China Peking：China Machine Press. 2001，9：93-122.

[2] Joint Probability of Environmental Loads on Marine Structures，*Proc*. International Offshore and Polar Engineering Conference. 1995：3，408-411

[3] Bourgund V，et al. Important Sampling Procedure using Design Point (ISPUD). Research Report ofuniversity of Innsbruck，1986. 35-95

[4] Artzner，et，al. Coherent measures of risk. Math Fin，1999：9(3).

[5] Boyle P. Options：AMonte Carlo Approach. Journal of Financial Economics，1977，4：323-338.

［6］ Dowd K. Beyond Value at Risk. New York：John Wiley & Sons，1998.
［7］ 王春峰. 金融市场风险管理[M]. 天津:天津大学出版社,2003.

附　录

为便于理解文中公式和推算方法补充相关内容如下。

A1.1　条件数学期望

在 $\xi=x$ 的条件下，η 的条件数学期望[11][12]定义为

$$E(\eta \mid \xi=x)=\int_{-\infty}^{+\infty} y \mathrm{d} F(y \mid x)$$

如果 $\int_{-\infty}^{+\infty}|y| \mathrm{d} F(y \mid x)<\infty$。并简记 $E(\eta \mid \xi=x)$ 为 $E(\eta \mid \xi)$。

条件数学期望有下列性质[11]：

设 ξ,η 为概率空间 (Ω, f, P) 上的随机变量，$g(x)$ 为 R 上的函数，且 $E(\xi)$，$E(\eta)$ 与 $E[g(\eta)\cdot\xi]$ 均存在，则

(1) $$E[E(\xi \mid \eta)]=E(\xi)$$

(2) $$E[\xi g(\eta) \mid \eta]=g(\eta) E(\xi \mid \eta)$$

(3) $$E[g(\eta) \xi]=E[g(\eta) \cdot E(\xi \mid \eta)]$$

对性质(1)-(3)的证明如下。

证明：

(1) 只给出当(ξ,η)为连续型的情况。

当 (ξ,η) 为连续型时，设 $f(x,y)$ 为其密度函数，则

$$\begin{aligned}
E[E(\xi \mid \eta)] &=\int_{-\infty}^{+\infty} E(\xi \mid y) \mathrm{d} F_{\eta}(y) \\
&=\int_{-\infty}^{+\infty}\left[\int_{-\infty}^{+\infty} x \frac{f(x, y)}{f_{\eta}(y)} \mathrm{d} x\right] f_{\eta}(y) \mathrm{d} y \\
&=\int_{-\infty}^{+\infty}\left[\int_{-\infty}^{+\infty} x f(x, y) \mathrm{d} x\right] \mathrm{d} y \\
&=\int_{-\infty}^{+\infty} x\left[\int_{-\infty}^{+\infty} f(x, y) \mathrm{d} y\right] \mathrm{d} x \\
&=\int_{-\infty}^{+\infty} x f_{\xi}(x) \mathrm{d} x=E(\xi)
\end{aligned}$$

(2) 只需证明对任意使 $E[\xi g(\eta)\mid y]$ 存在的 y 都有

$$E[\xi g(y)\mid y]=g(y)E(\xi\mid y)$$

就足够了。

因为 $E(\xi\mid y)=\int_{-\infty}^{+\infty}x\mathrm{d}F(x\mid y)$，故当 y 固定时，

$$\begin{aligned}E[\xi g(y)\mid y]&=\int_{-\infty}^{+\infty}g(y)x\mathrm{d}F(x\mid y)\\&=g(y)\int_{-\infty}^{+\infty}x\mathrm{d}F(x\mid y)\\&=g(y)E(\xi\mid y)\end{aligned}$$

(3) 由(1)与(2)得

$$E[g(\eta)\xi]=E\{E[g(\eta)\xi\mid\eta]\}=E\{g(\eta)\cdot E(\xi\mid\eta)\}$$

Nested Logistic 模型属于多元极值分布的范畴。多元极值分布是建立在多变量点过程理论基础上的，通过分别建立各变量的边缘分布和建立描述各变量之间相关性的相关模型将它们联系起来，得到多变量极值的联合概率分布。这里只简单介绍多元极值分布的由来，具体可参见文献。

A1.2 随机模拟法

随机模拟法，又称蒙特卡洛(Monte Carlo)法，是以概率与统计的理论为基础，基于现实资料的特征和假定，通过计算机重现某些过程，从而研究随机变量的数值计算方法；其基本思想是利用随机数进行统计试验，将求得的统计特征值作为被研究问题的近似解。

1. 随机数的产生

随机模拟法中重要的前提是随机数的产生。所有分布的随机数的产生方法都始于均匀分布随机数；一旦具备了均匀分布随机数产生器，其他分布的随机数都可使用直接法(direct)、反演法(inversion)、拒绝法(rejection)或合成法(mixture)获得。

2. 随机模拟计算步骤

(1) 针对实际问题建立一个简单且便于实现的概率统计模型，使所求的解恰好是所建模型的概率分布或其某个数字特征，如是某个事件的概率或者是该模型的期望值。

(2) 对模型中的随机变量建立抽样方法，在计算机上进行模拟试验，抽取足够的随机数，并对有关的事件进行统计。

(3) 对模拟试验结果加以分析,给出所求解的估计。

3. 随机模拟法求解原理

令 X 代表 m 维的随机向量,根据联合概率密度函数 $f(x)$,由随机抽样方法产生一组样本值 x_i,代入失效函数 $G(x)$,得到一个取值。如果 $G(x_i)\leqslant 0$,则计入一次失效函数的实现;如果 $G(x_i)>0$,则不计入,这样就完成了一次计算。用同样方法再产生下一组随机数,重复上面的计算,直至完成预定的试验次数 n 为止。由大数定理可知失效概率为

$$P_f=\lim_{n\to\infty}k/n \tag{A1-1}$$

式中:k 是 n 次试验中 $G(x)\leqslant 0$ 的次数。

随着计算机的快速发展,随机模拟方法得到越来越广泛的应用。利用随机模拟方法计算联合概率时,失效域并不一定具有如图 1-1 所示的规则的形状,尤其当自变量维数增加时,将给积分计算带来很大的难度,解析求解变的复杂或者不可行。在这种情况下,随机模拟方法是一种较好的选择。但由于 k/n 是统计变量,当失效概率很小或试验次数 n 较小时,估算 P_f 值容易发生相当大的不定性,产生较大的方差。如要获得充分可靠的结果,必须花费大量的时间,因此发展降低方差,减少计算量的模拟技术是非常必要的。目前已出现的方法有重点抽样法、分层抽样法、关联抽样法等。下节将对重点抽样法做详细介绍。

A1.3 不确定性分析和敏感性分析

在环境条件的计算、预测、评估、风险分析中,广泛使用数学模型或其他数学分析工具,将其计算、预测和模拟结果供工程设计和决策使用。但在这些数学模型和计算中,将计算所需的资料视为不带误差的,而模型的结构和参数则视为完全已知的,显然,上述假定与实际相去甚远。事实上,资料存在着各种不确定性,而模型与真实现象的吻合,以及参数的确定也都存在着各种不确定性,从而导致模型预测结果与实际观测结果存在巨大差距。某次重大工程的数模或物模与实际存在巨大差距而导致重大的经济损失和决策误差的事实历历在目,必须予以重视[23]。

在实践中,用于解决问题的途径为先固定模型的框架,进而推断资料及模型参数可能出现的不确定性。美国经济学家 Leamer 指出(Leamer,1990):应该从邻近领域可供选择的假定及相应的预测区间做出选择。相邻领域假定的选择应足够放宽而又不谬,预测区间的选择应尽量择其“窄”至可达使用目的的程度。通过所选择假定空间不确定性的传播,进行预测空间不确定性的定量分析,这就是整体不确定性分析(Global Uncertainty Analysis),简称 GUA。当然,模型本

身的不确定性也是不可忽视的。

按上述方法获得的响应预测空间（输出）的各种特征值，可返回所选择假定的空间（输入），将所得方差分配到各组成部分中去，即可分析出输出部分的多少比例是输入所导致（如资料、假定及模式选择等各类不确定性），此即为整体敏感性分析（Global Sensitivity Analysis），简称 GSA。

GSA 对于解决工程及决策等重大问题非常有用，它可对有关环境预测、模拟、评估起导向作用，并使之提高预测结果的质量，预估重大决策的可靠性。GSA 与 GUA 结合，可弄清输入资料及其不确定性的状况，是否足以满足决策所需的资料；如果不能满足，使用 GSA 与 GUA 还可找出哪些部分的资料或参数需进一步澄清，以保证预测结果满足所需的置信水平。

对于复杂系统的风险分析，不可避免地要涉及许多的不确定性。无论是系统建模，还是以概率的形式来表达不确定性都是复杂而困难的工作。不确定性的来源大致有以下几个方面。

（1）事物本身的随机性，利用一般的概率理论就足以处理。

（2）事物的模糊性，利用模糊数学的理论来处理。

（3）知识的不完善性。知识的不完善性有两种：一种是客观信息的不完善，是由于客观条件的限制造成的，如由于测量的困难，不能获得足够的资料；另一种是由于人对客观事物的认识不完整不清晰，或是难以做到全面考虑。由于知识的不完备，在实际中只能依靠专家对这种不确定性做出评估。

在工程风险评估中一般将不确定性分为两种类型：第一类不确定性表达事物行为的随机性，称为随机不确定性（aleatory uncertainty）；另一类表达知识的不完备性，称为认识不确定性（epistemic uncertainty）。船舶及海洋工程结构物在一定时期内可能遭遇到的波浪载荷极值的概率分布就是第一类不确定性的例子，而对地震机理的本质、低剂量辐射对人的健康的影响、结构疲劳的机理等的假定都体现出第二类不确定性。

随机不确定性和认识不确定性是事物和现象不确定性的共存的两个方面。当把事物和现象的发生看成是随机的行为，并用概率模型来描述这些随机行为时，所用的概率模型是要表达行为的随机不确定性，也正是不确定性的这一侧面给出了概率风险评估中“概率”的含义；而所用的概率模型本身则体现了人们对这种客观现象的主观认识，这种主观的认识来源于经验、资料、理性分析等。所有的风险分析中都将涉及这两种不确定性，风险评估的结果也就是对这两种不确定性的度量和综合。作为不确定性在系统风险分析中的重要性量度，敏感性同样是非常重要的影响因子。

不确定性分析和敏感性分析对于各类系统分析、可靠性分析、数学模型、物理模型试验以及各类设计规范的校正(Codes calibration)都具有重大意义。

任何一个系统(模型)都可视为一个函数 $y=(x_1,x_2,\cdots x_k;t)$,其中 $x_1,x_2,\cdots x_k$ 为与时间 t 有关的随机变量,可以代表影响模型的各种因素,如各种海洋环境条件,模型的各种参数、系数以及几何特征、统计特征等。不确定性分析定义为模型中变量 $x_1,x_2,\cdots x_k$ 集体变化结果引起 y 的变化和不精确性的确定。

不确定性分析包括以下几个方面问题。

(1) y 的变化范围;

(2) y 的均值、中值和方差;

(3) y 值概率分布中 5%和 95%统计特征值等。

由此可见,如何从概率意义上解决与 $x_1,x_2,\cdots x_k$ 变化有关的 y 的特征是解决系统输入输出的关键问题。

进行不确定性和敏感性分析的模型,往往非常庞大复杂,具有以下特性。

(1) 具有大量输入变量;

(2) 耗费大量机时运行;

(3) 模型变换很困难,而且费机时;

(4) 将模型简化为单位系统方程很困难;

(5) 模型运行中存在不连续性;

(6) 输入变量之间常具有不同相关性,其边缘分布为非正态;

(7) 模型输出是输入变量的非线性、多变量、与时间独立的函数。

因此,系统的不确定性、敏感性分析势必涉及复杂的随机分析和系统联合概率分析。

M. Elisabeth 描述了对待风险不确定性的六种层次。

0 水平——定性地分析危险和失效模式。对于该水平,可用详细的定性分析手段,寻找系统风险的可能原因和途径,制定消除风险的措施。由于 0 水平只是作定性的分析,不能给出关于风险的量的估计。

1 水平——“最坏情况”分析。它的出发点是集中所有系统风险贡献因素的“最坏情况”,以此作为系统的“最坏情况”,并选择最大的损失程度。这样构造出来的“最坏情况”发生的可能性是非常小的,考虑这种情况并没有实际的意义。

2 水平——准最坏情况获准上界分析。这一水平的分析是试图获得有实际意义的、可能的最坏的情况,这种准最坏情况本身具有不确定性。某些情况下,可利用极值统计学获得某种最坏情况发生的长期预报。在工程设计中,常以此作为设计的标准,比如用 ISSC 建议的波浪载荷长期预报方法获得波浪载荷极值分布,作为船舶结构的设计载荷。

3 水平——最佳估计和中心值法。这里所说的最佳估计和中心值可以是均值、最大似然值等，也就是选择对模型和参数的最佳估计，在此基础上获得关于系统风险的输出。

4 水平——概率风险评估，单一风险曲线表示。4 水平将两类不确定性的影响完全集成在一条风险曲线中，无法表达出由于认识不确定性所引起的结果的分散程度。

5 水平——概率风险评估，多风险曲线。该水平与 4 水平的区别在于它给出了一簇曲线，以表达由于认识不确定性而引起估计结果的分散程度。

有别于上述六种水平的风险不确定性分析，下节介绍的 GUA、GSA 将风险分析提高到新的水平。

A1.4　经典的极值理论

1. 极值分布函数的类型及其性质

极值理论曾经是一个引起不少统计学家注意的问题，他们主要研究了以下两个问题：究竟有哪些分布可以作为极值分布？收敛到某个特定的极值分布的条件是什么？极值类型定理回答了前一个问题，后一个问题称之为极值分布的最大值吸引场条件（这里不讨论）。

我们以海洋波高为例来说明。设海浪波高 ξ 为随机变量，每年的波高观测值 $x_1, x_2, \cdots, x_n$ 为 ξ 一组简单随机样本，均为相互独立，且具有同一分布 $G(x)$（称为原始分布），可将其样本按大小次序排列成

$$x_1 \leqslant x_2 \leqslant x_3 \leqslant \cdots \leqslant x_n$$

则年最大波高为：

$$X_{\max} = \max\{x_1, x_2, \cdots, x_n\}$$

及年最小波高为：

$$X_{\min} = \min\{x_1, x_2, \cdots, x_n\}$$

也为随机变量，故年最大值 $X_{\max}$ 的分布函数为

$$\begin{aligned} F_n(x) &= P(X_{\max} < x) = P(X_1 < x, X_2 < x, \cdots, X_n < x) \\ &= P(X_1 < x)P(X_2 < x)\cdots P(X_n < x) \\ &= G_1(x)G_2(x)\cdots G_n(x) = [G(x)]^n \end{aligned} \tag{A1-2}$$

而年最小值 $X_{\min}$ 的分布函数为

$$\begin{aligned} F_1(x) &= P(X_{\min} < x) = 1 - P(X_{\min} \geqslant x) \\ &= 1 - P(X_1 \geqslant x, X_2 \geqslant x, \cdots, X_n \geqslant x) \\ &= 1 - P(X_1 \geqslant x)P(X_2 \geqslant x)\cdots P(X_n \geqslant x) \end{aligned}$$

$$=1-[1-P(X_1<x)][1-P(X_2<x)]\cdots[1-P(X_n<x)]$$

$$=1-[1-G(x)]^n \tag{A1-3}$$

如果已知分布函数$G(x)$，就可以根据上面的(A2-30)、(A2-31)，精确地求出最大值和最小值的分布函数。但在应用中，$G(x)$往往是未知的，因此很难直接用于统计分析。所以，我们要研究最小值$X\min$和最大值$X\max$的极限分布，它有很准哦昂要的理论和实际意义。若记

$$A=\{x:0<G(x)<1\},x^*=\sup_{x\in A}A,x_*=\inf_{x\in A}A$$

称集合A为分布$G(x)$的支撑，x^*和x_*分别为分布$G(x)$支撑的上端点和下端点。显然，对所有$x_*\leqslant x<x^*$，都有

$$\Pr(X_{\max}\leqslant x)=G^n(x)\to 0,n\to\infty$$

如果$G(x)$的上端点x^*有限，即$x^*<\infty$，则当$x>x^*$时，有

$$\Pr(X_{\max}\leqslant x)=G^n(x)\to 1,n\to\infty$$

这就是说，不论x是否有限，当$n\to\infty$时，最大值$X_{\max}$分布的极限只能是0或1，这种退化分布是没有任何意义的，因此我们不直接讨论最大值的渐进分布。类似于处理n个随机变量之和的中心极限定理，我们试图通过对n个随机变量最大值$X_{\max}$的规范化变换，以了解最大值分布的性质。

定理 2.1 (Fisher-Tippett的极限类型定理)设$X_1,\cdots,X_n$是独立同分布的随机变量序列，如果存在长数列$\{a_n>0\}$和$\{b_n\}$，使得

$$\lim_{n\to\infty}\Pr(\frac{X_n-b_n}{a_n}\leqslant x)=H(x),x\in\Re$$

成立；其中，$H(x)$是非退化的分布函数，那么H必属于下列三种类型之一。

Ⅰ型分布：

$$H_1(x)=\exp(-\exp(-x)),-\infty<x<+\infty$$

Ⅱ型分布：

$$H_2(x,\alpha)=\begin{cases}0,x\leqslant 0,\\ \exp\{-x^{-\alpha}\},x>0,\end{cases}\alpha>0$$

Ⅲ型分布：

$$H_3(x,\alpha)=\begin{cases}\exp\{-(^- x)\alpha\},x\leqslant 0,\\ 1,x>0,\end{cases}\alpha>0$$

其中，Ⅰ型分布称为Gumbel分布，Ⅱ型分布称为Frénchet分布，Ⅲ型分布称为Weibull分布。这三种分布通称为极值分布(extreme value distribution)。当$\alpha=1$时，$H_2(x;1)$，$H_3(x,1)$分别为标准Frénchet分布与标准Weibull分布，称a_n，b_n为规范化常数。

极值类型定理说明，如果X_n经线性变化后，对应的规范化变量$X_n^*=(X_n-$

$b_n)/a_n$ 依分布收敛于某一非退化分布，那么，不论底分布 $G(x)$ 是何种形式，这个极限分布必定属于极值分布的三种类型之一。因此，极值类型定理提供了类似于中心极限定理的极值收敛定理。证明参见文献（Leadbetter M R，Lindgren G and Rootzen H. Extremes and Related Properties of Random Sequences and Processes. New York：Springer-Verlag，1983）。

从模型的角度来看，三种极值分布类型 $H_1(x)$，$H_2(x,\alpha)$ 和 $H_3(x,\alpha)$ 完全不同，但从数学的角度来看，它们之间却存在着非常密切的关系。事实上，可以直接验证下面的结论。

设 $X>0$，则

$$X \sim H_2 \Leftrightarrow \log X^{\alpha} \sim H_1 \Leftrightarrow -X^{-1} \sim H_3$$

因此在某些场合，为方便起见，可以假定其中任意类型的极值分布。

2. 极值分布的密度函数

三种类型极值分布的密度函数分别为

$$h_1(x)=e^{-x}H_1(x),\ -\infty<x<+\infty;$$

$$h_2(x)=\alpha x^{-(1+\alpha)}H_2(x,\alpha),\ x>0;$$

$$h_3(x)=\alpha\,(-x)^{\alpha-1}H_3(x,\alpha),\ x\leqslant 0.$$

如果引进位置参数（location parameter）μ 和尺度参数（scale parameter）σ，则三种类型的极值分布函数为

$$H_1(x)=\exp\left[-\exp\left(-\frac{x-\mu}{\sigma}\right)\right],\ -\infty<x<+\infty$$

$$H_2(x,\alpha)=\begin{cases}0, x\leqslant\mu, \\ \exp\{-(^{\prime}-\alpha\}, x>\mu,\end{cases}\alpha>0;$$

$$H_3(x,\alpha)=\begin{cases}\exp\{-(^{-})\alpha\}, x\leqslant\mu, \\ 1, x>\mu,\end{cases}\alpha>0.$$

对应的密度函数为

$$h_1(x;\mu,\sigma)=h_1\left(\frac{x-\mu}{\sigma}\right)\Big/\sigma,\ -\infty<x<+\infty;$$

$$h_2(x;\mu,\sigma)=h_2\left(\frac{x-\mu}{\sigma},\alpha\right)\Big/\sigma,\ x>\mu;$$

$$h_3(x;\mu,\sigma)=h_3\left(\frac{x-\mu}{\sigma},\alpha\right)\Big/\sigma,\ x\leqslant\mu.$$

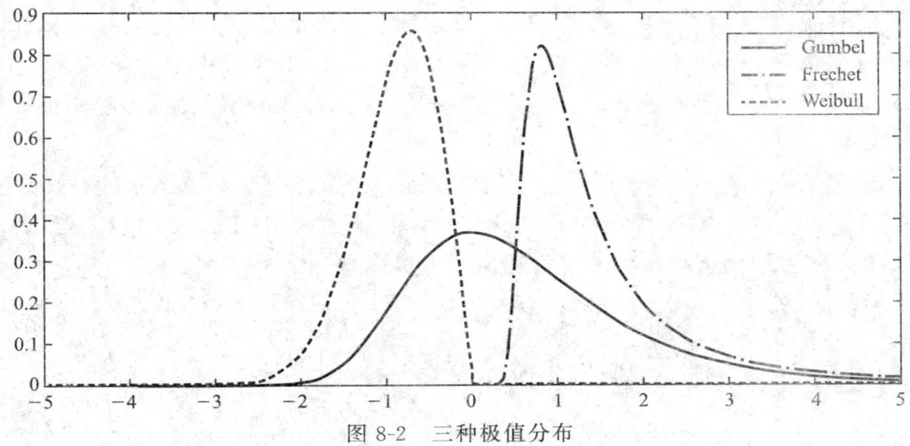

图 8-2 三种极值分布

这三种分布代表了三种不同的极值行为,但我们可以用统一的形式

$$H(x;\mu,\sigma,\xi)=\exp\{-\left[1+\xi\left(\frac{x-\mu}{\sigma}\right)\right]^{-1/\xi}\},1+\xi\left(\frac{x-\mu}{\sigma}\right)>0$$

来表示;其中,$\mu,\xi\in\Re,\sigma>0$. 称 H 为广义极值分布(generalised extreme value distributions),简记为 GEV 分布。

3. **广义 Pareto 分布**

为了说明广义极值分布不适用于我国股指期货保证金率计算模型,我们需要分析建模过程中对数据的选取问题。根据定理 3.1,我们知道样本的最大值 M_n 近似服从广义极值分布,属于三种极值分布之一。用广义极值分布对实际数据建模时,一般按照以下的步骤进行:设观测值序列为 $x_1,x_2,\cdots,x_n$,将其平均分为长度为 m 的 k 组,并从每组中取出一个最大值,记为 z,则 $z_1,z_2,\cdots,z_k$ 是每组的最大值数据;由定理 3.1 可知,只要 m 足够大,$z_1,z_2,\cdots,z_k$ 就可以看作来自广义极值分布的一组独立同分布观测。上述的样本极值选取法称为区组选取法,应用区组选取法的极值模型称为区组模型,广义极值分布是一种典型的区组模型。

在定义 3.1 中,我们定义了次序统计量 $X_{n,n},X_{n-1,n},\cdots X_{1,n}$ 满足从小到大的关系,称 $X_{r,n}$ 为第 r 大次序统计量。容易看出,区组选取法存在极值数据的遮蔽现象,会造成数据的浪费。例如,$X_{1,n},X_{2,n}\in U_i$,表示 $X_{1,n},X_{2,n}$ 同时属于区组 U_i,由于最大值 $Z_i=X_{1,n}$,导致 $X_{2,n}$ 被 $X_{1,n}$ 遮蔽,另有 $Z_{i+1}=X_{r,n}$,而 $X_{2,n}>X_{r,n}$,说明一个区组中可能存在比另一区组最大值更大的数据而未被表达。表明区组选取法存在弊端,即无法充分利用极值数据信息,特别对于数据量短小的我国股指期货,基于区组选取法的广义极值分布,难以得到准确的结果。那么,

对于次序统计量 $X_{n,n}, X_{n-1,n}, \cdots X_{1,n}$，总存在一个指数 k，使得 $X_{k,n}, X_{k-1,n}$，$\cdots X_{1,n}$ 是体现全部极值数据信息的集合。设 $u^* = \inf\{X_{k,n}, X_{k-1,n}, \cdots, X_{n,n}\}$，称 $u: u \approx u^*$ 为一个极值标准。通过某一极值标准选取极值数据的方法，称为超阈值选取法。

定义 3.2 设 $X_1, X_2, \cdots, X_n$ 是独立同分布的随机变量序列，分布函数 F 支撑的上端点为 x^*，对某固定的大值 $u < x^*$，称 u 为阈值(Threshold)。若 $X_i > u$，则称 X_i 为超阈值，称 $X_i - u$ 为超出量。可以得到

$$F_u(x) = \Pr(X - u \leqslant x \mid X > u) = \frac{F(x+u) - F(u)}{1 - F(u)}, x \geqslant 0$$

称 $F_u(x)$ 为随机变量 X 的超过阈值 u 的超出量分布函数。

$$F_u^+(x) = \Pr(X \leqslant x \mid X > u) = \frac{F(x) - F(u)}{1 - F(u)}, x \geqslant 0$$

称 $F_u^+(x)$ 为随机变量 X 的超过阈值 u 的超阈值分布函数。

定义 3.3[24] 如果随机变量 X 的分布函数为

$$G(x;\mu,\sigma,\xi) = 1 - \left(1 + \xi\frac{x-\mu}{\sigma}\right)^{-\frac{1}{\xi}}, \quad x \geqslant \mu, \quad 1 + \xi\frac{x-\mu}{\sigma} > 0 \tag{A1-4}$$

则称 X 服从广义 Pareto 分布，简称 GPD 或 GP 分布。其中，形状参数 ξ，位置参数 μ，尺度参数 σ 满足 $\mu, \xi \in \mathbf{R}, \sigma > 0$；特别当 $\mu = 0, \sigma > 0$ 时，分布函数 $G(x;\sigma,\xi)$ 有重要作用，称为二参数的广义 Pareto 分布。对应广义极值分布的三种类型，广义 Pareto 分布引入形状参数 α 后，可作如下表示。

$$G_1(x;\mu,\sigma) = \begin{cases} 1 - e^{-\frac{x-\mu}{\sigma}}, & x \geqslant \mu \\ 0 & x < \mu \end{cases}$$

$$G_2(x;\mu,\sigma,\alpha) = \begin{cases} 1 - \left(\dfrac{x-\mu}{\sigma}\right)^{-\alpha}, & x \geqslant \mu + \sigma, \\ 0, & x < \mu + \sigma, \end{cases} \quad \alpha > 0$$

$$G_3(x;\mu,\sigma,\alpha) = \begin{cases} 1 - \left(-\dfrac{x-\mu}{\sigma}\right)^{\alpha}, & x \leqslant \mu, \\ 1, & x > \mu, \end{cases} \quad \alpha > 0$$

G_1, G_2, G_3 分别为指数分布、Pareto 分布、Beta 分布。不难验证，当 $\log H_i > -1$ 时，有

$$G_i = \log H_i + 1$$

可见，广义极值分布与广义 Pareto 分布之间存在密切的关系。

定理 3.2[25] 设 $X_1, X_2, \cdots, X_n$ 是独立同分布的随机变量，分布函数为 $F(x)$，令 $M_n = \max\{X_1, \cdots, X_n\}$。如果存在规范化数列 $\{a_n > 0\}$，$\{b_n\}$，使得

对足够大的 n，有

$$\Pr(M_n \leqslant a_n x + b_n) \approx H(x;\mu,\sigma,\xi)$$

其中，$H(x;\mu,\sigma,\xi)$ 为广义极值分布，则对足够大的阈值 u，在 $X > u$ 的条件下，超出量 $X-u$ 的分布近似 GP 分布。

$$G(y;\tilde{\sigma},\xi) = 1 - \left(1 + \frac{\xi y}{}\right)^{-\frac{1}{\xi}}, \quad y > 0$$

其中，$\tilde{\sigma} = \sigma + \xi(u - \mu)$。

上述定理说明，如果最大值 M_n 近似服从 GEV 分布，则超出量近似服从 GP 分布，且 GEV 分布与 GP 分布具有相同的形状参数 ξ。相比广义极值分布，广义 Pareto 分布以超出量为研究对象，更适合保留极值数据信息；特别对于小数据，依旧能保证一定的适用性。我国股指期货风险预警研究以广义 Pareto 分布为研究手段是合理的。

4. 目前常用的海浪极值推算方法

在极值波高分析中常应用的极值分布律有：① Gumbel 分布函数，即 Fisher-Tippett Ⅰ型分布，简称 FT－Ⅰ型分布；② FT－Ⅱ型分布，即 Fisher-Tippett Ⅱ型分布，又称 Frechet 分布、柯西分布或 Jenkinson Ⅰ 型极值分布；③ 威布尔(Weibull)分布；④ 对数正态分布(Lognormal)；⑤ 皮尔逊Ⅲ(Pearson Ⅲ)型分布。其中，前四种是国际上目前常用的波高极值分布律，也是我国《海港水文规范》允许采用的波高极值分布律；不同的是，我国规范还允许采用 Pearson Ⅲ型极值分布律，而不采用对数正态分布，这是由于海港工程一般在岸边，而对数正态分布一般对大洋上极值波高分布律拟合较好。

1) 常用的分布模式

(1) Weibull 分布。

Weibull 分布是由 weibull(1951)首先提出来的。

$$\left.\begin{aligned} &\text{分布函数}: F(H < x) = 1 - \exp[-\{(x-B)/A\}^k] \\ &\text{平均值}: E[x] = B + A\Gamma(1 + 1/k) \\ &\text{方差}: E[\{x - E(x)\}^2] = A^2[\Gamma(1 + 2/k) - \Gamma^2(1 + 1/k)] \end{aligned}\right\} \quad \text{(A1-5)}$$

式中：x 为波高；a 为位置参数；b 为尺度参数；c 为形状参数。

由于三参数威布尔分布式有三个待定参数，亦即有三个自由度，是上述极值分布中自由度最大的一种分布类型，因而具有更好的灵活性和更高的拟合精度，适用性广。如果 $B \neq 0$，称之为三参数 Weibull 分布。如果 $B = 0$ 称之为二参数 Weibull 分布。但在工程设计中，适配曲线求解时多采用图解法，将观测数据点绘于 Weibull 概率纸上；若各点大致位于一条直线上，从图上读取数值，进而间接计算出参数 a，b，c 的值；试算时须反复调整，工作量大。近些年来，已有学者(陈上及等,1991)采用分步最小二乘法求解 a,b,c 之值,即先确定位置参数 a,再用最小二乘法推求参数 b 和 c。这种方法收敛的快慢取决于 a 的初始值离精确解的远近。

(2) Gumbel 分布(极值Ⅰ型)。

Gumbel 分布来源于极值分布,是有理论依据的,但要求极值序列的样本容量比较大。部分地区现有的波浪观测年限,不容易满足这一条件。

假设检验年极值序列符合 Gumbel 分布

则分布函数为

$$G(x)=e^{-e^{-\alpha(x-u)}} \tag{A1-6}$$

随机变量 X 的数学期望和均方差为

$$EX=u+\frac{0.5772}{\alpha} \tag{A1-7}$$

$$\sigma_X=\frac{\pi}{\sqrt{6}\alpha} \tag{A1-8}$$

设变量 $y=\alpha(x-u)$,α,u 为曲线的两个参数,Gumbel 用最小二乘法解得

$$\alpha=\frac{\sigma_n}{s_x} \tag{A1-9}$$

$$u=\bar{x}-\frac{\alpha}{} \tag{A1-10}$$

$$s_x=\sqrt{\frac{1}{n}\sum x_i^2-\left(\frac{1}{n}\sum x_i\right)^2} \tag{A1-11}$$

$$\sigma_n=\sqrt{\frac{1}{n}\sum y_i^2-\left(\frac{1}{n}\sum y_i\right)^2} \tag{A1-12}$$

$$\bar{x}=\frac{1}{n}\sum x_i \tag{A1-13}$$

$$\bar{y}_n=\frac{1}{y}\sum y_i \tag{A1-14}$$

式中:σ_n,$\bar{y}_n$ 为仅与项数 n 有关的函数,当 n 确定后,可由 $P=\frac{m}{n+1}$ 的公式求得 σ_n,$\bar{y}_n$ 值。

将 x 按递减次序排列,第 m 项的经验频率 $P=\frac{m}{n+1}\times 100\%$,因重现期 $T=\frac{1}{P}$,则 T 年一遇特征值 x_p 为:$P=1-e^{-e^{-y_p}}$

将 $y_p=\alpha(x_p-u)$ 代入上式得

$$x_p = u - \frac{1}{\alpha}\ln[-\ln(1-P)] \tag{A1-15}$$

极值I型分布又称Gumbel分布，首先由Fisher导出，1941年Gumbel首次把它用于洪水的分析计算中。只要随机变量的原始分布符合正态分布或I、分布等指数型分布，其极值的分布就渐近于Gumbel分布。由于该分布具有充分的理论根据，因而它在水文、气象统计中应用十分广泛。美国和日本等国已将其用于重现值波高的计算。我国港口工程技术规范将Gumbel分布用于校核高低潮位的计算。

(3) Pearson-Ⅲ型分布。

Pearson-Ⅲ型分布是Pearson分布曲线族中的一种，由英国学者Pearson(1903)首先提出。目前，它是水利工程界应用最为广泛的一种曲线，其密度函数和分布函数为

$$f(x) = \frac{\beta^{\alpha}}{\Gamma(\alpha)}(x-a_0)^{\beta-1}e^{-\beta(x-a_0)} \tag{A1-16}$$

$$F(x) = \int_{a_0}^{x}\frac{\beta^{\alpha}}{\Gamma(\alpha)}(x-a_0)^{\beta-1}e^{-\beta(x-a_0)} \tag{A1-17}$$

式中：x为极值波高观测值；α为形状参数，β为尺度参数，a_0为位置参数。

设总体的数学期望为$\bar{x}$、变差系数为C_v、偏态系数为C_S。则可得

$$\left.\begin{aligned} \alpha &= \frac{4}{C_s{}^2} \\ \beta &= \frac{2}{\bar{x}C_vC_s} \\ a_0 &= \bar{x}\left(1-\frac{2C_v}{C_s}\right) \end{aligned}\right\} \tag{A1-18}$$

$$\left.\begin{aligned} \bar{H} &= \frac{1}{M}\sum_{m=1}^{M}H_m \\ C_v &= \left[\frac{\sum_{m=1}^{M}(k_m-1)^2}{M-1}\right]^{1/2} \\ C_s &= \frac{\sum_{m=1}^{M}(k_m-1)^3}{(M-3)C_v^3} \end{aligned}\right\} \tag{A1-19}$$

式中：$k_m = H_m/\bar{H}$称为波高模比系数。

海浪极值分析时，往往采用超值累积率分布函数，即$F(H\geqslant x)$形式表示，与非超值累积率分布函数$F(H<x)$的关系为

$$F(H \geqslant x) = 1 - F(H < x) \tag{A1-20}$$

为了便于应用，Pearson-Ⅲ型的超值概率分布为

$$-F(H \geqslant x) = \frac{\beta^{\alpha}}{\Gamma(\alpha)} \int_{x}^{\infty} t^{\alpha-1} \beta^{-\beta t} \mathrm{d}t \tag{A1-21}$$

超值概率 F%的模比系数 k_m 可直接应用，C_v、C_S 值查已编制成的积分表，以便绘制 PearsonⅢ型曲线。

5. **对数正态分布**

若随机变量 $X>0$，且 $Y=\ln X$ 呈正态分布，则称 X 服从对数正态分布。

随机变量 Y 的密度函数为

$$f(y) = \frac{1}{\sqrt{2\pi}\sigma} e^{-\frac{(y-\mu)2}{2\sigma 2}} \tag{A1-22}$$

式中：σ，μ 分别为 Y 的数学期望和方差。

随机变量 X 的密度函数为

$$f(x) = \frac{1}{\sqrt{2\pi}\sigma x} e^{-\frac{(\ln x-\mu)2}{2\sigma 2}} \tag{A1-23}$$

$$\left.\begin{aligned} &\text{分布函数：}F(H < X) = \frac{1}{(2\pi)^{1/2}} \int_0^x \frac{1}{At} \exp[-\{(\ln t - B)/A\}^2/2] \mathrm{d}t \\ &\text{期望：}E[x] = \exp[B + A^2/2] \\ &\text{均差：}E[\{x - E(x)\}^2] = \exp[2B + A^2]\{\exp(A^2) - 1\} \end{aligned}\right\}$$

(A1-24)

6. Fisher-TippettⅡ(FT-Ⅱ)或 Frechet **分布**

$$\left.\begin{aligned} &F(H < x) = \exp[-(x-b)] \\ &E(x) = b\,\Gamma(1-1/c) \\ &E(\{x - E(x)\}) = b^{2}[\Gamma(1-2/c) - \Gamma^2(1-1/c)] \end{aligned}\right\} \tag{A1-25}$$

对海浪极值资料适线的最佳方法尚无一致意见，还没有人能说明哪种分布函数能“正确”地代表极值风暴资料样本总体。因此，在拟合极值资料序列时，必须先假定某一分布函数或者适用某些分布函数，以寻求最适合的一种分布函数。

7. Gumbel **分布的参数估计**

本节主要讨论 Gumbel 分布参数的估计方法，主要是极大似然估计和回归方法。

1) 极大似然估计

假定 $X_1, \cdots, X_n$ 是 Gumbel 分布的一个样本，对数似然函数为

$$l(\mu,\sigma)=-n\log\sigma-\sum_{i=1}^{n}\left(\frac{x_i-\mu}{\sigma}\right)-\sum_{i=1}^{n}\exp\left\{-\left(\frac{x_i-\mu}{\sigma}\right)\right\}$$

为求 μ 和 σ 的极大似然估计，按通常的做法，只需令 $\frac{\partial l}{\partial\mu}=0$，$\frac{\partial l}{\partial\sigma}=0$，得到似然方程组，化简得

$$\begin{cases}\sum_{i=1}^{n}e^{-(x_i-\hat{\mu})/\hat{\sigma}}=n;\\ \sum_{i=1}^{n}(x_i-\hat{\mu})(1-e^{-(x_i-\hat{\mu})/\hat{\sigma}})=n\hat{\sigma}\end{cases}$$

似然方程组没有显式，只能通过数值方法求解。

2）最小二乘法

设有 n 个实测极大值，按大小降序排列，不妨设 $x_1\geqslant x_2\geqslant\cdots\geqslant x_n$，变量对应的发生频率为

$$p_k=\frac{k-a}{n+b}\tag{A1-26}$$

式中：k 为变量在降序排列中的序号。a、b 为参数。对于 Gumbel 分布，$a=0.44$，$b=0.12$。

对于 Gumbel 变换可得

$$-\ln[-\ln(1-p)]=\frac{(x-\beta)}{\alpha}\tag{A1-27}$$

将(1)代入(2)得

$$y=\frac{(x-\beta)}{\alpha}\tag{A1-28}$$

其中：

$$y=-\ln\left[-\ln\left(1-\frac{k-0.44}{n+0.12}\right)\right]$$

由于有两个未知数，对式(3)采用线性最小二乘求解，令

$$Q=\sum_{i=1}^{n}\left[y_i-\frac{(x_i-\beta)}{\alpha}\right]^2\rightarrow\min\tag{A1-29}$$

令 $\frac{\partial Q}{\partial\alpha}=0$，$\frac{\partial Q}{\partial\beta}=0$，则得

$$\alpha=\frac{\sigma_n}{S_x}$$

$$\beta=\bar{x}-\alpha\bar{y}$$

其中：

$$\bar{x}=\frac{1}{n}\sum_{i=1}^{n}x_i,\ \bar{y}=\frac{1}{n}\sum_{i=1}^{n}y_i,\ S_x=\sqrt{\sum_{i=1}^{n}x_i^2-\bar{x}^2},\ \sigma_n=\sqrt{\sum_{i=1}^{n}y_i^2-\bar{y}^2}$$

A1.5 皮尔逊Ⅲ型分布的适线法

作为我国水利港口工程多种相关规范推荐采用的分布，水文工作者对其参数估计的方法做了大量的研究，现行广泛采用的是适线法。适线法不是给出估计量的计算公式，而是由实测样本直接推求参数的估计值。其基本原理如下。

设随机变量 X 的超值分布函数 $P(X \geqslant x) = G(x; u_1^o, u_2^o, \cdots, u_l^o)$ 的函数类型已知，其中的参数 $u_1^o, u_2^o, \cdots, u_l^o$ 未知。

设 $x_1, x_2, \cdots, x_n$ 为随机变量 X 的一个容量为 n 的样本。将 $x_1, x_2, \cdots, x_n$ 由大到小排队：

$$x_1^* \geqslant x_2^* \geqslant \cdots \geqslant x_m^* \geqslant \cdots \geqslant x_n^*$$

计算经验(累积)频率公式 $P_m = P(X \geqslant x_m^*)$，将$(P_m, x_m^*)$，$m = 1 \sim n$，点绘到坐标纸上。由于样本来自总体，因此，只要 n 足够大，这些点分布于 X 的分布函数附近。据此，选取一组参数值 $u_1, u_2, \cdots, u_l$，代入函数 $P = G(x; u_1, u_2, \cdots, u_l)$，从而可在坐标图上画出 $P \sim x$ 曲线。这就是理论频率曲线。观察该曲线与经验点拟合程度，如拟合不好，重新选取一组参数值，直到拟合满意，则最后的一组参数即为 X 分布函数中参数 $u_1^o, u_2^o, \cdots, u_l^o$ 的估计值。

参数的初值可由矩法公式计算。

$$\bar{x} = \frac{1}{n}\sum_{i=1}^{n} x_i$$

$$k_i = \frac{x_i}{}$$

$$C_v = \sqrt{\frac{1}{n-1}\sum_{i=1}^{n}(k_i - 1)^2}$$

$$C_s = \frac{\sum_{i=1}^{n}(k_i - 1)^3}{(n-3)C_v^3}$$

A1.6 拟合优度检验

拟合优度是度量分布函数拟合好坏的指标。由于受样本容量的限制，用假设的分布函数来外推多年一遇的极值，通常须进行拟合优度检验。常用的检验方法有[16,17]柯尔莫哥洛夫检验法(即 K-S 检验法)、A-D 检验、χ^2 检验、C-M 检验、Kruskal-Wallis 检验等。其中，K-S 检验最为简便，限制条件较少，被广泛应用于分布检验之中。A-D 检验较好地反应所检验分布函数与母体函数在尾部处的拟合情况。所以，本节将着重介绍 χ^2 检验、K-S 检验和 A-D 检验。

1. χ^2 检验

χ^2 检验是一种非参数检验，用它可以来检验如下一个非参数假设。

$$H_0:F(x)=F_0(x)$$

式中：$F(x)$表示总体中 X 的分布函数，$F_0(x)$为已知的并且完全确定的，是等待检验的分布形式。

为了检验零假设 H_0，从总体中抽出一个容量为 n 的样本，计算出它的经验分布函数 $F_n(x)$。这个经验分布函数一般与零假设中 H_0 的总体分布不同，即使当零假设 H_0 成立时，从同一总体中抽出的各个样本的经验分布函数一般也不同。容易想到，如果零假设 H_0 成立，则这些经验分布函数与假设的分布函数不会有很大的差异。为了用经验分布函数 $F_n(x)$去检验总体分布函数是否就是零假设中的 $F_0(x)$，就必须引入一个统计量，用它来度量 $F_n(x)$与 $F_0(x)$之间的差异。

$$\chi^2<\chi_\alpha^2$$

2. 柯尔莫哥洛夫检验法(K-S 检验)

设原假设(基本假设)H_0 和备择假设 H_1 分别为

$$H_0:F(x)=F_0(x)$$

$$H1:F(x)\neq F_0(x)$$

K-S 检验法的基本思路是按样本点逐个考虑经验频率与理论频率的差异，所以构造统计量。

$$D_n=\sup_{-\infty<x<\infty}|F_n(x)-F_0(x)|$$

式中：$F_n(x)$为经验频率分布，$F_0(x)$为等待检验的分布形式，D_n 为柯尔莫哥洛夫统计量，表示在所有点上经验分布与理论分布差的绝对值的最大值。

令

$$d_i=|F_n(x_i)-F_0(x_i)|$$

则 D_n 可表示为：

$$D_n=\max_{1<i<n}\{d_i\}$$

式中：n 为样本容量。

取某一显著水平α，对不同的样本容量 n，根据表可查到相应的柯尔莫哥洛夫检验的临界值 $D_n(\alpha)$。如果 $D_n<D_n(\alpha)$，则接受原假设；否则，拒绝原假设。

与 χ^2 检验等方法只能用于大样本的情形不同，K-S 检验法可以用于小样本，这是它的一个主要优点，而且应用较为方便。但其他检验方法，在某种意义上都具有最优和近似最优的性质，如 χ^2 检验就是由似然比检验导出的，而 K-S

检验属于非参数检验，主要是根据直观提出的：当 X 的总体分布为 $F_0(x)$ 时，则 $F_0(x)$ 与 $F_n(x)$ 的最大离差应该较小；反之，则应较大。

3. A-D 检验

构造检验统计量 A_n^2 为

$$A_n^2 = -n - \frac{1}{n}\sum_{i=1}^{n}\{(2i-1)[\ln F_0(x_i) + \ln(1 - F_0(x_{n+1-i}))]\}$$

对于给定的水平 α，查数学用表可得临界值 $A_{n,\alpha}^2$；如果 $A_n^2 > A_{n,\alpha}^2$ 则拒绝给定分布，否则接受给定分布。

另外，为了找出有效性高的估计值和比较不同方法所求得的估计值的优良性。本章还采用了其他两种表征参数估计优良的指标[26,27]，以此从各个方面更好地反映各种计算模式的拟合程度。

4. 拟合平均差

$$v = \frac{1}{n}\sum_{i=1}^{n}|(pl - pj)|$$

式中：pl，pj 分别为理论频率分布和经验频率分布。

5. 拟合标准差

$$d = \sqrt{\frac{\sum_{i=1}^{n}(pl - pj)^2}{n-1}}$$

式中：pl，pj 分别为理论频率分布和经验频率分布。

往往一个随机变量服从若干分布，即当用同一种方法检验时，会得到不同的检验统计量；其中，部分检验统计量小于给定水平 α 对应的临界值，即通过检验，则随机变量服从相应的多种分布。而选择其中最小的检验统计量对应的分布为最优分布，这个过程也就是分布拟合的优化选择过程。

6. 极值分布的分位数

极值分布的主要目的之一是估计分位数 x_p，在水文统计中即是估计重现期(return period)为 $T=1/(1-p)$ 的重现水平(return level)；若 $F(x)$ 表示年最大值的分布，则平均每 1/(1-p)年就会出现一次超过 x_p 的事件。更确切地说，在任意一年中，年最大值将以概率 $1-p$ 超过 x_p；在风险管理中，即是估计证券组合的 VaR(value at risk)。VaR 是一种测量金融市场风险的方法。金融市场的风险管理理论认为，标准差只是反映金融资产或证券组合收益的波动性偏离平均收益的程度，而且收益的波动性也没有指明可能的损失会有多大，只有用收益的概率分布才能全面地表述。VaR(风险价值)，是指在金融市场正常波动下，某一金融资产或证券组合在未来一段时间内，在给定的概率水平下发生的最大可能的损失。确切地可表示为

$$\Pr(\Delta P < VaR) = 1 - p$$

式中：ΔP 是所考虑的金融资产或证券组合在持有期 Δt 内的损失，$0<p<1$ 是一个很小的实数，因此 VaR 就是损失 ΔP 的分布 F 的 $1-p$ 的分位数，可表示为 $VaR_{1-p}(\Delta P)=F^{-1}(1-p)$。

我们可以得到广义极值分布的 $p(0<p<1)$分位数为

$$x_p = \mu - \sigma(1-(-\log p)^{-\xi})/\xi$$

特别的 Gumbel 分布($\xi=0$)的 p 分位数为

$$x_p = \mu - \sigma\log(-\log p)$$

A1.7 极值分布的统计推断

统计推断就是依据样本推断总体分布的未知部分，本章只讨论在已知总体分布为极值分布或属于极值分布最大值吸引场情况下，如何估计其中的未知参数或其他数字特征，如高分位数、尾部特征，如何进行模型的检验等问题。

依照统计学中惯用的记号，以 $X_1,\cdots,X_n$ 表示一个随机样本，$x_1,\cdots,x_n$ 表示相应的观测值。前者强调所处理的是独立同分布的随机变量，后者则强调它们是一组实数值。

1. 数据的经验分布

给定数据集合 $x_1,\cdots,x_n$，统计分析的目的之一是寻找一个较好的模型拟合这些数据。为寻求合适的模型，首先必须了解向这些数据的统计特征。我们从散点图开始，因为图形醒目可观，尤其对于大型数据集合更是如此。数据的散点图由点(i,x_i)，$i=1,2,\cdots,n$ 组成，从图上可粗略估计数据是否平稳。如果平稳，再进一步确认数据是独立同分布还是存在相关性。大多数情况下，可以假定数据是独立同分布的。

样本$(X_1,\cdots,X_n)$的数字特征能从不同的角度综合反映数据集合的概况，最常用的就是样本的 q 阶原点矩(moment of order q about the origin)，它是观测值 q 次幂的算术平均

$$A_q = \frac{1}{n}\sum_{i=1}^{n} X_i^q$$

和 q 阶中心矩(central moment of order q),它是观测值与它们算术平均值之差的 q 次幂的算术平均

$$B_q = \frac{1}{n}\sum_{i=1}^{n}(X_i - \bar{X})^q$$

式中:$\bar{X}$ 表示样本均值,即一阶原点矩。一阶中心矩等于零,二阶中心矩即样本方差,记为 S^2,S 成为样本标准差。通过样本矩估计总体分布未知参数的方法,即是通常所说的参数矩估计。

样本偏度系数(skewness)是三阶中心矩与标准差三次幂的比,即

$$b_s = \frac{\frac{1}{n}\sum_{i=1}^{n}(X_i - \bar{X})^3}{\left[\frac{1}{n}\sum_{i=1}^{n}(X_i - \bar{X})^2\right]^{\frac{3}{2}}} = \frac{\left(\frac{1}{n}\right)^{\frac{1}{2}}\sum_{i=1}^{n}(X_i - \bar{X})^3}{\left[\sum_{i=1}^{n}(X_i - \bar{X})^2\right]^{\frac{3}{2}}}$$

若偏度系数小于 0,则该分布是一种左偏的分布,又称为负偏。若偏度系数大于 0,则该分布是一种右偏的分布,又称为正偏。

样本峰度系数(kurtosis)是四阶中心矩与标准差四次幂的比,即

$$b_k = \frac{\frac{1}{n}\sum_{i=1}^{n}(X_i - \bar{X})^4}{\left[\frac{1}{n}\sum_{i=1}^{n}(X_i - \bar{X})^2\right]^2} = \frac{n\sum_{i=1}^{n}(X_i - \bar{X})^4}{\left[\sum_{i=1}^{n}(X_i - \bar{X})^2\right]^2}$$

也是常用的数字特征,它是分布形状的另一种度量。正态分布的峰度为 3。若 $b_k > 3$,表示分布有较厚的尾部,说明样本含有较多远离均值得数据,即通常所说的"尖峰厚尾",金融数据大部分是以峰度判定它的厚尾性的。